구문독해로 4주 안에 1등급 만드는 생존 필살기

구사일생 Book1

지은이 김상근
펴낸이 임상진
펴낸곳 (주)넥서스

출판신고 1992년 4월 3일 제311-2002-2호 ⑥
10880 경기도 파주시 지목로 5
Tel (02)330-5500 Fax (02)330-5555

ISBN 979-11-6165-133-0 (54740)
ISBN 979-11-6165-141-5 (SET)

www.nexusbook.com

구사일생

구문독해로
4주 안에
1등급 만드는
생존 필살기

김상근 지음

Book 1

Saved by the bell
Where are we?
I can survive!
START

NEXUS Edu

"Saved by the bell"

머리말

안녕하세요 smart 상근샘입니다. 10년이라는 교직생활과 EBS와 강남구청인터넷 수능방송에서 영어강의를 하는 동안 많은 강의를 진행하고 많은 학생들을 가르쳐왔습니다. 그러면서 느낀 것은 역시 "영어는 기본기가 우선이다"라는 대명제였습니다.

아시다시피 우리나라의 대입시험인 수능에서 영어는 절대평가로 치루어집니다. 〈절대평가 = 쉬운 시험〉이라는 선입견이 있는데, 결코 그렇지 않습니다. 아주 어려운 고난도 수준의 문제가 출제되지 않을 뿐, 전체적인 영어시험의 난이도는 생각보다 쉽지 않습니다. 특히나 많은 학생들이 기본기에 기대기보다는 문제를 푸는 스킬(skill)에 의존해서 문제를 풀다 보니, 조금만이라도 어려운 구문이나 긴 문장이 나오면 이해하기 힘든 경우가 많습니다. "영어의 기본은 어휘와 구문입니다." 이를 제대로 익히지 않은 채 문제 푸는 기술에만 의존하게 된다면 영어는 결코 자신의 것이 되지 않습니다.

많은 독해집과 구문책을 집필해왔지만, 이번만큼은 기본기에 초점을 맞춘 책을 쓰고자 많은 조사와 구문을 분석했습니다. 시험에 가장 많이 나오는 문항을 선별했고, 이를 간단명료하게 중요한 핵심만을 간추렸습니다. 150개의 유형을 통해서 시험에 많이 나오는 어법 유형과 구문을 익힐 수 있습니다.

각 권당 4주의 시간만 투자해 보세요. 달라지는 여러분의 영어기본기의 탄탄함을 경험할 수 있을 것입니다.

저자 김상근

구성과 특징

어휘를 알면 구문이 보인다!

포인트 3개씩을 묶어 독해의 기본이 되는 어휘를 확인, 숙지한 후에 구문독해 기본기를 어휘부터 다질 수 있도록 구성하였습니다.

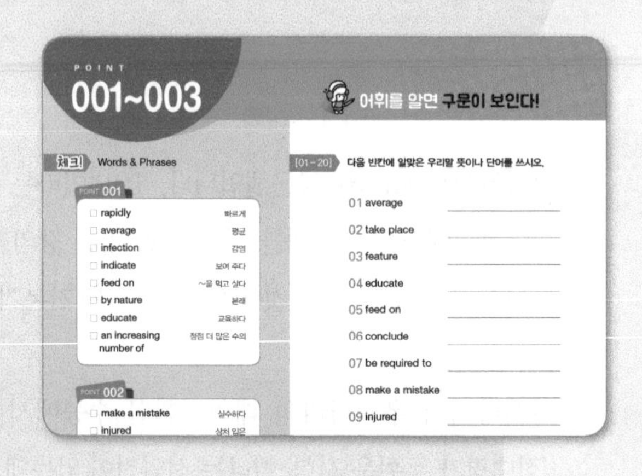

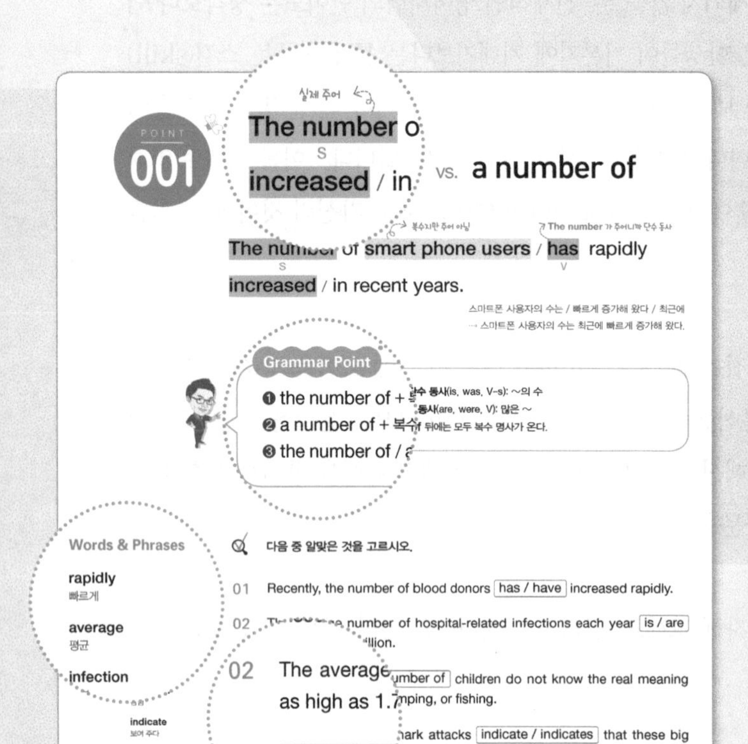

Key Sentence

시험 기출 지문을 토대로 엄선한 문장으로 핵심 구문을 수록했습니다.
문장 구조 분석을 통해 독해의 기본 실력을 탄탄하게 쌓아갈 수 있도록 구성하였습니다.

Grammar Point

시험에 자주 등장하는 핵심 구문에서 뽑은 핵심 문법을 이해하기 쉽고, 암기하기 쉽게 정리하였습니다.

Practice

기출 지문에서 엄선한 문장으로 만든 문제풀이를 통해 앞에서 배운 핵심 구문의 활용 및 어법의 기초를 다질 수 있습니다.

Words & Phrases

핵심 구문을 암기하기 쉽도록 기출 어휘를 제시하여 자연스럽게 기억할 수 있도록 구성하였습니다.

끊어 읽으면 답이 보인다!

각각의 핵심 구문 포인트가 끝나면 다시 한 번 빈칸 문제풀이를 통해 기출 문장을 복습할 수 있도록 구성하였습니다. 끊어읽기 훈련 및 문장 분석을 통해 독해의 기본기를 탄탄하게 쌓을 수 있습니다.

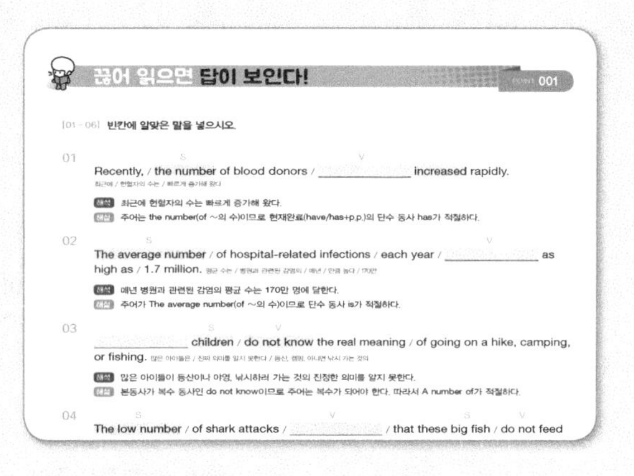
끊어 읽으면 답이 보인다! POINT 001

[01~06] 빈칸에 알맞은 말을 넣으시오.

01 Recently, / the number of blood donors / ____________ increased rapidly.
해석 최근에 헌혈자의 수는 빠르게 증가해 왔다.
해설 주어는 the number(of ~의 수)이므로 현재완료(have/has+p.p.)의 단수 동사 has가 적절하다.

02 The average number / of hospital-related infections / each year / ____________ as high as / 1.7 million.
해석 매년 병원과 관련된 감염의 평균 수는 170만 명에 달한다.
해설 주어가 The average number(of ~의 수)이므로 단수 동사 is가 적절하다.

03 ____________ children / do not know the real meaning / of going on a hike, camping, or fishing.
해석 많은 아이들이 등산이나 야영, 낚시하러 가는 것의 진정한 의미를 알지 못한다.
해설 본동사가 복수 동사인 do not know이므로 주어는 복수가 되어야 한다. 따라서 A number of가 적절하다.

04 The low number / of shark attacks / ____________ / that these big fish / do not feed

Point (001~003) Review

[01~10] 다음 중 알맞은 것을 고르시오.

01 A number of / The number of employees hoping for early retirement has increased these days.

02 Ten months is / are too long a time to stay in the hospital.

03 An increasing number of young teachers is / are likely to change their lecture style.

04 One hundred dollars a day is / are spent curing the girl suffering from this disease.

05 One of the greatest benefits of getting older is / are the accumulation of experience.

06 A number of / The number of married couples working together is increasing more and

Point & Chapter Review

중간 복습 및 챕터별 복습 단계로, 핵심 구문 포인트가 끝나면 통합 문제풀이를 통해 앞에서 배운 내용을 자연스럽게 숙지할 수 있도록 훈련할 수 있습니다.

정답 및 해설

Point Review 및 Chapter Review의 문장을 직독직해 뿐만 아니라 문장 분석까지 자세하게 제공합니다. 자기주도학습을 할 수 있도록 현직 교사이신 상근샘의 친절한 해설을 담았습니다.

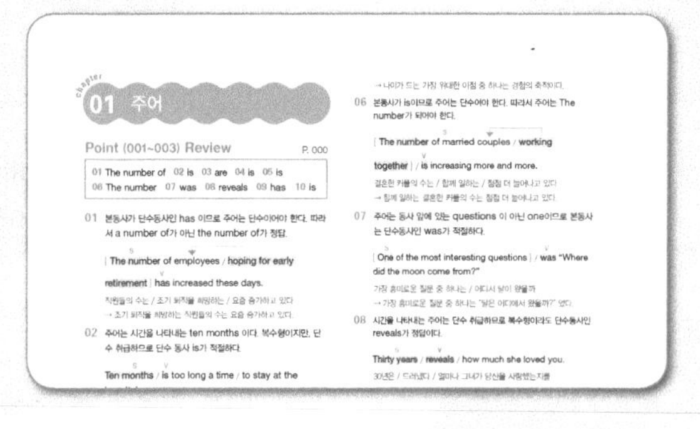
01 주어

Point (001~003) Review P. 000

01 The number of 02 is 03 are 04 is 05 is
06 The number 07 was 08 reveals 09 has 10 is

01 본동사가 단수동사인 has 이므로 주어는 단수이어야 한다. 따라서 a number of가 아닌 the number of가 정답.
The number of employees / hoping for early retirement / has increased these days.

02 주어는 시간을 나타내는 ten months 이다. 복수형이지만, 단수 취급하므로 단수 동사 is가 적절하다.
Ten months / is too long a time / to stay at the

06 본동사가 is이므로 주어는 단수여야 한다. 따라서 주어는 The number가 되어야 한다.
The number of married couples / working together / is increasing more and more.

07 주어는 동사 앞에 있는 questions 이 아닌 one이므로 본동사는 단수동사인 was가 적절하다.
One of the most interesting questions / was "Where did the moon come from?"

08 시간을 나타내는 주어는 단수 취급하므로 복수형이라도 단수동사인 reveals가 정답이다.
Thirty years / reveals / how much she loved you.

추가 제공 자료(www.nexusbook.com)

어휘 리스트 & 테스트지

통문장 영작 테스트지

통문장 해석 테스트지

동사 · 비교급 변화표 & 테스트지

문법 용어집

목차

CHAPTER 01 주어 1 Subjects

CHAPTER 02 대명사 Pronouns

CHAPTER 03 동사 Verbs

CHAPTER 06

동명사
Gerunds

CHAPTER 07

to부정사
Infinitives

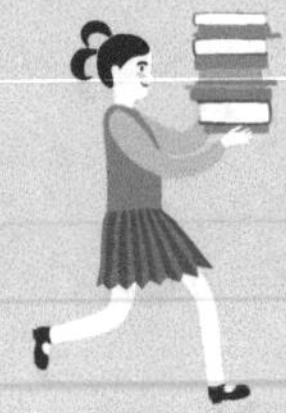

Book 2 목차

CHAPTER 08 주어 2

CHAPTER 09 조동사

CHAPTER 10 수동태

CHAPTER 11 관계사

CHAPTER 12 분사구문

CHAPTER 13 접속사

CHAPTER 14 가정법

CHAPTER 15 도치/강조/병렬/기타

Monthly Planner

Week	Book	1st	2nd	3rd	4th	5th	6th	7th
First Week	Book 1	Point 001~003 ☐ ☐ ☐ ☐	Point 004~006 ☐ ☐ ☐ ☐	Point 007~009 ☐ ☐ ☐ ☐	Point 010~012 ☐ ☐ ☐ ☐	Chapter Review ☐ ☐ ☐ ☐	Point 013~015 ☐ ☐ ☐ ☐	Point 016~018 / Chapter Review ☐ ☐ ☐
	Book 2	Point 073~075 ☐ ☐ ☐ ☐	Point 076~078 ☐ ☐ ☐ ☐	Point 079~081 ☐ ☐ ☐ ☐	Chapter Review ☐ ☐ ☐ ☐	Point 082~084 ☐ ☐ ☐ ☐	Point 085~087 ☐ ☐ ☐ ☐	Chapter Review ☐ ☐ ☐ ☐

Week	Book	1st	2nd	3rd	4th	5th	6th	7th
Second Week	Book 1	Point 019~021 ☐ ☐ ☐ ☐	Point 022~024 ☐ ☐ ☐ ☐	Point 025~027 ☐ ☐ ☐ ☐	Chapter Review ☐ ☐ ☐ ☐	Point 028~030 ☐ ☐ ☐ ☐	Point 031~033 ☐ ☐ ☐ ☐	Point 034~036 / Chapter Review ☐ ☐ ☐
	Book 2	Point 088~090 ☐ ☐ ☐ ☐	Point 091~093 / Chapter Review ☐ ☐ ☐	Point 094~096 ☐ ☐ ☐ ☐	Point 097~099 ☐ ☐ ☐ ☐	Point 100~102 ☐ ☐ ☐ ☐	Point 103~105 ☐ ☐ ☐ ☐	Point 106~108 / Chapter Review ☐ ☐ ☐

Week	Book	1st	2nd	3rd	4th	5th	6th	7th
Third Week	Book 1	Point 037~039 ☐ ☐ ☐ ☐	Point 040~042 ☐ ☐ ☐ ☐	Point 043~045 ☐ ☐ ☐ ☐	Point 046~048 ☐ ☐ ☐ ☐	Point 049~051 ☐ ☐ ☐ ☐	Chapter Review ☐ ☐ ☐ ☐	Point 052~054 ☐ ☐ ☐ ☐
	Book 2	Point 109~111 ☐ ☐ ☐ ☐	Point 112~114 ☐ ☐ ☐ ☐	Point 115~117 / Chapter Review ☐ ☐ ☐	Point 118~120 ☐ ☐ ☐ ☐	Point 121~123 / Chapter Review ☐ ☐ ☐	Point 124~126 ☐ ☐ ☐ ☐	Point 127~129 ☐ ☐ ☐ ☐

Week	Book	1st	2nd	3rd	4th	5th	6th	7th
Fourth Week	Book 1	Point 055~057 ☐ ☐ ☐ ☐	Point 058~060 ☐ ☐ ☐ ☐	Chapter Review ☐ ☐ ☐ ☐	Point 061~063 ☐ ☐ ☐ ☐	Point 064~066 ☐ ☐ ☐ ☐	Point 067~069 ☐ ☐ ☐ ☐	Point 070~072 / Chapter Review ☐ ☐ ☐
	Book 2	Point 130~132 / Chapter Review ☐ ☐ ☐	Point 133~135 ☐ ☐ ☐ ☐	Point 136~138 ☐ ☐ ☐ ☐	Point 139~141 ☐ ☐ ☐ ☐	Point 142~144 ☐ ☐ ☐ ☐	Point 145~147 ☐ ☐ ☐ ☐	Point 148~150 / Chapter Review ☐ ☐ ☐

Chapter

01

주어 1

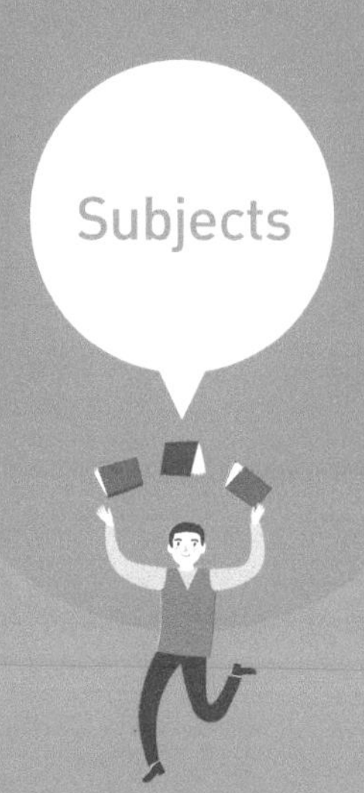

POINT

001~003

체크! Words & Phrases

POINT 001

- □ rapidly 빠르게
- □ average 평균
- □ infection 감염
- □ indicate 보여 주다
- □ feed on ~을 먹고 살다
- □ by nature 본래
- □ educate 교육하다
- □ an increasing number of 점점 더 많은 수의

POINT 002

- □ make a mistake 실수하다
- □ injured 상처 입은
- □ take place 열리다, 개최되다
- □ feature 특징
- □ point of view 관점
- □ influence 영향
- □ standard 기준
- □ etiquette 에티켓
- □ decade 10년

POINT 003

- □ annual 연간의
- □ satisfactory 만족스러운
- □ suggestion 제안
- □ thirst 갈망하다, 열망하다
- □ conclude 결론을 내리다
- □ be required to ~가 필요하다
- □ complete 완료하다

★모르는 단어에 체크하고, 소리 내어 10번만 뜻과 함께 말해 보세요.

[01-20] 다음 빈칸에 알맞은 우리말 뜻이나 단어를 쓰시오.

01 average ____________

02 take place ____________

03 feature ____________

04 educate ____________

05 feed on ____________

06 conclude ____________

07 be required to ____________

08 make a mistake ____________

09 injured ____________

10 thirst ____________

11 완료하다 ____________

12 영향 ____________

13 기준 ____________

14 에티켓 ____________

15 10년 ____________

16 감염 ____________

17 보여 주다 ____________

18 연간의 ____________

19 만족스러운 ____________

20 제안 ____________

the number of vs. a number of

실제 주어 / 복수지만 주어 아님 / The number가 주어니까 단수 동사

The number(S) of smart phone users / **has**(V) rapidly **increased** / in recent years.

스마트폰 사용자의 수는 / 빠르게 증가해 왔다 / 최근에
··· 스마트폰 사용자의 수는 최근에 빠르게 증가해 왔다.

Grammar Point

❶ the number of + 복수 명사 + **단수 동사**(is, was, V-s): ~의 수
❷ a number of + 복수 명사 + **복수 동사**(are, were, V): 많은 ~
❸ the number of / a number of 뒤에는 모두 복수 명사가 온다.

다음 중 알맞은 것을 고르시오.

01 Recently, the number of blood donors [has / have] increased rapidly.

02 The average number of hospital-related infections each year [is / are] as high as 1.7 million.

03 [A number of / The number of] children do not know the real meaning of going on a hike, camping, or fishing.

04 The low number of shark attacks [indicate / indicates] that these big fish do not feed on humans by nature.

05 A small number of children in the village [is / are] educated at home, not at school.

06 An increasing number of Koreans [try / tries] to eat more vegetables and fruit for their health.

Words & Phrases

rapidly 빠르게
average 평균
infection 감염
indicate 보여 주다
feed on ~을 먹고 살다
by nature 본래
educate 교육하다
an increasing number of 점점 더 많은 수의

끊어 읽으면 답이 보인다! POINT 001

[01 – 06] **빈칸에 알맞은 말을 넣으시오.**

01

Recently, / the number of blood donors / ____________ increased rapidly.
최근에 / 헌혈자의 수는 / 빠르게 증가해 왔다

해석 최근에 헌혈자의 수는 빠르게 증가해 왔다.
해설 주어는 the number(of ~의 수)이므로 현재완료(have/has+p.p.)의 단수 동사 has가 적절하다.

02

The average number / of hospital-related infections / each year / ____________ as high as / 1.7 million. 평균 수는 / 병원과 관련된 감염의 / 매년 / 만큼 높다 / 170만

해석 매년 병원과 관련된 감염의 평균 수는 170만 명에 달한다.
해설 주어가 The average number(of ~의 수)이므로 단수 동사 is가 적절하다.

03

____________ children / do not know the real meaning / of going on a hike, camping, or fishing. 많은 아이들은 / 진짜 의미를 알지 못한다 / 등산, 캠핑, 아니면 낚시 가는 것의

해석 많은 아이들이 등산이나 야영, 낚시하러 가는 것의 진정한 의미를 알지 못한다.
해설 본동사가 복수 동사인 do not know이므로 주어는 복수가 되어야 한다. 따라서 A number of가 적절하다.

04

The low number / of shark attacks / ____________ / that these big fish / do not feed on humans / by nature. 낮은 수 / 상어 공격의 / 알려 준다 / 이러한 큰 물고기가 / 사람을 먹이로 하지 않는다 / 본래

해석 상어 공격의 적은 횟수는 이 커다란 물고기들이 본래 사람을 먹이로 하지 않는다는 것을 보여 준다.
해설 주어가 The low number(of ~의 적은 수)이므로 단수 동사인 indicates가 적절하다.

05

A small number of children / in the village / ____________ educated at home, / not at school. 적은 수의 아이들이 / 마을의 / 집에서 교육받고 있다 / 학교가 아니라

해석 마을에서 적은 수의 아이들이 학교가 아닌 집에서 교육을 받는다.
해설 주어는 the village가 아닌 A small number of의 수식을 받는 children이므로 동사는 복수 동사 are가 적절하다.

06

An increasing number of Koreans / ____________ to eat more vegetables and fruit / for their health. 점차 늘어나는 한국인들이 / 더 많은 채소와 과일을 먹고자 노력한다 / 그들의 건강을 위해서

해석 점점 더 많은 수의 한국인들이 건강을 위해서 더 많은 채소와 과일을 먹으려고 노력한다.
해설 주어는 An increasing number of의 수식을 받는 Koreans이므로 동사는 복수 동사 try가 적절하다.

One of the 복수 명사

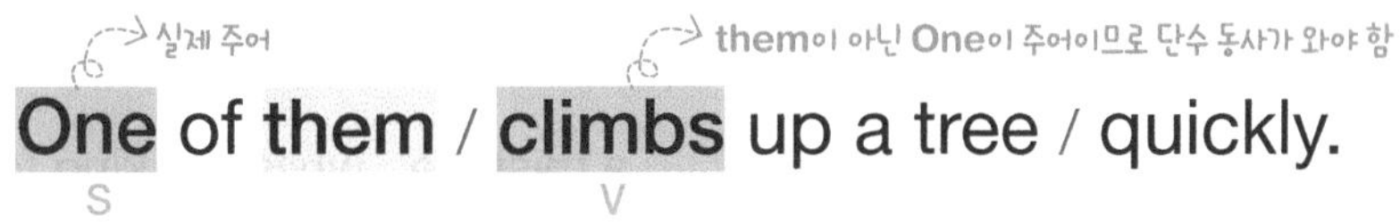

실제 주어
them이 아닌 One이 주어이므로 단수 동사가 와야 함
One of them / climbs up a tree / quickly.
S
V

그들 중 하나는 / 나무 위로 올라간다 / 빠르게
⋯→ 그들 중 한 명이 빠르게 나무 위로 올라간다.

Grammar Point

❶ one of + 복수 명사 + 단수 동사(is, was, V-s): one이 주어다.
❷ one of 뒤에는 복수 명사가 온다.

다음 중 알맞은 것을 고르시오.

Words & Phrases

- **make a mistake** 실수하다
- **injured** 상처 입은
- **take place** 열리다, 개최되다
- **feature** 특징
- **point of view** 관점
- **influence** 영향
- **standard** 기준
- **etiquette** 에티켓
- **decade** 10년

01 One of my friends always [make / makes] a mistake while cooking food.

02 He saw the lion was injured and one of his legs [was / were] bleeding.

03 One of the most famous gondola races [take / takes] place every April 25, on St. Mark's Day.

04 One of the most interesting features of leopard sharks [is / are] their three-pointed teeth.

05 One of the most important skills you can develop [is / are] the ability to see things from others' points of view.

06 One of its biggest influences on our lives [is / are] the sudden breaking of standards of etiquette in less than a decade.

끊어 읽으면 답이 보인다!

POINT 002

[01－06] **빈칸에 알맞은 말을 넣으시오.**

01

S　V　접속사 + 분사

[One of my friends] / always ______ a mistake / while cooking food.

내 친구 중 한 명은 / 항상 실수를 한다 / 음식을 하는 동안

해석 내 친구 중 한 명은 음식을 하는 동안 항상 실수를 한다.

해설 주어는 One이므로 동사는 단수 동사 makes가 적절하다.

02

that 생략　S　V

He saw / [the lion was injured / and one of his legs / ______ bleeding.]

그는 보았다 / 사자가 부상을 입었음을 / 그리고 그의 다리 중 하나가 / 피 흘리는 것을

해석 그는 상처 입은 사자와 그 사자의 다리 하나에서 피를 흘리고 있는 것을 보았다.

해설 주어는 one이므로 동사는 단수 동사 was가 적절하다.

03

S　V

[One of the most famous gondola races] / ______ place / every April 25, / on St. Mark's Day. 가장 유명한 곤돌라 경기 중 하나가 / 열린다 / 매년 4월 25일에 / 세인트 마크의 날에

해석 가장 유명한 곤돌라 경기 중 하나가 매년 4월 25일, 세인트 마크날에 열린다.

해설 주어는 One이며 One ~ races가 주어부를 구성한다. 따라서 동사는 단수 동사인 takes가 적절하다.

04

S　V

[One of the most interesting features / of leopard sharks] / ______ their three-pointed teeth. 가장 흥미로운 특징 중 하나는 / 표범상어의 / 그들의 삼각뿔 이빨이다

해석 표범상어의 가장 재미있는 특징 중 하나는 그들의 삼각뿔 이빨이다.

해설 One ~ sharks가 주어부이며 주어는 One이므로 동사는 단수 동사인 is가 적절하다.

05

S　which 생략　V

[One of the most important skills / you can develop] / ______ the ability / to see things / from others' points of view.

가장 중요한 기술 중 하나는 / 여러분이 발전시킬 수 있는 / 능력이다 / 사물을 보는 / 다른 사람의 관점으로부터

해석 여러분이 발전시킬 수 있는 가장 중요한 기술 중 하나는 다른 사람의 관점으로부터 사물을 보는 능력이다.

해설 One ~ develop가 주어부이며, 주어는 One이므로 단수 동사 is가 적절하다.

06

S　주어 아님　V

[One of its biggest influences / on our lives] / ______ the sudden breaking / of standards of etiquette / in less than a decade.

가장 큰 영향 중 하나는 / 우리 인생에 미치는 / 갑작스런 붕괴이다 / 예절의 기준의 / 10년도 덜 된 상태에서

해석 우리 삶에 미치는 가장 큰 영향 중 하나는 10년도 채 되지 않은 채 예절의 기준이 갑작스럽게 붕괴된 것이다.

해설 One ~ lives가 주어부이며 실제 주어는 One이므로 동사는 단수 동사인 is가 적절하다.

시간, 거리, 가격, 중량의 주어

[**$100,000** as an annual salary] **is** satisfactory suggestion / for moving the company.

($100,000 → 많은 숫자이지만, 돈이므로 단수 / S)
(is → are (X) / V)

연봉으로서의 10만 달러는 / 만족스러운 제안이다 / 회사를 옮기기 위한

→ 회사를 옮기는 데 10만 달러의 연봉은 만족스러운 제안이다.

❶ 주어로 시간, 가격, 거리, 중량이 나올 경우, 그 형태가 복수형이기는 하지만 대부분 하나의 덩어리를 의미하기 때문에 단수 취급한다.

❷ 숫자가 주는 이미지에 속지 말자.

❸ 시간의 경과는 복수 취급: Five years have passed since I met him.
내가 그를 만난 지 5년이 흘렀다.

다음 중 알맞은 것을 고르시오.

Words & Phrases

- **annual** 연간의
- **satisfactory** 만족스러운
- **suggestion** 제안
- **thirst** 갈망하다, 열망하다
- **conclude** 결론을 내리다
- **be required to** ~가 필요하다
- **complete** 완료하다

01 Fifty dollars [is / are] too much for me to buy this camera.

02 Twenty-five years [is / are] a long time for me to wait for her.

03 10 km for jogging [is / are] too long to exercise in the morning.

04 Five years at school [has / have] made him thirst for teaching.

05 The goal is to lose 10 kilograms, which [is / are] one of the best records in my life.

06 We concluded that six days [was / were] required to complete that project.

끊어 읽으면 답이 보인다!

POINT 003

[01-06] **빈칸에 알맞은 말을 넣으시오.**

01
S V
Fifty dollars / ___________ too much for me / to buy this camera.
50달러는 / 나에게는 너무 과하다 / 이 카메라를 사기에는

해석 50달러는 내가 이 카메라를 사기에는 너무 과하다.

해설 주어는 가격을 나타내는 Fifty dollars이다. 복수형이지만, 단수 취급하므로 단수 동사 is가 적절하다.

02
S V 의미상의 주어
Twenty-five years / ___________ a long time / for me / to wait for her.
25년이라는 시간은 / 긴 시간이다 / 내가 / 그녀를 기다리기에는

해석 25년이라는 시간은 내가 그녀를 기다리기에는 긴 시간이다.

해설 주어가 시간을 나타내는 Twenty-five years이다. 복수형이지만, 단수 취급하므로 단수 동사 is가 적절하다.

03
S V too ~ to : 너무 ~ 해서 ~할 수 없다
[10 km for jogging] / ___________ too long to exercise / in the morning.
조깅으로 10km는 / 너무 멀어서 운동으로 할 수 없다 / 아침에

해석 조깅으로 10km는 아침에 운동을 하기에는 너무 멀다.

해설 주어는 거리를 나타내는 10km이다. 복수형이지만, 단수 취급하므로 단수 동사인 is가 적절하다.

04
S V
[Five years at school] / ___________ made / him thirst for teaching.
학교에서의 5년의 시간은 / 만들었다 / 그를 가르침에 열망하도록

해석 학교에서의 5년의 시간은 그를 가르침에 열망하도록 했다.

해설 주어는 시간을 나타내는 Five years이다. 복수형이지만, 단수 취급하므로 단수 동사인 has가 적절하다.

05
앞에 있는 10 kilograms가 선행사 V
The goal / is to lose 10 kilograms, / which ___________ / one of the best records / in my life. 목표는 / 10kg을 빼는 것이다 / 이는 / 가장 좋은 기록 중 하나이다 / 내 인생에서

해석 목표는 10kg을 빼는 것이고, 이것은 내 인생에서 최고의 기록 중 하나이다.

해설 관계사 which의 선행사는 무게를 나타내는 10 kilograms이다. 단수 취급하므로 관계사절의 동사는 단수 동사 is가 적절하다.

06
S V S' V'
We concluded / that six days ___________ required / to complete that project.
우리는 결론을 내렸다 / 6일이라는 시간이 필요했다 / 그 프로젝트를 완료하기에는

해석 우리는 그 프로젝트를 마무리하는 데 6일이라는 시간이 필요하다고 결론을 내렸다.

해설 주어는 시간을 나타내는 six days이다. 복수형이지만, 단수 취급하므로 단수 동사인 was가 적절하다.

Point (001~003) Review

p.02

[01 – 10] 다음 중 알맞은 것을 고르시오.

01 A number of / The number of employees hoping for early retirement has increased these days.

02 Ten months is / are too long a time to stay in the hospital.

03 An increasing number of young teachers is / are likely to change their lecture style.

04 One hundred dollars a day is / are spent curing the girl suffering from this disease.

05 One of the greatest benefits of getting older is / are the accumulation of experience.

06 A number of / The number of married couples working together is increasing more and more.

07 One of the most interesting questions was / were "Where did the moon come from?"

08 Thirty years reveal / reveals how much she loved you.

09 The number of people at the park who exercise has / have decreased because of the smog.

10 One of the primary tensions in American culture is / are the one between freedom and prohibition.

POINT

004~006

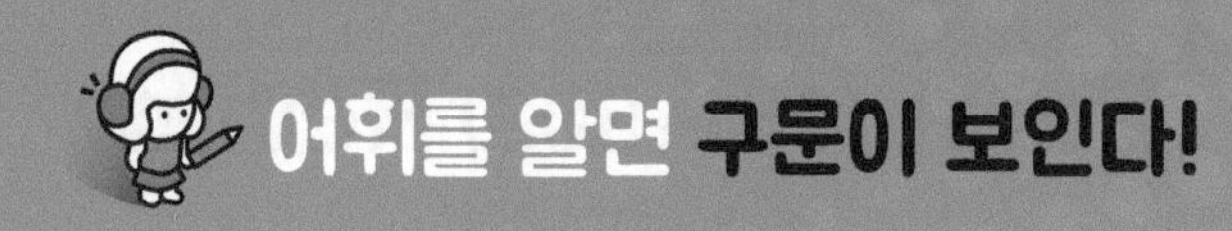

체크! Words & Phrases

POINT 004

- ☐ economics 경제학
- ☐ politics 정치학
- ☐ identity 정체성
- ☐ crisis 위기
- ☐ encourage 격려하다
- ☐ occur 발생하다
- ☐ trial and error 시행착오

POINT 005

- ☐ helpful 도움이 되는
- ☐ gift 선물, 재능
- ☐ explore 탐험하다, 탐구하다
- ☐ feed 먹이를 주다
- ☐ strictly 엄격히
- ☐ care 주의
- ☐ store 저장하다, 보관하다
- ☐ medication 약
- ☐ ineffective 효과가 없는
- ☐ properly 적절히

POINT 006

- ☐ make friends 친구를 사귀다
- ☐ exciting 흥미로운
- ☐ dangerous 위험한
- ☐ peer 친구, 또래
- ☐ revisit 재방문하다
- ☐ cause 유발하다
- ☐ material 자료

★모르는 단어에 체크하고, 소리 내어 10번만 뜻과 함께 말해 보세요.

[01-20] 다음 빈칸에 알맞은 우리말 뜻이나 단어를 쓰시오.

01 peer ____________

02 revisit ____________

03 feed ____________

04 care ____________

05 politics ____________

06 identity ____________

07 encourage ____________

08 exciting ____________

09 dangerous ____________

10 occur ____________

11 효과가 없는 ____________

12 적절히 ____________

13 도움이 되는 ____________

14 선물, 재능 ____________

15 탐험하다, 탐구하다 ____________

16 유발하다 ____________

17 자료 ____________

18 저장하다, 보관하다 ____________

19 약 ____________

20 친구를 사귀다 ____________

단수 취급 주어

~s가 붙어서 복수같지만, 단수이다

No **news is** good news. / Don't worry / about him.

are (X)

무소식이 희소식이다 / 걱정 말아라 / 그에 대해서는
→ 무소식이 희소식이다. 그에 대해서는 걱정 말아라.

Grammar Point

※ 다음 명사는 단수 취급한다.

기체 – 액체 – 고체	air, steam(증기), water, milk, ice, rice, sand, bread, gold
추상명사	advice(조언), beauty, evidence(증거), homework, information, knowledge(지식), importance, work(일)
-s가 붙는 단수 명사	economics(경제학), electronics(전자공학), ethics(윤리학), mathematics(수학), mumps(볼거리), the United States, the United Nations, news
무조건 단수인 경우	each, every, much

다음 중 알맞은 것을 고르시오.

Words & Phrases

economics 경제학
politics 정치학
identity 정체성
crisis 위기
encourage 격려하다
occur 발생하다
trial and error 시행착오

01 Economics [seem / seems] to be more difficult than politics.

02 The United States [is / are] going through an identity crisis.

03 Each of us [need / needs] people in our lives who encourage us.

04 All of the information you need [do / does] not always help you.

05 Much of learning [occur / occurs] through trial and error.

06 Each of its ears [is / are] a different size, and one is larger than the other.

끊어 읽으면 답이 보인다!

POINT 004

[01 – 06] 빈칸에 알맞은 말을 넣으시오.

01
S V
Economics / ____________ / to be more difficult / than politics.
경제학은 / 보인다 / 더 어려워 / 정치학보다

해석 경제학은 정치학보다 더 어려워 보인다.

해설 주어인 Economics는 -s가 붙지만, 과목명이므로 단수 취급한다. 따라서 동사는 단수인 seems가 적절하다.

02
S V
The United States / ____________ going through / an identity crisis.
미국은 / 겪고 있다 / 정체성의 위기를

해석 미국은 정체성의 위기를 겪고 있다.

해설 The United States는 -s가 붙지만, 나라명이므로 단수 취급한다. 따라서 동사는 단수인 is가 적절하다.

03
S V
Each of us / ____________ people / in our lives / who encourage us.
우리 개개인은 / 사람들이 필요하다 / 우리 삶에서 / 우리를 격려할

해석 우리 개개인은 우리 삶에서 우리를 격려할 사람들이 필요하다.

해설 주어는 동사 앞에 있는 us가 아니라 Each이다. each는 단수 취급하므로 단수 동사인 needs가 적절하다.

04
S V
All of the information / you need, ____________ not always help you.
모든 정보는 / 당신이 필요한 / 항상 당신을 돕는 건 아니다

해석 당신이 필요한 모든 정보가 항상 당신을 돕는 건 아니다.

해설 All of the information이 주어이다. information은 단수 취급하므로 단수 동사 does가 적절하다.

05
S V
Much of learning / ____________ / through trial and error.
배움의 상당수는 / 발생한다 / 시행착오를 통해서

해석 배움의 상당수는 시행착오를 통해서 발생한다.

해설 much는 단수 취급한다. 따라서 동사는 단수인 occurs가 적절하다.

06
S 주어 아님 V
Each of its ears / ____________ a different size, / and one is larger / than the other.
그것의 귀의 각각은 / 다른 크기이다 / 그리고 하나는 더 크다 / 다른 것보다

해석 그것의 각각의 귀는 크기가 다른데, 하나는 나머지 것보다 크다.

해설 동사 앞에 있는 ears가 주어가 아니라 Each가 주어이다. each는 단수 취급하므로 단수 동사인 is가 적절하다.

to부정사 주어

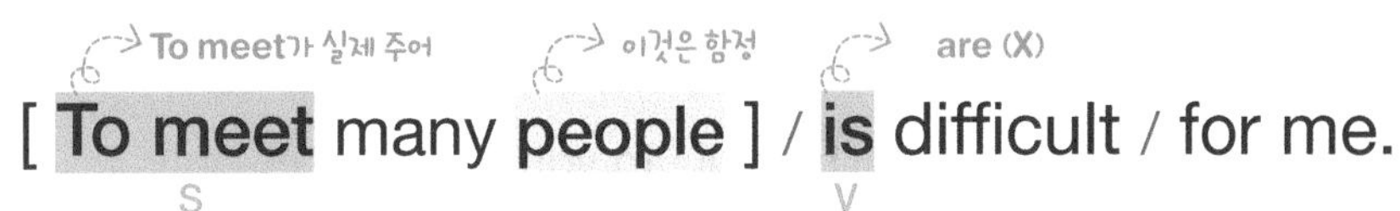

To meet가 실제 주어
이것은 함정
are (X)
[To meet many people] / is difficult / for me.
S
V

많은 사람을 만나는 것은 / 어렵다 / 나에게
→ 많은 사람들을 만나는 것은 나에게 어렵다.

Grammar Point

❶ to부정사의 주어는 "~하기", "~하는 것"으로 해석한다.
❷ 주어 자리에 to부정사가 올 경우, 단수 취급한다.
❸ 본동사의 형태는 〈 is / was / V-s 〉가 된다.
❹ 본동사 바로 앞에 복수 명사가 올 수도 있으니 주의하자.

Words & Phrases

helpful 도움이 되는
gift 선물, 재능
explore 탐험하다, 탐구하다
feed 먹이를 주다
strictly 엄격히
care 주의
store 저장하다, 보관하다
medication 약
ineffective 효과가 없는
properly 적절히

다음 중 알맞은 것을 고르시오.

01 To read books [is / are] helpful to you.

02 To write a letter [is / are] better than to give a gift.

03 To explore your personal drawing styles [is / are] important.

04 To feed the animals [is / are] strictly prohibited in the zoo.

05 To see what is in front of your nose [need / needs] special care.

06 To store medications correctly [is / are] very important because many drugs will become ineffective if they are not stored properly.

끊어 읽으면 답이 보인다!

[01-06] **빈칸에 알맞은 말을 넣으시오.**

01

S V
[To read books] / ____________ helpful / to you.
책을 읽는 것은 / 도움이 된다 / 당신에게

해석 책을 읽는 것은 당신에게 도움이 된다.

해설 동사 앞에 있는 books는 주어가 아니다. To read가 실제 주어이므로 단수 동사인 is가 적절하다.

02

S V
[To write a letter] / ____________ better / than to give a gift.
편지를 쓰는 것이 / 더 낫다 / 선물을 주는 것보다

해석 편지를 쓰는 것이 선물을 주는 것보다 낫다.

해설 To write가 주어이므로 단수 동사인 is가 적절하다.

03

S V
[To explore your personal drawing styles] / ____________ important.
여러분의 개인적인 그림 스타일을 탐구하는 것은 / 중요하다

해석 여러분의 개인적인 그림 스타일을 탐구하는 것은 중요하다.

해설 To explore ~ styles가 주어부이다. 동사 앞에 있는 styles는 주어가 아니다. 실제 주어는 To explore이므로 단수 동사인 is가 적절하다.

04

S V
[To feed the animals] / ____________ strictly prohibited / in the zoo.
동물들에게 먹이를 주는 것은 / 엄격하게 금지된다 / 동물원에서

해석 동물들에게 먹이를 주는 것은 동물원에서 엄격하게 금지된다.

해설 동사 앞에 있는 animals는 주어가 아니다. To feed가 주어이며, 단수 취급하므로 단수 동사인 is가 적절하다.

05

S V
[To see / what is in front of your nose] / ____________ special care.
보는 것은 / 당신의 코앞에 있는 것을 / 특별한 주의가 필요하다

해석 당신의 코앞에 있는 것을 보는 것은 특별한 주의가 필요하다.

해설 To see ~ your nose가 주어부이며, 실제 주어는 To see이다. to부정사 주어이므로 단수 취급한다. 따라서 단수 동사인 needs가 적절하다.

06

S (주어 아님) V
[To store medications correctly] / ____________ very important / because many drugs will become ineffective / if they are not stored / properly.
약을 올바르게 보관하는 것은 / 매우 중요하다 / 왜냐하면 많은 약들은 효과가 없어지기 때문이다 / 만약 그것들이 보관되지 않으면 / 적절히

해석 약을 올바르게 보관하는 것은 매우 중요하다. 왜냐하면 많은 약들은 적절히 보관되지 않으면, 효과가 없어지기 때문이다.

해설 주어는 To store이므로 단수 취급하므로 단수 동사인 is가 적절하다.

동명사 주어

동명사 Making이 주어 / are (X)

[**Making** new **friends**] / **is** always exciting and interesting.
S / V

새로운 친구를 사귀는 것은 / 항상 흥미롭고 재미있다
⋯› 새로운 친구를 사귀는 것은 항상 흥미롭고 재미있다.

❶ 동명사 주어는 "~하기", "~하는 것"으로 해석한다.
❷ 주어 자리에 동명사(-ing)가 올 경우, 단수 취급한다.
❸ 본동사의 형태는 〈is / was / V-s〉가 된다.
❹ 본동사 바로 앞에 복수 명사가 올 수도 있으니 주의하자.

다음 중 알맞은 것을 고르시오.

01 Playing with matches [is / are] dangerous.

02 Meeting children [make / makes] her happy.

03 Just giving them money or food [is / are] not a good idea.

04 Talking about your problems with your peers [is / are] helpful.

05 Revisiting a place [help / helps] people better understand both the place and themselves.

06 Studying while listening to music [cause / causes] students to have a difficult time learning the material.

Words & Phrases

make friends 친구를 사귀다
exciting 흥미로운
dangerous 위험한
peer 친구, 또래
revisit 재방문하다
cause 유발하다
material 자료

끊어 읽으면 답이 보인다!

POINT 006

[01-06] **빈칸에 알맞은 말을 넣으시오.**

01

S V

[Playing with matches] / ____________ dangerous.

성냥을 가지고 노는 것은 / 위험하다

해석 성냥을 가지고 노는 것은 위험하다.

해설 Playing ~ matches가 주어부이며, 실제 주어는 Playing이다. 동명사는 단수 취급하므로 단수 동사인 is가 적절하다.

02

S V

[Meeting children] / ____________ her happy.

아이들을 만나는 것은 / 그녀를 행복하게 만든다

해석 아이들을 만나는 것은 그녀를 행복하게 만든다.

해설 동사 앞의 children은 주어가 아니다. 주어는 동명사인 Meeting이므로 동사는 단수인 makes가 적절하다.

03

S V

[Just giving them / money or food] / ____________ not a good idea.

단순히 그들에게 주는 것은 / 돈이나 음식을 / 좋은 생각이 아니다

해석 단순히 그들에게 돈이나 음식을 주는 것은 좋은 생각이 아니다.

해설 Just ~ food가 주어부이며, 실제 주어는 동명사 giving이다. 동명사는 단수 취급하므로 동사는 단수인 is가 적절하다.

04

S V

[Talking about your problems / with your peers] / ____________ helpful.

여러분의 문제에 대해서 말하는 것은 / 여러분의 친구들과 / 도움이 된다

해석 여러분의 문제에 대해서 친구들과 대화를 하는 것은 도움이 된다.

해설 Talking ~ peers가 주어부이다. 동사 앞에 있는 peers는 주어가 아니라 실제 주어는 동명사 Talking이다. 동명사는 단수 취급하므로 단수 동사인 is가 적절하다.

05

S V

[Revisiting a place] / ____________ / people better understand / both the place and themselves. 장소를 다시 방문하는 것은 / 돕는다 / 사람들이 더 잘 이해하도록 / 그 장소와 그들 자신 모두를

해석 장소를 다시 방문하는 것은 사람들이 그 장소와 자기 자신 모두를 더 잘 이해하도록 도와준다.

해설 동명사인 Revisiting이 주어이므로 단수 취급한다. 따라서 단수 동사인 helps가 적절하다.

06

S V

[Studying / while listening to music] / ____________ / students to have a difficult time / learning the material. 공부하는 것은 / 음악을 듣는 동안 / 유발한다 / 학생들이 힘든 시간을 보내도록 / 교재를 학습하는 것

해석 음악을 들으면서 공부를 하는 것은 학생들이 교재를 학습하는 것을 어렵게 한다.

해설 Studying ~ music이 주어부이며, 실제 주어는 동명사인 Studying이다. 따라서 단수 동사인 causes가 적절하다.

Point (004~006) Review

p.03

[01 – 10] 다음 중 알맞은 것을 고르시오.

01 Each of us [perform / performs] feats of intuitive expertise many times each day.

02 Using these medical products [control / controls] infection and disease properly.

03 Korean Electronics [has / have] experienced the new problems worsening their financial health.

04 To locate the best place to find the fish [is / are] the first strategic role of the fishermen.

05 Most of the evidence [come / comes] from the findings he found.

06 Much of James's work [deal / deals] with the contrast in values of Americans and Europeans.

07 Focusing too much on the goals [prevent / prevents] you from achieving the thing you want.

08 A lot of information [show / shows] that it is hard to make money.

09 Trying hard to find the answers [help / helps] students understand the process, not just the solution.

10 To have a dog in the house and the office [has / have] a positive effect on the general atmosphere, relieving stress.

POINT
007~009

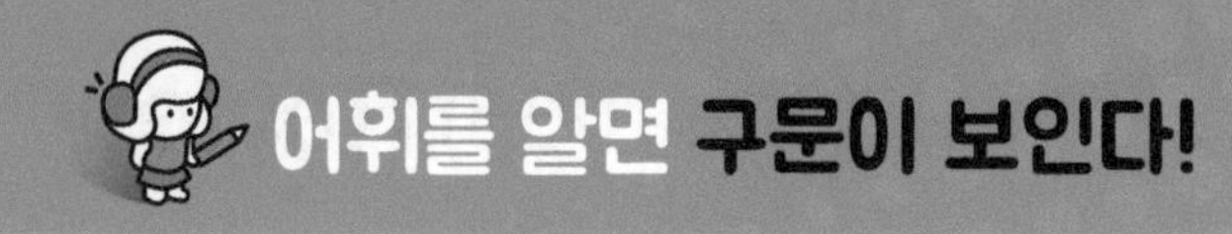

체크! Words & Phrases

POINT 007

- ☐ spouse 배우자
- ☐ quality time 귀중한 시간
- ☐ example 예
- ☐ language 언어
- ☐ inherit 물려받다
- ☐ inheritance 유산
- ☐ generation 세대

POINT 008

- ☐ equal 동등한
- ☐ practically 실제적으로
- ☐ unrealistic 비현실적인
- ☐ discover 발견하다
- ☐ historical 역사적인
- ☐ expect 예상하다
- ☐ sincere 진실된, 진심의
- ☐ attempt 시도

POINT 009

- ☐ explain 설명하다
- ☐ mystery 미스터리
- ☐ alien 외계인, 외계의
- ☐ certain 확실한
- ☐ captain 선장
- ☐ matter 중요하다
- ☐ be considered 고려되다
- ☐ at first 우선
- ☐ influence 영향을 주다

★모르는 단어에 체크하고, 소리 내어 10번만 뜻과 함께 말해 보세요.

[01-20] 다음 빈칸에 알맞은 우리말 뜻이나 단어를 쓰시오.

01 historical ______
02 unrealistic ______
03 discover ______
04 spouse ______
05 at first ______
06 influence ______
07 inheritance ______
08 generation ______
09 quality time ______
10 explain ______
11 외계인, 외계의 ______
12 선장 ______
13 예상하다 ______
14 진실된, 진심의 ______
15 시도 ______
16 동등한 ______
17 실제적으로 ______
18 물려받다 ______
19 중요하다 ______
20 미스터리 ______

what절 주어

What이 이끄는 절이 주어임 / 대부분의 경우 단수 취급

[What the speaker is saying] / is important / to you.
S / V

화자가 말하고 있는 것은 / 중요하다 / 여러분에게
··· 화자가 말하고 있는 것은 여러분에게 중요하다.

Grammar Point

❶ what이 이끄는 절이 주어로 사용될 경우, 대부분 단수 취급한다.
❷ 주어가 길어지므로 본동사의 형태에 주의한다.

다음 문장의 주어 부분을 찾으시오.

01 What she saw yesterday was her cat.

02 What I had to do was to study hard.

03 What your students want is to enjoy your class.

04 What you and your spouse need is quality time to talk.

05 What this example teaches us is: English is no longer just "one language."

06 What you inherited and live with becomes the inheritance of future generations.

Words & Phrases

spouse 배우자
quality time 귀중한 시간
example 예
language 언어
inherit 물려받다
inheritance 유산
generation 세대

끊어 읽으면 답이 보인다!

[01 - 06] **빈칸에 알맞은 말을 넣으시오.**

01

S V
[What she saw yesterday] / __________ her cat.
그녀가 어제 본 것은 / 그녀의 고양이였다

해석 그녀가 어제 본 것은 그녀의 고양이였다.
해설 What절 주어는 단수 취급하므로 was가 적절하다.

02

S V
[What I had to do] / __________ to study hard.
내가 해야만 했던 것은 / 열심히 공부하는 것이었다

해석 내가 해야만 했던 것은 열심히 공부하는 것이었다.
해설 What절 주어는 단수 취급하므로 was가 적절하다.

03

S V
[What your students want] / __________ to enjoy your class.
당신의 학생들이 원하는 것은 / 당신의 수업을 즐기는 것이다

해석 당신의 학생들이 원하는 것은 당신의 수업을 즐기는 것이다.
해설 What절 주어는 단수 취급하므로 is가 적절하다.

04

S V
[What you and your spouse need] / __________ quality time / to talk.
여러분과 배우자가 필요로 하는 것은 / 귀중한 시간이다 / 이야기할

해석 여러분과 여러분의 배우자가 필요한 것은 대화를 나눌 귀중한 시간이다.
해설 What절 주어는 단수 취급하므로 is가 적절하다.

05

S V
[What this example teaches us] / __________ /: English is no longer just "one language."
이 예가 우리에게 가르쳐 주는 것은 / 이다 / 영어는 더 이상 단순한 하나의 언어가 아니라는 것이다

해석 이 예가 우리에게 가르쳐 주는 것은 영어는 더 이상 단순한 하나의 언어가 아니라는 것이다.
해설 What절 주어는 단수 취급하므로 is가 적절하다.

06

S V
[What you inherited / and live with] / __________ the inheritance / of future generations. 당신이 물려받았고 / 함께 살아가고 있는 / 유산이 된다 / 미래 세대의

해석 당신이 물려받았고 지금 더불어 살아가고 있는 것이 미래 세대의 유산이 될 것이다.
해설 What절 주어는 단수 취급하므로 becomes가 적절하다.

that절 주어

That이 이끄는 절이 주어 / 단수 취급

[**That** you have lost a lot of weight] / **is** not surprising.
S / V

당신이 몸무게가 많이 줄었다는 것은 / 놀랍지 않다
··· 당신의 몸무게가 많이 줄었다는 것은 놀랍지 않다.

Grammar Point

❶ that이 이끄는 절이 주어로 사용될 경우 단수 취급한다.
❷ what과 비교가 많이 되므로 꼭 알아 두자.
that + 완전한 절 / what + 불완전한 절
❸ 주어가 길어지므로 본동사의 형태에 주의한다.

Words & Phrases

equal 동등한
practically 실제적으로
unrealistic 비현실적인
discover 발견하다
historical 역사적인
expect 예상하다
sincere 진실된, 진심의
attempt 시도

다음 중 알맞은 것을 고르시오.

01 That he is cool and nice [is / are] true.

02 That everyone is equal [is / to be] practically unrealistic.

03 That he bought her a present [seem / seems] very strange to me.

04 That Columbus discovered America [is / to be] a historical fact.

05 That Facebook never expected anyone to click on the ads [is / are] the truth.

06 That she was sincere in her attempt to take her child to the hospital [was / to be] clear to me.

끊어 읽으면 답이 보인다!

POINT 008

[01 - 06] **빈칸에 알맞은 말을 넣으시오.**

01

S V

[That he is cool and nice] / ____________ true.

그가 멋있다는 것은 / 사실이다

해석 그가 멋있다는 것은 사실이다.

해설 주어는 That ~ nice까지 that절 주어이므로 단수 취급한다. 따라서 단수 동사인 is가 적절하다.

02

S V

[That everyone is equal] / ____________ practically unrealistic.

모든 사람이 평등하다는 것은 / 실제로 비현실적이다.

해석 모든 사람이 평등하다는 것은 실제로 비현실적이다.

해설 That ~ equal의 that절이 문장의 주어로 쓰이고 있다. 따라서 단수 동사인 is가 적절하다.

03

S V

[That he bought her a present] / ____________ very strange / to me.

그가 그녀에게 선물을 사줬다는 것은 / 매우 이상해 보인다 / 나에게는

해석 그가 그녀에게 선물을 사줬다는 것은 나에게 매우 이상해 보인다.

해설 That ~ present의 that절이 문장의 주어로 쓰이고 있다. 단수 취급하므로 단수 동사인 seems가 적절하다.

04

S V

[That Columbus discovered America] / ____________ a historical fact.

콜럼버스가 아메리카를 발견했다는 것은 / 역사적 사실이다

해석 콜럼버스가 아메리카를 발견했다는 것은 역사적인 사실이다.

해설 That ~ America의 that절이 문장의 주어로 쓰이고 있다. 단수 취급하므로 is가 적절하다.

05

S V

[That Facebook never expected / anyone to click on the ads] / ____________ the truth.

페이스북이 결코 예상하지 않았다는 것은 / 누구도 광고를 클릭할 것이라고 / 사실이다

해석 페이스북이 어느 누구도 광고에 클릭할 것이라고 예상하지 않았다는 것은 사실이다.

해설 That ~ ads의 that절이 문장의 주어이다. 따라서 단수 동사인 is가 적절하다.

06

S V

[That she was sincere / in her attempt / to take her child to the hospital] / ____________ clear / to me. 그녀가 진심이었다는 것은 / 그녀의 시도가 / 그녀의 아이를 병원으로 데리고 가려는 / 분명했다 / 나에게

해석 그녀의 아이를 병원으로 데리고 가려는 그녀의 시도가 진심이었다는 것은 나에게 분명했다.

해설 That ~ hospital의 that절이 문장의 주어이다. 따라서 단수 동사인 was가 적절하다.

의문사절 주어

의문사 How가 이끄는 절이 주어 / 단수 취급 / 이것은 함정

[**How** she discovered **the matters**] **is** explained / in this report.

S V

어떻게 그녀가 그 물질들을 발견했느냐는 / 설명된다 / 이 보고서에서

··· 어떻게 그녀가 그 물질들을 발견했느냐는 이 보고서에서 설명된다.

Grammar Point

❶ 의문사가 이끄는 절이 주어로 사용될 경우 단수 취급한다.

❷ 본동사 앞에 있는 명사의 수에 속지 말자. 실제 주어는 의문사절 주어이다.

Words & Phrases

explain 설명하다

mystery 미스터리

alien 외계인, 외계의

certain 확실한

captain 선장

matter 중요하다

be considered 고려되다

at first 우선

influence 영향을 주다

다음 중 알맞은 것을 고르시오.

01 Where he died [is / are] a mystery.

02 Whether there are aliens [is / are] not certain.

03 Who will be the captain [is / are] my biggest concern.

04 Why she broke her promise then [don't / doesn't] matter.

05 When the project starts [has / have] to be considered at first.

06 How we feel [influence / influences] what we say and how we think.

끊어 읽으면 답이 보인다!

POINT 009

[01-06] **빈칸에 알맞은 말을 넣으시오.**

01

S V

[Where he died] / ____________ a mystery.

그가 어디서 죽었는지는 / 미스터리이다

해석 그가 어디서 죽었는지는 미스터리이다.

해설 Where ~ died의 의문사절이 문장의 주어이므로 동사는 단수인 is가 적절하다.

02

S V

[Whether there are aliens] / ____________ not certain.

외계인이 있느냐 없느냐는 / 확실하지 않다

해석 외계인이 있느냐 하는 것은 확실치 않다.

해설 Whether ~ aliens의 의문사절이 문장의 주어이다. 동사 앞의 aliens는 함정이며, 의문사절의 주어는 단수 취급하므로 단수 동사인 is가 적절하다.

03

S V

[Who will be the captain] / ____________ my biggest concern.

누가 대장이 될 것인지 / 나의 가장 큰 관심사이다

해석 누가 대장이 될 것인지가 내 가장 큰 관심사이다.

해설 Who ~ captain의 의문사절이 문장의 주어이므로 동사는 단수인 is가 적절하다.

04

S V

[Why she broke her promise / then] / ____________ matter.

왜 그녀가 약속을 깼느냐 / 그때 / 중요하지 않다

해석 그녀가 왜 그때 그녀의 약속을 어겼는지는 중요하지 않다.

해설 Why ~ then의 의문사절이 문장의 주어이므로 동사는 단수이면서 의미상 부정인 doesn't가 적절하다.

05

S V

[When the project starts] / ____________ to be considered / at first.

언제 프로젝트를 시작할 것인지가 / 고려되어야만 한다 / 처음에

해석 언제 프로젝트가 시작하는지는 우선적으로 고려되어야 한다.

해설 When ~ starts의 의문사절이 문장의 주어이므로 동사는 단수 동사인 has가 적절하다.

06

S V

[How we feel] / ____________ / what we say / and how we think.

우리가 어떻게 느끼느냐는 / 영향을 준다 / 우리가 무엇을 말하고 / 우리가 어떻게 생각하는지에

해석 어떻게 우리가 느끼느냐는 우리가 말하고 우리가 생각하는 바에 영향을 준다.

해설 How ~ feel의 의문사절이 문장의 주어이므로 동사는 단수 동사인 influences가 적절하다.

Point (007~009) Review

p.04

[01 – 10] 다음 중 알맞은 것을 고르시오.

01 Where James was born and died [is / to be] recorded in this book.

02 Who we believe we are [is / to be] a result of the choices we make.

03 What we bought in the store [was / were] a stylish dress.

04 That kids can't find anything to read [is / to be] the biggest complaint of their parents.

05 Whether a life is better or worse [depend / depends] not on the job but on the mind.

06 That the educated are happier than the uneducated [is / are] not evident.

07 What she wanted to do [was / were] to create a learning epidemic to fight poverty and illiteracy.

08 That we consider ourselves members of a single society [is / are] significantly difficult.

09 What most beginning investors don't understand [is / to be] that investing itself is a risk.

10 We wanted to show that how money is spent [is / to be] as important as how much is earned.

체크! Words & Phrases

POINT 010

- ☐ painful 고통스러운
- ☐ absorb 흡수하다
- ☐ unusual 특이한
- ☐ go wrong 잘못되다
- ☐ communicate 의사소통하다
- ☐ the rest of ~의 나머지
- ☐ constant 지속적인
- ☐ exposure 노출

POINT 011

- ☐ arrest 체포하다
- ☐ criminal 범죄자
- ☐ be likely to ~할 가능성이 크다
- ☐ unemployed 실직한
- ☐ endure 견디다
- ☐ complex 복잡한
- ☐ application 지원
- ☐ procedure 절차

POINT 012

- ☐ extensive 광범위한
- ☐ conduct 행하다
- ☐ similar 유사한
- ☐ be aware of ~을 알다
- ☐ component 구성
- ☐ smooth 부드러운, 원만한
- ☐ function 기능
- ☐ undergraduate 대학생, 학부생

★모르는 단어에 체크하고, 소리 내어 10번만 뜻과 함께 말해 보세요.

[01-20] 다음 빈칸에 알맞은 우리말 뜻이나 단어를 쓰시오.

01 absorb ______________________

02 be likely to ______________________

03 unemployed ______________________

04 function ______________________

05 undergraduate ______________________

06 constant ______________________

07 procedure ______________________

08 communicate ______________________

09 the rest of ______________________

10 conduct ______________________

11 유사한 ______________________

12 복잡한 ______________________

13 ~을 알다 ______________________

14 잘못되다 ______________________

15 견디다 ______________________

16 체포하다 ______________________

17 범죄자 ______________________

18 구성 ______________________

19 고통스러운 ______________________

20 노출 ______________________

가주어 it

V 진주어 (너무 길어서 뒤로 보냄) S

It is natural / to want to protect our children / from things painful or difficult.

가주어

자연스럽다 / 우리 아이들을 보호하기 원하는 것 / 고통스럽거나 어려운 일로부터
⋯› 고통스럽거나 어려운 일로부터 우리 아이들을 보호하고자 하는 것은 자연스럽다.

Grammar Point

❶ 문장이 it으로 시작을 하고 형용사/명사/수동태 구문 뒤에 to부정사/명사절이 오는 경우이다.
❷ 뒤에 오는 to부정사/명사절이 실제 주어이나 너무 길어서 뒤로 보내고 원래 자리에 가주어 it을 사용한다.

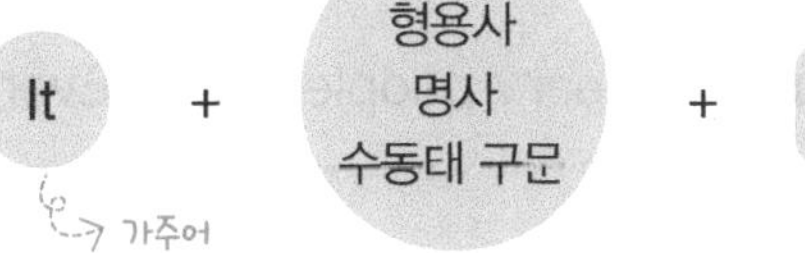

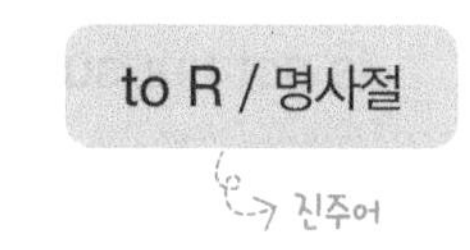

다음 문장에서 진짜 주어(진주어)를 찾으시오.

protect 보호하다
painful 고통스러운
absorb 흡수하다
rain forest 열대우림
unusual 특이한
go wrong 잘못되다
communicate 의사소통하다
the rest of ~의 나머지
constant 지속적인
exposure 노출

01 It is said that you never forget your first love .

02 It is not their fault that your apartment doesn't absorb sound as well as a rain forest .

03 It is not unusual to hear people say, "Everything always goes wrong for me!"

04 However, it is possible to float in quicksand much like a person floats in water .

05 It is hard for the people on the island to communicate with the rest of the world .

06 It is not surprising that constant exposure to noise is related to children's academic achievement .

끊어 읽으면 답이 보인다!

POINT 010

[01-06] **빈칸에 알맞은 말을 넣으시오.**

01 (가주어) ________ is said / (진주어) that you never forget / your first love.
(사람들은) 말한다 / 당신은 결코 잊지 못한다고 / 첫사랑을

해석 사람들은 결코 첫사랑을 잊지 못한다고 말한다.
해설 that ~ love의 that절이 진주어이고, 이를 가주어 It이 받고 있다.

02 (가주어) ________ is not their fault / (진주어) that your apartment doesn't absorb sound / as well as a rain forest. 그들의 잘못이 아니다 / 당신의 아파트가 소리를 흡수하지 못하는 것은 / 열대우림에서 만큼

해석 당신의 아파트가 열대 우림처럼 소리를 흡수하지 못하는 것은 그들의 잘못이 아니다.
해설 that ~ forest의 that절이 진주어이고, 이를 가주어 It이 받고 있다.

03 (가주어) ________ is not unusual / (진주어) to hear / people say, / "Everything always goes wrong / for me!" 특이하지 않다 / 듣는 것이 / 사라들이 말하는 것을 / 모든 것은 항상 좋지않다 / 나에게는

해석 모든 것이 나에게는 항상 나쁘게 된다고 사람들이 말하는 걸 듣는 것은 이상하지 않다.
해설 to hear ~ for me의 to부정사구가 진주어이고, 이를 가주어 It이 받고 있다.

04 However, (가주어) ________ is possible / (진주어) to float in quicksand / much like a person floats / in water. 하지만 가능하다 / 유사(사람이나 물건이 빨려 들어가는 유동성 모래)에서 떠 있는 것은 / 사람이 뜨는 것과 매우 같다 / 물에서

해석 하지만 사람이 물에서 뜨는 것처럼 유사에서 뜨는 것은 가능하다.
해설 to float ~ in water의 to부정사구가 진주어이고, 이를 가주어 it이 받고 있다.

05 (가주어) ________ is hard / for the people on the island / (진주어) to communicate with the rest of the world. 어렵다 / 섬의 사람들이 / 세계의 나머지들과 의사소통하는 것은

해석 섬의 사람들이 나머지 세상 사람들과 소통하는 것은 어렵다.
해설 for ~ world의 to부정사구가 진주어이고, 이를 가주어 It이 받고 있다.

06 (가주어) ________ is not surprising / (진주어) that constant exposure / to noise / is related to children's academic achievement. 놀랍지 않다 / 지속적인 노출이 / 소음에 대한 / 아이들의 학업 성취와 관련 있다는 것이

해석 소음에 대한 지속적인 노출이 아이들의 학업 성취와 관련 있다는 것은 놀랍지 않다.
해설 that ~ achievement의 that 절이 진주어이고, 이를 가주어 It이 받고 있다.

주의해야 할 복수 취급 주어

군집 명사로 의미 자체가 복수

The police / **have** arrested / many criminals / for 10 years.

-s가 붙지 않지만, 복수이므로 복수 동사 have를 씀

경찰은 체포해 왔다 / 많은 범죄자들을 / 10년 동안
⋯› 경찰은 10년 동안 많은 범죄자들을 체포해 왔다.

❶ 군집명사: people, cattle(소떼), police
❷ the + 형용사: ~하는 사람들 = 형용사 + people [e.g. the poor = poor people]
※ 단, 〈the + 형용사〉가 추상명사인 경우 → 단수 취급
The best is yet to come. 최고의 순간은 아직 오지 않았다.
❸ many, (a) few의 수식을 받는 명사

Words & Phrases

arrest 체포하다
criminal 범죄자
be likely to ~할 가능성이 크다
unemployed 실직한
endure 견디다
complex 복잡한
application 지원
procedure 절차
resident 거주민
comfortable 편안한

다음 중 알맞은 것을 고르시오.

01 Cattle [is / are] standing on the hill.

02 The foolish [is / are] likely to miss a good chance to be rich.

03 The unemployed [has / have] to endure a complex application procedure.

04 Robin Hood stole from the rich and gave to the poor, who [was / were] grateful to him.

05 The living from the accident [is / are] likely to suffer from the aftereffect.

06 Very few of the residents here [feel / feels] comfortable walking all the way to the bus stop.

끊어 읽으면 답이 보인다! POINT 011

[01 – 06] **빈칸에 알맞은 말을 넣으시오.**

01

S V
Cattle ____________ standing / on the hill.
소떼가 서 있다 / 언덕 위에

해석 소떼가 언덕 위에 서 있다.
해설 cattle은 복수 취급하는 군집명사이므로 복수 동사인 are가 적절하다.

02

S V
The foolish / ____________ likely to / miss a good chance / to be rich.
어리석은 사람들은 / 경향이 있다 / 좋은 기회를 놓치는 / 부자가 되는

해석 어리석은 사람들은 부자가 될 좋은 기회를 놓치는 경향이 있다.
해설 [the + 형용사]가 사람을 의미할 경우 복수 취급하므로 복수 동사인 are가 적절하다. the foolish = foolish people

03

S V
The unemployed / ____________ to endure / a complex application procedure.
취업하지 못한 사람들은 / 견뎌야 한다 / 복잡한 지원 절차를

해석 취업하지 못한 사람들은 복잡한 지원 절차를 견뎌야 한다.
해설 [the + 형용사]가 사람을 의미할 경우 복수 취급하므로 복수 동사인 have가 적절하다.
the unemployed = unemployed people

04

S V V S' V'
Robin Hood / stole from the rich / and gave to the poor, / who ____________ grateful to him. 로빈 후드는 / 부자들에게서 훔쳤다 / 그리고 가난한 사람들에게 주었다 / 그리고 그들은 그에게 고마워했다

해석 로빈 후드는 부자들에게 훔치고, 가난한 사람들에게 주었는데, 가난한 사람들은 그에게 고마워했다.
해설 [the + 형용사]가 사람을 의미할 경우 복수 취급한다. who가 의미하는 것은 앞에 있는 the poor 이므로 동사는 복수 동사인 were가 적절하다. the poor = poor people

05

S V
[The living from the accident] / ____________ likely to / suffer from the aftereffect.
그 사고로 부터의 생존자들은 / 경향이 있다 / 그 여파로 고통받는

해석 그 사고로부터의 생존자들은 그 여파로부터 고통받는 경향이 있다.
해설 [the + 형용사]가 사람을 의미할 경우 복수 취급하므로 복수 동사인 are가 적절하다. the living = living people

06

S V
[Very few of the residents here] / ____________ comfortable / walking all the way / to the bus stop. 여기 주민 중 극소수만이 / 편안해 한다 / 계속 걸어가는 것을 / 버스 정류장으로

해석 여기 주민 중 극소수만이 버스정류장으로 계속 걸어가는 것을 편하게 느낀다.
해설 few(몇몇의)는 무조건 복수이므로 복수 동사인 feel이 적절하다.

all, most, some, 분수, % + of + 명사 주어

(수를 결정할 수 없다!) (실제 주어이므로 이것이 동사의 수 결정)

Some of **the most extensive research** / on the subject of success / **was** conducted / by Gary.

(S) (단수 동사 was가 와야 함, were (X)) (V)

가장 폭넓은 연구 중 일부는 / 성공에 대한 주제에 대해서 / 행해졌다 / 개리에 의해서
→ 성공에 대한 주제에 대해서 가장 폭넓은 연구 중 일부는 개리에 의해서 이루어졌다.

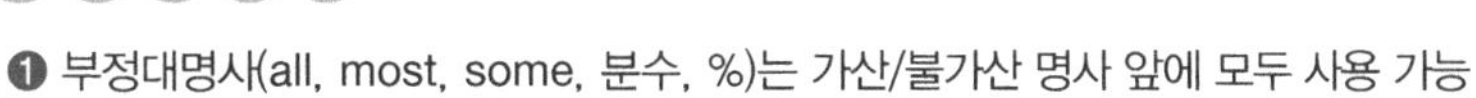

❶ 부정대명사(all, most, some, 분수, %)는 가산/불가산 명사 앞에 모두 사용 가능
❷ 실제 주어를 찾아라!
❸ 대개 of 다음에 나오는 부분이 실제 주어로, 단수/복수를 결정한다.

- **extensive** 광범위한
- **conduct** 행하다
- **similar** 유사한
- **be aware of** ~을 알다
- **tissue** 조직
- **vital** 중요한
- **component** 구성
- **smooth** 부드러운, 원만한
- **function** 기능
- **undergraduate** 대학생, 학부생
- **grade** 성적
- **award** 수여하다
- **semester** 학기

다음 중 알맞은 것을 고르시오.

01 About 70% of Botswana [is / are] covered by the Kalahari Desert.

02 Some of the women [was / were] introduced to others who were in similar situations.

03 More than 80% of people in each country [was / were] aware of ebooks.

04 85% of our brain tissue [is / are] water, so water is a vital component for the smooth function of our brain.

05 More than one-third of the undergraduate grades awarded in the spring semester [was / were] A's.

06 The same applies if less than 20% of the paper money [is / are] missing.

끊어 읽으면 답이 보인다!

POINT 012

[01 – 06] **빈칸에 알맞은 말을 넣으시오.**

01

S V

[About 70% of Botswana] / ________ covered / by the Kalahari Desert.

보츠와나의 약 70%가 / 덮여 있다 / 칼라하리 사막으로

해석 보츠와나의 약 70%가 칼라하리 사막으로 덮여 있다.

해설 %는 단/복수 모두 가능하나, of 뒤에 오는 Botswana가 단수이므로 단수 동사인 is가 적절하다.

02

S V

[Some of the women] / ________ introduced to others / who were in similar situations. 그 여성들 중 일부는 / 다른 사람들에게 소개되었다 / 비슷한 상황에 있는

해석 여성 중 일부가 비슷한 상황에 놓인 다른 사람들에게 소개되었다.

해설 some은 단/복수 모두 가능하나 of 뒤에 나오는 the women이 복수이므로 복수 동사인 were가 적절하다.

03

S V

[More than 80% / of people in each country] / ________ aware of ebooks.

80% 이상이 / 각 나라의 사람들 중 / 전자책을 알고 있었다

해석 각 나라의 사람들 중 80% 이상이 전자책을 알고 있었다.

해설 More than 80%만으로는 단/복수를 알 수 없다. of 뒤에 나오는 people이 복수이므로 복수 동사인 were가 적절하다.

04

S V

[85% of our brain tissue] / ________ water, / so water is a vital component / for the smooth function of our brain.

우리 두뇌 조직의 85%는 / 물이다 / 그래서 물은 중요한 구성 요소이다 / 우리 두뇌의 원만한 기능을 위한

해석 우리 두뇌 조직의 85%는 물이다. 그래서 물은 두뇌의 원만한 기능을 위한 중요한 구성 요소이다.

해설 85%만으로는 단/복수를 알 수 없다. of 뒤에 나오는 our brain tissue가 단수이므로 단수 동사인 is가 적절하다.

05

S

[More than one-third of the undergraduate grades / awarded in the spring semester]

V

________ A's. 학부생 성적의 1/3 이상이 / 봄 학기에 부여된 / A였다

해석 봄 학기에 부여된 학부생 성적의 1/3 이상이 A였다.

해설 More than one-third만으로는 단/복수를 알 수 없다. of 뒤에 나오는 the undergraduate grades가 복수이므로 동사는 복수 동사인 were가 적절하다.

06

S V S′ V′

The same applies / if [less than 20% of the paper money] / ________ missing.

같은 것이 적용된다 / 만약 지폐의 20% 미만이 / 손실된다면

해석 지폐의 20% 미만이 손실된다면 같은 것이 적용된다.

해설 20%는 단/복수 모두 가능하나, the paper money가 단수이므로 단수 동사인 is가 적절하다.

Point (010~012) Review

p.05

[01-10] 다음 중 알맞은 것을 고르시오.

01 [It / That] is essential to control the amount of food we eat for our health.

02 There is no evidence that imported cattle [was / were] the cause of the disease.

03 The elderly [suffer / suffers] from a trauma such as surgery.

04 Half of the books on my bookshelf [was / were] thrown away.

05 [It / This] is surprising how often people depend on this kind of nonsense.

06 When the eyes are open, one-tenth of the total surface area [is / are] exposed to the atmosphere.

07 Some think that the rich [has / have] to pay more taxes to help the poor.

08 About two-thirds of all e-mail [come / comes] from the U.S. and China.

09 [It / That] is also a good idea to praise employees who bring food in without being asked.

10 Most of the information from the tribes [give / gives] us a lot of help.

Chapter 01 Review

p.06

[01 – 10] 다음 중 알맞은 것을 고르시오.

01 However, giving up privacy like this [is / to be] just one consequence.

02 One of her pastimes [is / are] telling us a lot of legends and ghost stories.

03 Whether artificial seasonings are harmful to human beings [has / have] been a controversy.

04 [It / This] can become very difficult to deal with a simple problem if we let our personal desires influence it.

05 After the movie, how much popcorn had been eaten [was / were] checked.

06 An increasing number of young people [is / are] likely to set up their shops in Seoul.

07 More positive news for the current economy [is / are] that the number of new jobs is increasing.

08 Economics [teach / teaches] us that it is difficult to make money.

09 How you can help to save your people [is / are] the primary issue.

10 To check academic records of the members [was / were] one of his tasks.

Chapter

02

대명사

POINT

013~015

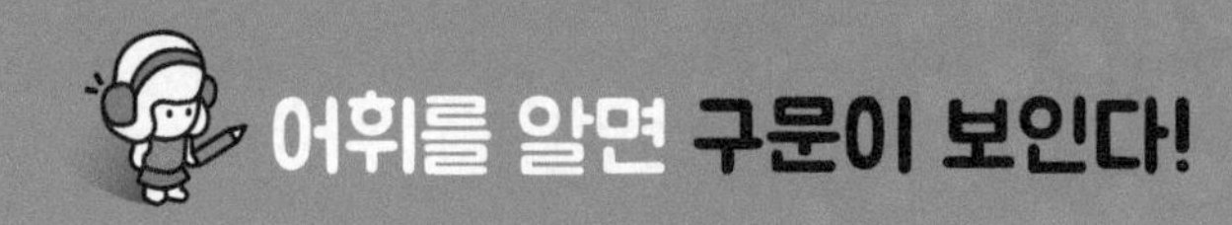

체크! Words & Phrases

POINT 013

□ express	표현하다
□ shave	면도하다
□ out of business	폐업한
□ complain	불평하다
□ have ~ over	~를 초대하다
□ call	전화하다

POINT 014

□ protect	보호하다
□ molecule	분자
□ brownish	갈색의
□ coat	(동물의) 털
□ back	등
□ share	공유하다
□ record	기록하다
□ rain forest	열대우림
□ water	물을 주다
□ laugh	웃다
□ upside down	거꾸로

POINT 015

□ happening	사건
□ necessary	필요한
□ neighbor	이웃
□ late fee	연체료
□ shout	소리치다
□ treat	대하다
□ equally	동등하게
□ giant	거대한

★모르는 단어에 체크하고, 소리 내어 10번만 뜻과 함께 말해 보세요.

[01 – 20] 다음 빈칸에 알맞은 우리말 뜻이나 단어를 쓰시오.

01 protect ______________

02 molecule ______________

03 rain forest ______________

04 water ______________

05 back ______________

06 share ______________

07 express ______________

08 giant ______________

09 treat ______________

10 equally ______________

11 연체료 ______________

12 소리치다 ______________

13 면도하다 ______________

14 폐업한 ______________

15 불평하다 ______________

16 사건 ______________

17 필요한 ______________

18 이웃 ______________

19 ~를 초대하다 ______________

20 거꾸로 ______________

them vs. themselves

People = themselves / them (X) / express의 목적어

People use dance / to **express themselves** / and exercise their bodies.

사람들은 춤을 사용한다 / 그들 자신을 표현하고 / 그들의 신체를 운동하기 위해서
⋯› 사람들은 그들 자신을 표현하고, 그들의 신체를 운동하기 위해서 춤을 사용한다.

Grammar Point

❶ 한 문장의 주어와 목적어가 동일하다면 목적어는 재귀대명사를 사용한다.
❷ 목적어가 걸린 동사를 기준으로 주어와 목적어를 비교하자.

I ≠ them

They insisted that I hit them then. 그들은 그때 내가 그들을 때렸다고 주장했다.

themselves (X)

❸ 명사나 문장 맨 뒤에 올 때 강조 용법으로 사용되기도 한다. 이때는 해석하지 않는다.

다음 중 알맞은 것을 고르시오.

01 My father cut [him / himself] while shaving.

02 This makes us feel unhappy about [us / ourselves].

03 Jane bought the tablet for her husband and [her / herself].

04 He worried that it would drive [him / himself] out of business.

05 You should not complain about [you / yourself] for what you received from your parents.

06 When your children want to have friends over to play, do you have them call their friends [them / themselves]?

Words & Phrases

express 표현하다
shave 면도하다
out of business 폐업한
complain 불평하다
have ~ over ~를 초대하다
call 전화하다

끊어 읽으면 답이 보인다!

[01 – 06] **빈칸에 알맞은 말을 넣으시오.**

01

My father cut ________ / while shaving.

아버지께서 칼에 베이셨다 / 면도를 하는 동안

해석 아버지께서 면도를 하시다가 칼에 베이셨다.

해설 주어인 My father와 목적어가 동일하므로 재귀대명사 himself가 적절하다.

02

This makes / us feel unhappy / about ________.

이것은 만든다 / 우리가 불행을 느끼도록 / 우리 스스로에 대해서

해석 이것은 우리 자신에 대해서 우리가 불행을 느끼도록 한다.

해설 feel의 의미상의 주어인 us와 about 뒤의 목적어가 동일한 인물이므로 재귀대명사 ourselves가 적절하다.

03

Jane bought the tablet / for her husband / and ________.

제인은 탁자를 샀다 / 남편을 위해서 / 그리고 자신을 위해서

해석 제인은 남편과 자신을 위해서 탁자를 구매했다.

해설 주어인 Jane과 목적어가 일치하므로 재귀대명사가 herself가 적절하다.

04

He worried / that it would drive ________ / out of business.

그는 걱정했다 / 그것이 그를 이끌 수도 있다고 / 파산으로

해석 그는 그것이 그를 파산으로 이끌 수도 있다고 걱정했다.

해설 전체 문장의 주어는 He이지만, would drive의 주어는 it이다. 따라서 주어와 목적어가 다르므로 재귀대명사가 아닌 목적격 대명사 him이 적절하다.

05

You should not complain / about ________ / for what you received / from your parents.

여러분은 불평해서는 안 된다 / 여러분 자신에 대해서 / 여러분이 받은 것에 대해 / 여러분의 부모로부터

해석 여러분은 부모로부터 받은 것에 대해 자신에 대해서 불평해서는 안 된다.

해설 주어인 you와 목적어가 일치하므로 재귀대명사 yourself가 적절하다.

06

사역동사 have + 목적어 + 동사원형

When your children want to / have friends over to play, / do you have them call their friends ________?

여러분의 아이들이 원할 때 / 같이 놀 친구들을 집으로 초대하길 / 여러분은 / 그들이 친구들을 스스로 부르게 하나요

해석 여러분의 아이들이 같이 놀 친구들을 집으로 초대하고 싶어할 때, 여러분은 아이들이 스스로 친구들을 부르게 하나요?

해설 have them call their friends가 완전한 구성을 하고 있으므로 이 다음에는 목적격 보어가 올 수 없다. 따라서 앞에 있는 them(your children)을 강조하는 강조용법으로 쓰이는 재귀대명사 themselves가 와야 한다.

it vs. they

Many **students** came here / to learn about **nature** / and protect **it**.

앞에 명사가 students와 nature가 나오는데, 내용상 nature를 의미하므로 it이 와야 함

많은 학생들이 여기에 왔다 / 자연에 대해서 배우기 위해서 / 그리고 그것을 보호하려고
→ 많은 학생들이 자연에 대해서 배우고 그것을 보호하기 위해서 여기에 왔다.

Grammar Point

❶ 받는 명사가 단수면 it, 복수면 they를 사용한다.
❷ 받는 명사의 수를 정확하게 파악하는 것이 중요하다.

Words & Phrases

- **protect** 보호하다
- **molecule** 분자
- **brownish** 갈색의
- **coat** (동물의) 털
- **back** 등
- **share** 공유하다
- **record** 기록하다
- **rain forest** 열대우림
- **water** 물을 주다
- **laugh** 웃다
- **upside down** 거꾸로

다음 중 알맞은 것을 고르시오.

01 The molecules are very small, so you cannot see [it / them].

02 The wolf has a brownish coat with black on [its / their] back.

03 The workmen are paid by the hour, and [it / they] always work hard.

04 Jack and Shawn shared a lot of information, and they recorded [it / them].

05 They don't have to water their rain forest often as this forest makes [its / their] own rain.

06 Before long, his friends began to laugh because the bear was upside down with [its / their] feet in the air.

끊어 읽으면 답이 보인다!

POINT 014

[01-06] **빈칸에 알맞은 말을 넣으시오.**

01

The molecules are very small, / so you cannot see ________.
그 분자는 매우 작다 / 그래서 여러분은 그것들을 볼 수가 없다

해석 그 분자는 매우 작아서 여러분은 그것들을 볼 수가 없다.
해설 주어인 The molecules를 받고 있고 목적어 자리이므로 목적격 복수 대명사인 them이 적절하다.

02

The wolf has a brownish coat / with black / on ________ back.
늑대는 갈색 털을 가지고 있다 / 검은 색을 띤 / 그 등에

해석 늑대는 등에 검은 색을 띤 갈색 털을 가지고 있다.
해설 앞에 나오는 The wolf를 지칭하고, 뒤에 명사가 있으므로 소유격 단수 대명사인 its가 적절하다.

03

The workmen are paid / by the hour, / and ________ always work hard.
작업자들은 돈을 받는다 / 시급으로 / 그리고 그들은 항상 열심히 일한다

해석 작업자들은 시급으로 돈을 받으며 항상 열심히 일한다.
해설 내용상 The workmen을 지칭하고, 주어 자리이므로 복수 대명사인 they가 적절하다.

04

Jack and Shawn shared a lot of information, / and they recorded ________.
잭과 숀은 많은 정보를 공유했다 / 그리고 그들은 그것을 기록했다

해석 잭과 숀은 많은 정보를 공유하며, 그것을 기록했다.
해설 지칭하는 대상은 a lot of information이다. a lot of가 있지만, information은 불가산 명사이므로 목적격 단수 대명사인 it이 적절하다.

05

'물을 주다'

They don't have to / water their rain forest / often / as this forest makes ________ own rain. 그들은 ~할 필요가 없다 / 그들의 열대 우림에 물을 주는 것을 / 종종 / 이 숲이 자신만의 비를 만들기 때문에

해석 이 숲은 자신만의 비를 만들기 때문에 그들은 자주 그들의 열대 우림에 물을 줄 필요가 없다.
해설 앞에 있는 this forest를 받고 있으므로 단수 대명사인 its가 적절하다.

06

Before long, / his friends began to laugh / because the bear was upside down / with ________ feet / in the air. 오래지 않아 / 그의 친구들은 웃기 시작했다 / 왜냐하면 그 곰이 거꾸로 서 있었다 / 두발을 / 공중에

해석 그 곰이 두 발을 공중에 두고 거꾸로 서 있었기 때문에 그의 친구들은 오래지 않아 웃기 시작했다.
해설 내용상 앞에 나오는 the bear를 받고 있고, 빈칸 뒤에 명사가 나오므로 소유격 단수 대명사인 its가 적절하다.

it vs. there

해석상 "많은 사건이 있었다"이므로 There가 적절 / 접속사+분사

There were **many happenings** / **while climbing** the mountain.

(V: were, S: many happenings) 문장의 주어가 복수이므로 동사는 were가 됨

많은 사건이 있었다 / 산에 오르는 동안
⋯ 산에 오르는 동안 많은 사건이 있었다.

Grammar Point

❶ it과 there로 시작하는 문장의 형태는 비슷하다.
❷ it과 there를 구분할 때는 뜻으로 판단하자. there 구문의 경우 "~이 있다/없다"로 해석된다.

It + 동사 + { 형용사/명사 / 전치사구 / 종속접속사 + 문장 } vs. There + 동사 + 명사

다음 중 알맞은 것을 고르시오.

01 [It / There] was yesterday that he met me.

02 [It / There] was necessary to know our neighbors.

03 [It / There] will be a late fee of $15.00 per person after August 14.

04 He shouted for help, but [it / there] seemed to be nobody to help him.

05 [It / There] is not difficult to say to others, "Everyone should be treated equally."

06 When I looked around, [it / there] was a giant map of the United States on the wall next to me.

Words & Phrases

- happening 사건
- necessary 필요한
- neighbor 이웃
- late fee 연체료
- shout 소리치다
- treat 대하다
- equally 동등하게
- giant 거대한

끊어 읽으면 답이 보인다!

POINT 015

[01 – 06] 빈칸에 알맞은 말을 넣으시오.

01

강조구문

_______ was yesterday / that he met me.

어제였다 / 그가 나를 만난 건

해석 그가 나를 만난 것은 어제였다.

해설 It ~ that 강조구문으로 yesterday를 강조하고 있으므로 It이 적절하다.

02

가주어–진주어

_______ was necessary / to know our neighbors.

필요했다 / 우리의 이웃을 아는 것

해석 우리 이웃을 아는 것이 필요했다.

해설 to know our neighbors가 진주어로 앞에 가주어인 It이 필요하다.

03

'~이 있을 것이다'

_______ will be a late fee / of $15 per person / after August 14.

연체료가 있을 것이다 / 한 사람당 15달러의 / 8월 14일 이후에

해석 8월 14일 이후에 한 사람당 15달러의 연체료가 있을 것이다.

해설 내용상 "연체료가 있을 것이다"이므로 There이 적절하다.

04

'~이 있는 것 같다'

He shouted for help, / but _______ seemed to be nobody / to help him.

그는 도움을 위해서 소리쳤다 / 하지만 아무도 없는 것 같았다 / 그를 도와줄

해석 그는 도움을 위해 소리쳤지만, 그를 도와줄 사람이 아무도 없는 것 같았다.

해설 내용상 "~이 있는 것 같다"이므로 there이 적절하다.

05

가주어 – 진주어

_______ is not difficult / to say to others, / "Everyone should be treated equally."

어렵지 않다 / 다른 사람들에게 말하는 것이 / "모든 사람들은 평등하게 대우 받아야만 한다"고

해석 "모든 사람들은 평등하게 대우받아야 한다"고 다른 사람들에게 말하는 것은 어렵지 않다.

해설 to say ~ equally의 to부정사구가 진주어로 쓰이고 있으므로 가주어인 It이 적절하다.

06

'~이 있었다'

When I looked around, / _______ was a giant map / of the United States / on the wall next to me. 내가 주변을 둘러보았을 때 / 커다란 지도가 있었다 / 미국의 / 내 옆의 벽에는

해석 내가 주변을 둘러보았을 때, 내 옆의 벽에 커다란 미국 지도가 있었다.

해설 내용상 "지도가 있었다"를 의미하므로 there이 적절하다.

Point (013~015) Review

p.07

[01-10] 다음 중 알맞은 것을 고르시오.

01 In negotiation, [it / there] often will be issues that you do not care about.

02 Others reject a chance to study abroad because they don't consider [them / themselves] adventurous.

03 Most people accept that lawyers can charge [them / themselves] $400 an hour.

04 Patients might also feel less pain because [its / their] muscles are more relaxed.

05 If you have any costumes that can be used for the characters in Peter Pan, please bring [it / them] to the Art Room.

06 Not knowing that the product exists, customers would probably not buy it even if the product may have worked for [it / them].

07 People told him that it was his thinking that was depressing [him / himself].

08 Show [you / yourself] leaping down the steps four at a time, shouting in the wind, "Hurray, I did it!"

09 By asking these questions rather than talking about [you / yourself], you are showing that you are interested in the other person.

10 Advertisements can promote a favorable comparison with similar products or differentiate a product from [its / their] competitors.

POINT

016~018

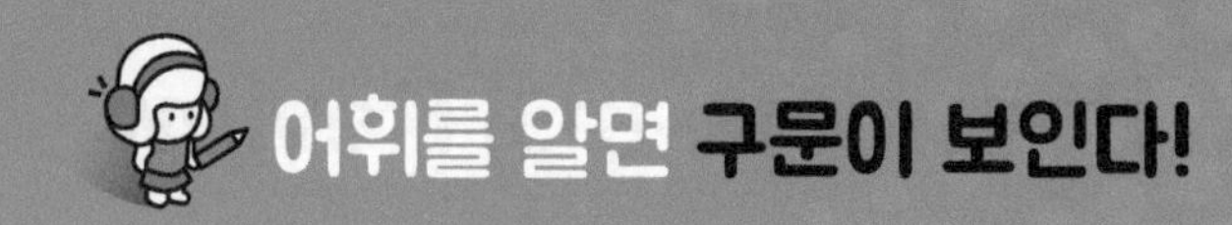

체크! Words & Phrases

POINT 016

- ☐ decide 결정하다
- ☐ select 선택하다
- ☐ crowded 붐비는
- ☐ later 나중의
- ☐ remote control 리모컨
- ☐ take a picture 사진을 찍다
- ☐ fantastic 놀라운
- ☐ on display 전시된
- ☐ gallery 미술관

POINT 017

- ☐ exchange 교환하다
- ☐ stay 머물다
- ☐ philosopher 철학자
- ☐ reduce 줄이다
- ☐ replace 교체하다
- ☐ energy-saving 에너지 절약의
- ☐ turn off 끄다

POINT 018

- ☐ lie (lie-lay-lain) 놓여 있다
- ☐ adventure 모험
- ☐ wallet 지갑
- ☐ office 사무실
- ☐ session 회의, 학기, 수업
- ☐ advantage 이익, 혜택
- ☐ attend 참석하다
- ☐ focus on 집중하다

★모르는 단어에 체크하고, 소리 내어 10번만 뜻과 함께 말해 보세요.

[01 – 20] 다음 빈칸에 알맞은 우리말 뜻이나 단어를 쓰시오.

01 reduce ______________

02 session ______________

03 advantage ______________

04 remote control ______________

05 take a picture ______________

06 fantastic ______________

07 replace ______________

08 energy-saving ______________

09 turn off ______________

10 gallery ______________

11 선택하다 ______________

12 붐비는 ______________

13 모험 ______________

14 지갑 ______________

15 교환하다 ______________

16 철학자 ______________

17 결정하다 ______________

18 나중의 ______________

19 전시된 ______________

20 참석하다 ______________

POINT 016

one vs. it

They gave **a book** to us, / but we lost **it**. (우리에게 준 책)

So, we decided / to buy a new **one**. (불특정한 책)

그들은 우리에게 책 한 권을 주었다 / 하지만 우리는 그것을 잃어버렸다 / 그래서 우리는 결정했다 / 새 책을 사기로

⋯› 그들은 우리에게 책 한 권을 주었지만, 우리는 그것을 잃어버렸다. 그래서 우리는 새 책을 사기로 결정했다.

Grammar Point

❶ it과 one 모두 앞의 명사를 받는다.

❷ it은 특정 명사를, one은 불특정 명사를 받는다.

it	- 특정 명사 - 앞에서 언급한 바로 그것	one	- 불특정 명사 - 앞에서 말한 것과 같은 종류의 것

Words & Phrases

decide 결정하다
select 선택하다
crowded 붐비는
later 나중의
remote control 리모컨
take a picture 사진을 찍다
fantastic 놀라운
on display 전시된
gallery 미술관

다음 중 알맞은 것을 고르시오.

01 My son had a pen. But he lost [it / one] yesterday.

02 Tom selected a blue shirt, and I bought a red [it / one].

03 Jenny doesn't have a good table, so she is going to make [it / one].

04 The subway was so crowded that I decided to catch a later [it / one].

05 I had the remote control a minute ago, but I can't find [it / one] now.

06 Jackson had taken a fantastic picture, and [it / one] will be on display in our gallery.

끊어 읽으면 답이 보인다!

[01-06] **빈칸에 알맞은 말을 넣으시오.**

01

My son had a pen. / But he lost ________ yesterday.
내 아들은 펜을 하나 가지고 있었다. / 하지만 그는 그것을 어제 잃어버렸다.

해석 내 아들은 펜을 하나 가지고 있었다. 하지만 그는 그것을 어제 잃어버렸다.
해설 아들이 가지고 있던 펜이라는 앞에서 나온 구체적인 대상이므로 it이 적절하다.

02

단순히 shirt라는 명사를 의미

Tom selected a blue shirt, / and I bought a red ________.
톰은 파란색 셔츠를 선택했고 / 나는 붉은 색 셔츠를 샀다.

해석 톰은 파란색 셔츠를 선택했고 나는 붉은 색 셔츠를 샀다.
해설 앞에서 나온 shirt라는 불특정 단순 명사를 뜻하므로 one이 적절하다.

03

단순히 table이라는 명사를 의미

Jenny doesn't have a good table, / so she is going to make ________.
제니는 좋은 탁자가 없다 / 그래서 그녀는 하나를 만들 것이다.

해석 제니는 좋은 탁자가 없어서, 그녀는 탁자 하나를 만들 것이다
해설 앞에서 나온 table이라는 불특정 단순 명사를 뜻하므로 one이 적절하다.

04

단순히 subway라는 명사를 의미

The subway was so crowded / that I decided / to catch a later ________.
지하철이 너무 붐벼서 / 나는 결정했다 / 다음 지하철을 타기로

해석 지하철이 너무 붐벼서 다음 지하철을 타기로 결정했다.
해설 앞에서 나온 subway라는 단순 명사를 받고 있으므로 one이 적절하다.

05

I had the remote control / a minute ago, / but I can't find ________ now.
나는 리모컨을 가지고 있었다 / 1분 전에 / 그런데 지금은 그것을 찾을 수 없다

해석 나는 1분 전에 리모컨을 가지고 있었는데, 지금은 찾을 수가 없다.
해설 1분 전에 가지고 있던 리모컨을 의미하므로 it이 적절하다.

06

Jackson had taken a fantastic picture, / and ________ will be on display / in our gallery. 잭슨은 환상적인 사진을 찍었다 / 그리고 그것은 전시될 것이다 / 우리 갤러리에서

해석 잭슨이 환상적인 사진을 찍었는데, 그 사진은 우리 갤러리에서 전시될 것이다.
해설 잭슨이 찍은 환상적인 사진을 의미하므로 it이 적절하다.

one vs. another vs. the other

첫 번째

Between two phones, / he chose **one**, / and

두 개 중 나머지 하나이므로 the other

I got **the other**.

두 개의 전화기 중에 / 그는 하나를 선택했고 / 나는 나머지 하나를 얻었다

··· 두 개의 전화기 중에 그는 첫 번째 것을 선택했고, 나는 나머지 하나를 얻었다.

Grammar Point

❶ one은 첫 번째, another는 처음과 마지막이 아닌 하나, the other는 마지막 남은 하나를 의미한다.

❷ other: 뒤에 복수, 단독 사용불가능

❸ another: 뒤에 단수

❹ the others: 나머지 전부

❺ others: 나머지 전부가 아닌 복수

one	another	the other
처음 하나	처음과 마지막이 아닌 하나 형용사 가능(+단수)	마지막 하나 형용사 가능(+단/복수)

다음 중 알맞은 것을 고르시오.

01 Do you want to exchange this book for [another / other] one?

02 There are two cats here. One is male, and [another / the other] is female.

03 She has three sons. One is a teacher, and [others / the others] are doctors.

04 One half moved to the mountains, and [another / the other] half stayed near the beach.

05 He was born in Athens and later studied under [other / another] famous philosopher called Socrates.

06 There are two ways to reduce the use of energy; one is to replace old lights with energy-saving ones, and [another / the other] is to turn off lights.

Words & Phrases

exchange 교환하다

stay 머물다

philosopher 철학자

reduce 줄이다

replace 교체하다

energy-saving 에너지 절약의

turn off 끄다

끊어 읽으면 답이 보인다!

[01 - 06] **빈칸에 알맞은 말을 넣으시오.**

01

Do you want to / exchange this book / for ______________ one? (다른 책)
원하세요? / 이 책을 교환하기를 / 다른 것과

해석 이 책을 다른 책과 교환하기를 원하세요?
해설 뒤에 단수가 나오므로 another가 적절하다.

02

There are two cats here. / One is male, / and ______________ is female. (둘 중 나머지 다른 하나)
두 마리의 고양이가 여기에 있다 / 하나는 수컷이고 / 다른 하나는 암컷이다.

해석 두 마리의 고양이가 여기 있다. 하나는 수컷이고 다른 하나는 암컷이다.
해설 둘 중 나머지 하나를 의미하므로 the other가 적절하다.

03

She has three sons. / One is a teacher, / and ______________ are doctors. (나머지 2명을 지칭)
그녀는 3명의 아들이 있다 / 한 명은 교사이고 / 나머지 둘은 의사이다

해석 그녀는 3명의 아들이 있다. 한 명은 교사이고, 나머지 두 명은 의사이다.
해설 남아 있는 2명을 모두 지칭하므로 the others가 적절하다.

04

One half moved to the mountains, / and ______________ half stayed near the beach. (나머지 절반을 지칭) 한 쪽 절반은 산으로 이동했고 / 나머지 절반은 해변 가까이에 머물렀다.

해석 한 쪽 절반은 산으로 이동했고 나머지 절반은 해변 가까이에 머물렀다.
해설 한 쪽 절반을 뺀 나머지를 가리키므로 the other가 적절하다.

05

He was born in Athens / and later studied / under ______________ famous philosopher / called Socrates. (이외에 존재하는 또 다른 철학자) 그는 아테네에서 태어났다 / 그리고 나중에 공부했다 / 또 다른 유명한 철학자 밑에서 / 소크라테스라 불리는

해석 그는 아테네에서 태어났고, 나중에 소크라테스라고 불리는 또 다른 유명한 철학자 밑에서 공부했다.
해설 '자기가 아닌 또 다른 철학자(이 철학자만 있는 게 아님)'을 지칭하므로 another가 적절하다.

06

There are two ways / to reduce the use of energy; / one is to replace old lights / with energy-saving ones, / and ______________ is to turn off lights. (두 가지 방법 중 남은 한 가지)
두 가지 방법이 있다 / 에너지 사용을 줄이는 / 하나는 오래된 등을 교체하는 것이다 / 에너지를 절약하는 등으로 / 그리고 나머지는 등을 끄는 것이다

해석 에너지 사용을 줄이는 두 가지 방법이 있다. 하나는 오래된 등을 에너지 절약형 등으로 교체하는 것이고, 나머지는 등을 끄는 것이다.
해설 두 가지 방법 중 남아 있는 한 가지 방법을 의미하므로 the other가 적절하다.

both vs. either vs. neither

both+복수 명사

Many flowers lay / on **both sides** of the path.

많은 꽃들이 놓여 있다 / 길 양쪽에
··· 많은 꽃들이 길 양쪽에 놓여 있다.

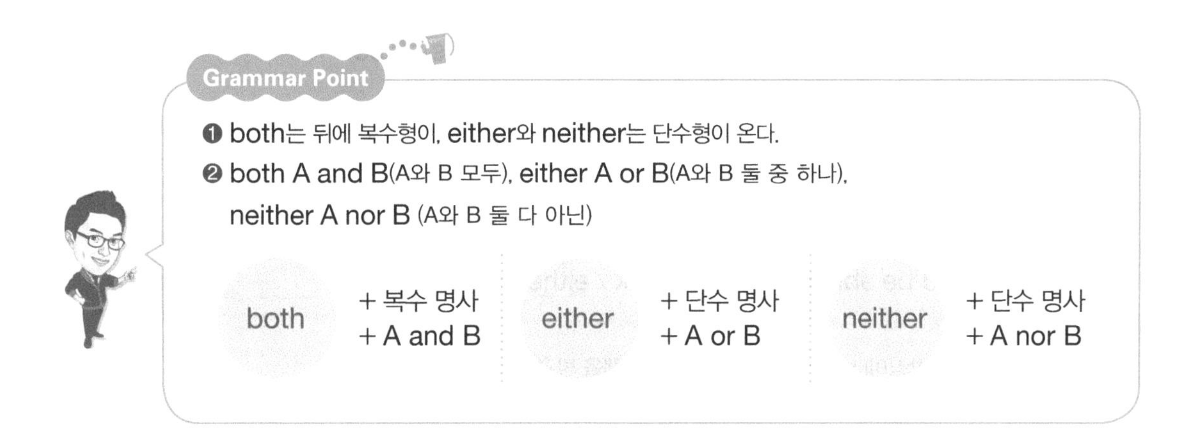

Grammar Point

❶ both는 뒤에 복수형이, either와 neither는 단수형이 온다.
❷ both A and B(A와 B 모두), either A or B(A와 B 둘 중 하나),
neither A nor B (A와 B 둘 다 아닌)

both	+ 복수 명사 + A and B	either	+ 단수 명사 + A or B	neither	+ 단수 명사 + A nor B

다음 중 알맞은 것을 고르시오.

Words & Phrases

lie (lie-lay-lain)
놓여 있다

adventure
모험

wallet
지갑

office
사무실

session
회의, 학기, 수업

advantage
이익, 혜택

attend
참석하다

focus on
집중하다

01 Life is [neither / either] an adventure or nothing.

02 He left his wallet [either / neither] at home nor at his office.

03 You should be able to find the book either on your desk [or / and] mine.

04 Students attending [either / both] sessions will receive some advantages.

05 This event is for [either / both] children and parents, and is free to attend.

06 When we watch 3-D movies, our eyes focus on things that are [both / either] far and near at the same time.

끊어 읽으면 답이 보인다!

POINT 018

[01－06] **빈칸에 알맞은 말을 넣으시오.**

01

either A or B

Life is / ________ an adventure / or nothing.

인생은 / 모험이거나 / 아무 것도 아니다

해석 인생은 모험이거나 아무 것도 아니다.

해설 뒤에 or가 나오므로 either가 적절하다.

02

neither A nor B

He left his wallet / ________ at home / nor at his office.

그는 지갑을 놔두고 왔다 / 집도 아니고 / 사무실도 아니다

해석 그는 집과 사무실 모두에 지갑을 놓고 오지 않았다.

해설 뒤에 nor가 나오므로 neither가 적절하다.

03

either A or B

You should be able to find the book / either on your desk / ________ mine.

너는 책을 발견할 수 있다 / 네 책상이나 / 내 책상에서

해석 너는 네 책상이나 내 책상 중 한 곳에서 그 책을 발견할 수 있다.

해설 앞에 either가 있으므로 or가 적절하다.

04

S　　both + 복수 명사　　V

Students / attending ________ sessions / will receive some advantages.

학생들은 / 두 가지 세션 모두 참가하는 / 몇몇 혜택을 받을 것이다

해석 두 가지 수업 모두 참가하는 학생들은 몇몇 혜택을 받을 것이다.

해설 뒤에 오는 명사가 복수형이니 both가 와야 한다.

05

both A and B

This event is / for ________ children and parents, / and is free to attend.

이 행사는 / 아이들과 부모 모두를 위한 것이다 / 그리고 참가하는 데 무료이다

해석 이 행사는 아이들과 부모 모두를 위한 것이고 무료이다.

해설 뒤에 and가 나오므로 both가 적절하다.

06

both A and B

When we watch 3-D movies, / our eyes focus on things / that are ________ far and near / at the same time. 우리가 3D 영화를 볼 때 / 우리 눈은 사물에 집중한다 / 멀고 가까운 곳 모두에 있는 / 동시에

해석 우리가 3D 영화를 볼 때, 우리 눈은 멀고 가까운 곳 모두에 있는 사물에 동시에 집중한다.

해설 뒤에 and가 있으므로 both가 적절하다.

Point (016~018) Review

p.08

[01 – 10] 다음 중 알맞은 것을 고르시오.

01 You lift up the top newspaper and pull out [it / the one] directly underneath it.

02 For both activities, one is happening in the foreground and [another / the other] in the background.

03 Dutch eyeglass maker Hans gets credit for putting two lenses on [both / either] end of a tube in 1608.

04 Students in class should show proper respect for [another / other] opinions.

05 [Both / Either] Tom and Jane tried to see the singer, but they failed.

06 Unlike most members, Kevin was [either / neither] a scholar nor an expert.

07 I already knew that a big gift was not necessarily the best [it / one].

08 A violation of this rule by [both / either] side brought human and divine anger.

09 Their disappointment passes quite quickly when the situation develops into a different [it / one].

10 The two groups studied an unknown alphabet in two different ways. One group was asked to write by hand, while [another / the other] used a keyboard.

Chapter 02 Review

p.09

[01 – 10] 다음 중 알맞은 것을 고르시오.

01 People would probably not use the facility even if it may have been useful for [it / them].

02 You find [you / yourself] coming out of a shop with the product in your hand.

03 [Either / Both] parents practiced their profession and retired in good health.

04 People think that the spiders can kill [them / themselves] with their poison dangerous to humans.

05 If one of the twins bite his or her nails, [another / the other] is likely to do so.

06 [It / There] was five degrees below zero this morning.

07 He has already read the book, but Jane hasn't read [it / one] yet.

08 She's either going to say something I don't like [or / and] try to make me feel inferior.

09 Most of people were suffering from [either / both] mental and physical illness.

10 Some researchers found 50 sets of twins in which one twin was a nonsmoker and [another / the other] was a lifelong smoker.

Chapter

03

동사

POINT
019~021

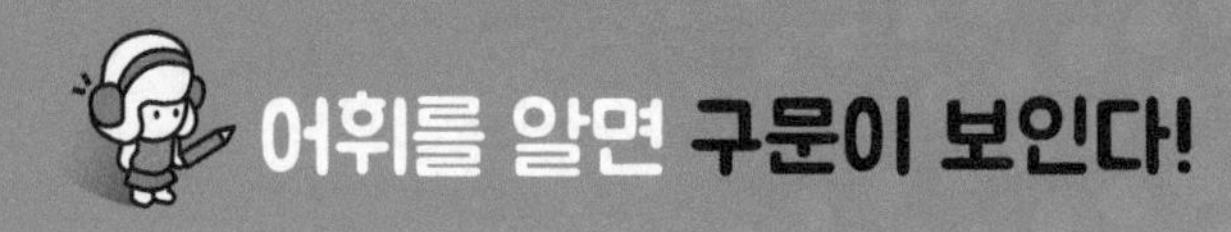

체크! Words & Phrases

POINT 019

□ assess	평가하다
□ prey	먹이
□ get away	도망치다
□ snowstorm	눈보라
□ exposure	노출
□ ultraviolet	자외선의
□ citizen	시민
□ transform	변화시키다
□ surroundings	환경
□ architectural	건축의

POINT 020

□ industrial	산업의
□ clean-up	청소
□ shelf	선반
□ empty	빈
□ pesticide	살충제
□ observe	관찰하다
□ salmon	연어

POINT 021

□ operation	수술, 작업
□ depend on	~에 달려 있다
□ definition	정의
□ lead to	~을 야기하다
□ negative	부정적인
□ consequence	결과
□ flow into	흘러들어 오다
□ wetland	습지
□ mass	대량

★모르는 단어에 체크하고, 소리 내어 10번만 뜻과 함께 말해 보세요.

[01-20] 다음 빈칸에 알맞은 우리말 뜻이나 단어를 쓰시오.

01 ultraviolet ________
02 citizen ________
03 empty ________
04 pesticide ________
05 consequence ________
06 flow into ________
07 transform ________
08 surroundings ________
09 architectural ________
10 negative ________
11 습지 ________
12 대량 ________
13 도망치다 ________
14 ~에 달려 있다 ________
15 정의 ________
16 수술, 작업 ________
17 산업의 ________
18 관찰하다 ________
19 연어 ________
20 먹이 ________

자동사 vs. 타동사

→ 타동사 → 목적어

Most people / don't **assess** **their roles** / frequently

→ 자동사 → 목적어 아님

enough / and so **stay** **in positions** / for years longer.

대부분의 사람들은 / 자신의 역할을 평가하지 않는다 / 충분히 자주 / 그리고 자리에 머문다 / 수년 동안 더 오래

→ 대부분의 사람들은 충분히 자주 자신의 역할을 평가하지 않아서 수년 동안 더 오래 자리에 머무른다.

❶ 자동사는 뒤에 목적어(을/를)를 가지지 않는다. → 수동태 불가
❷ 자동사 뒤에 나오는 명사는 주어에 대한 세부 설명을 담당하는 주격 보어이다.
❸ 타동사는 뒤에 목적어를 가진다. → 수동태 가능

Words & Phrases

assess 평가하다
frequently 빈번히, 자주
prey 먹이
get away 도망치다
snowstorm 눈보라
exposure 노출
ultraviolet 자외선의
citizen 시민
transform 변화시키다
surroundings 환경
architectural 건축의
depressed 우울한

다음 문장의 밑줄 친 동사가 자동사인지 타동사인지 구별하시오.

01 The wolf went hungry nine times out of ten because his prey got away.

02 None of the speakers could attend the conference because of a big snowstorm.

03 Direct exposure to ultraviolet light can cause some negative effects on the skin.

04 Roman citizens transformed the tough surroundings into an architectural wonder.

05 He seemed to be getting more and more depressed and was sleeping in later and later.

06 She stayed focused during the class, which brought her a big benefit.

끊어 읽으면 답이 보인다!

POINT 019

[01-06] 빈칸에 알맞은 말을 넣으시오.

01

보어

The wolf __________ hungry / nine times out of ten / because his prey got away.

늑대는 배가 고파졌다 / 열 번 중 아홉 번은 / 왜냐하면 그의 먹이가 도망을 가서

해석 늑대는 먹이가 도망을 가서 열 번 중 아홉 번은 배고프게 되었다.

해설 뒤에 목적어가 아닌 주어를 설명하는 보어 hungry가 나오므로 went는 자동사이다.

02

목적어

None of the speakers / could __________ the conference / because of a big snowstorm.

연설자 중 어느 누구도 ~할 수 없다 / 회의에 참석하다 / 큰 눈보라 때문에

해석 눈폭풍 때문에 연설자 중 어느 누구도 회의에 참석할 수 없었다.

해설 뒤에 목적어 the conference가 나오므로 attend는 타동사이다.

03

목적어

[Direct exposure / to ultraviolet light] / can __________ some negative effects / on the skin.

직접적인 노출은 / 자외선에 대한 / 일부 부정적인 영향을 미칠 수 있다 / 피부에

해석 자외선에 대한 직접적인 노출은 피부에 일부 부정적인 영향을 미칠 수 있다.

해설 뒤에 목적어 some negative effects가 나오므로 cause는 타동사이다.

04

목적어

Roman citizens / __________ the tough surroundings / into an architectural wonder.

로마 시민들은 / 어려운 환경을 바꿨다 / 건축적 놀라움으로

해석 로마 시민들은 어려운 환경을 건축학적 놀라움으로 바꿨다.

해설 뒤에 목적어 the tough surroundings이 나오므로 transformed는 타동사이다.

05

보어

He seemed to be __________ more and more depressed / and was __________ / in later and later. 그는 점점 더 우울해지는 것 같았고 / 자고 있었다 / 점점 더 늦게까지

해석 그는 점점 더 우울해지는 것 같았고 점점 더 늦게까지 자고 있었다.

해설 getting의 경우 뒤에 목적어가 아닌 주어를 설명하는 보어 depressed가 나오므로 자동사이다. sleeping은 뒤에 목적어가 없으므로 자동사이다.

06

보어 / 앞문장 전체를 받음 / 간접 목적어 / 직접 목적어

She __________ focused / during the class, / which __________ her a big benefit.

그녀는 집중을 유지했다 / 수업 동안에 / 그리고 이것은 그녀에게 큰 이익을 가져다주었다.

해석 그녀는 수업 시간에 집중력을 유지했고, 이는 그녀에게 큰 이익을 가져다주었다.

해설 stayed는 뒤에 주어를 설명하는 보어 focused가 나오므로 자동사이다. brought는 뒤에 목적어 her와 a big benefit이 나오므로 타동사이다.

lie vs. lay / rise vs. raise

자동사 lie의 진행형 / 장소 전치사구

Amie was **lying** / **on the beach** / and reading some books.

laying (X)

에이미는 누워 있었다 / 해변에 / 그리고 몇 권의 책을 읽고 있었다

→ 에이미는 해변에 누워서 몇 권의 책을 읽고 있었다.

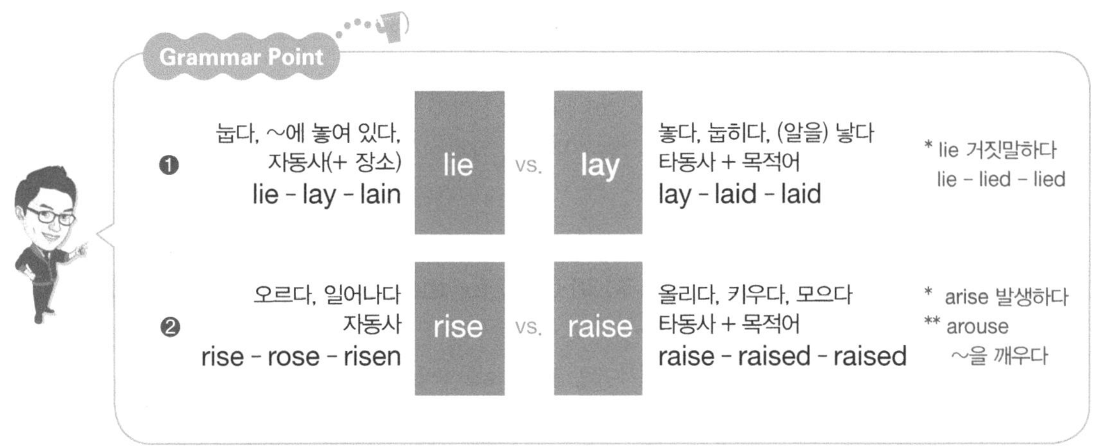

Grammar Point
❶ 눕다, ~에 놓여 있다, 자동사(+ 장소) lie - lay - lain
lie vs. lay
놓다, 눕히다, (알을) 낳다 타동사 + 목적어 lay - laid - laid
* lie 거짓말하다 lie - lied - lied
❷ 오르다, 일어나다 자동사 rise - rose - risen
rise vs. raise
올리다, 키우다, 모으다 타동사 + 목적어 raise - raised - raised
* arise 발생하다
** arouse ~을 깨우다

Words & Phrases

- **be aware that** ~을 알다
- **industrial** 산업의
- **hand** 건네다
- **clean-up** 청소
- **shelf** 선반
- **empty** 빈
- **pesticide** 살충제
- **observe** 관찰하다
- **salmon** 연어
- **upstream** 상류

다음 중 알맞은 것을 고르시오.

01 He was aware that the industrial future [laid / lay] in information.

02 Gandhi handed the letter to his father who was [lying / laying] ill in bed.

03 Olivia [rose / raised] more than $180,000 for the Gulf of Mexico clean-up.

04 The price of bananas is still [rising / raising] and the shelves are going empty.

05 Here [lies / lays] the reason why natural control is chosen more than pesticide use.

06 The worst effect of dams has been observed on salmon that have to travel upstream to [lie / lay] their eggs.

끊어 읽으면 답이 보인다!

POINT 020

[01-06] **빈칸에 알맞은 말을 넣으시오.**

01

전치사구

He was aware / that the industrial future ________ / in information.

그는 알고 있었다 / 산업의 미래는 놓여 있다고 / 정보에

해석 그는 산업의 미래가 정보에 있다는 것을 알고 있었다.

해설 뒤에 전치사구가 오므로 자동사 lie(~에 놓여 있다)의 과거형인 lay가 적절하다.

02

Gandhi handed the letter / to his father / who was ________ ill in bed.

간디는 편지를 전해 주었다 / 그의 아버지에게 / 병들어 침대에 누워 있는

해석 간디는 병들어 침대에 누워 있는 아버지에게 편지를 전해 주었다.

해설 뒤에 ill이 나오지만, 목적어가 아닌 형용사이다. 그 뒤에 장소 전치사구 in bed가 나오므로 자동사 lie(눕다)의 진행형 lying이 적절하다.

03

목적어

Olivia ________ / more than $180,000 / for the Gulf of Mexico clean-up.

올리비아는 모았다 / 18만 달러 이상을 / 멕시코만의 청소를 위해서

해석 올리비아는 멕시코만의 청소를 위해서 18만 달러 이상을 모았다.

해설 뒤에 목적어인 more than $180,000이 나오므로 '모으다'라는 뜻의 타동사 raised가 적절하다.

04

목적어 없음

The price of bananas / is still ________ / and the shelves are going empty.

바나나의 가격은 / 여전히 상승 중이며 / 선반은 비어가고 있다

해석 바나나 가격은 여전히 상승 중이며, 선반은 비어가고 있다.

해설 뒤에 목적어가 없으므로 자동사 rise(오르다)의 현재분사인 rising이 적절하다.

05

V　S 목적어가 아닌 주어이다

Here ________ / the reason / why natural control is chosen / more than pesticide use.

여기 놓여 있다 / 이유가 / 왜 자연 통제가 선택되는지 / 살충제 사용보다 더 많이

해석 왜 자연 통제가 살충제 사용보다 더 많이 선택되는지에 대한 이유가 여기 있다.

해설 뒤에 나오는 the reason은 목적어가 아니라 문장의 주어이다. 문장 앞에 나온 Here 때문에 주어와 동사가 도치된 구문이다. 따라서 뒤에 목적어가 없으므로 '~에 놓여 있다'는 뜻의 자동사 lies가 적절하다.

06

목적어

The worst effect of dams / has been observed / on salmon / that have to travel upstream / to ________ their eggs.

댐의 최악의 영향은 / 목격되어 왔다 / 연어에게서 / 상류로 여행해야만 하는 / 알을 낳기 위해서

해석 댐이 가진 최악의 영향은 알을 낳기 위해서 상류로 올라가야만 하는 연어에게서 관찰되고 있다.

해설 뒤에 목적어인 their eggs가 나오므로 타동사 lay(알을 낳다)가 적절하다.

2형식 동사의 특징

2형식 동사 + 주격보어 / 2형식 동사 + 주격보어

When we **are alone**, / problems **become more serious.**

주어에 대한 세부 설명 / 주어에 대한 세부 설명

우리는 혼자일 때 / 문제는 더욱 심각해진다
⋯› 우리는 혼자일 때 문제는 더 심각해진다.

Grammar Point

❶ 2형식 동사 뒤에는 주어를 수식하는 주격보어가 온다.
❷ "~하게"로 부사처럼 해석이 되지만, 부사가 아닌 형용사가 와야 한다. (2형식 동사+형용사)
❸ get, grow, turn, go, make, run, become + 형용사/분사: ~인 상태가 되다

Words & Phrases

operation 수술, 작업
at least 최소한
depend on ~에 달려 있다
definition 정의
familiar with ~에 친숙한
lead to ~을 야기하다
negative 부정적인
consequence 결과
flow into 흘러들어 오다
wetland 습지
mass 대량

다음 문장의 밑줄 친 부분을 해석하시오.

01 Jack looked very bad after an operation, making us worried.

02 At least your jeans will stay clean, depending on your definition of "clean."

03 He asked us to take more time to become familiar with our customers.

04 Many parents wonder how they can feel safe when raising kids in this scary world.

05 Although rewards sound so positive, they can often lead to negative consequences.

06 As things got worse, more Roman citizens flew into the wetlands to avoid the mass killings.

끊어 읽으면 답이 보인다!

POINT 021

[01 – 06] **빈칸에 알맞은 말을 넣으시오.**

01

look + 형용사: ~하게 보이다 / 분사구문, 동시상황

Jack looked very ________ / after an operation, / making us worried.

잭은 매우 안 좋아 보였다 / 수술 이후에 / 그리고 이는 우리를 걱정하게 만들었다

해석 잭은 수술 후에 안 좋아 보였고, 이는 우리를 걱정하게 만들었다.

해설 2형식 동사 looked 뒤에는 보어로 형용사가 오므로 bad가 적절하다.

02

stay + 형용사: ~하게 유지되다 / 분사구문, 동시상황

At least / your jeans will stay ________ /, depending on your definition of "clean."

최소한 / 너의 청바지는 깨끗하게 유지될 것이다 / 이는 너의 깨끗함의 정의에 달려 있다

해석 최소한 너의 청바지는 깨끗하게 유지될 것인데 이는 너의 '깨끗함'에 대한 정의에 달려 있다.

해설 2형식 동사 stay 뒤에는 보어로 형용사가 오므로 clean이 적절하다.

03

become + 형용사: ~이 되다

He asked us / to take more time / to become ________ with our customers.

그는 우리에게 요구했다 / 더 많은 시간을 쓰라고 / 우리 고객과 친해지는 데

해석 그는 우리가 고객과 친해지는 데 더 많은 시간을 보내라고 요구했다.

해설 2형식 동사 become 뒤에는 보어로 형용사가 오므로 familiar가 적절하다.

04

feel + 형용사

Many parents wonder / how they can feel ________/ when raising kids / in this scary world.

많은 부모들은 궁금해 한다 / 어떻게 그들이 안전하게 느낄 수 있는지 / 아이들을 키울 때 / 이 험한 세상에서

해석 많은 부모들은 이 험한 세상에서 아이들을 키울 때 어떻게 그들이 안전하게 느낄 수 있는지 궁금해한다.

해설 2형식 동사 feel 뒤에는 보어로 형용사가 오므로 safe가 적절하다.

05

sound + 형용사: ~처럼 들리다

Although rewards sound so ________/, they can often lead to / negative consequences.

비록 보상이 매우 긍정적으로 들리더라도 / 그들은 종종 야기할 수 있다 / 부정적인 결과를

해석 비록 보상이 매우 긍정적으로 들리더라도, 종종 부정적인 결과를 야기할 수 있다.

해설 2형식 동사 sound 뒤에는 보어로 형용사가 오므로 positive가 적절하다.

06

get + 비교급: 점점 더 ~해지다

As things got ________, / more Roman citizens flew into the wetlands / to avoid the mass killings. 상황이 악화됨에 따라 / 더 많은 로마 시민들이 습지대로 흘러들어 왔다 / 대량 살상을 피하기 위해서

해석 상황이 악화됨에 따라, 더 많은 로마 시민들이 대량 살상을 피해서 습지대로 흘러들어 왔다.

해설 2형식 동사 got 뒤에는 보어로 형용사가 와야 하는데 '점점 더 악화되다'는 뜻이므로 형용사(bad)의 비교급 worse가 적절하다.

Point (019~021) Review

p.10

[01 – 10] 다음 중 알맞은 것을 고르시오.

01 The number of the girls who were on a diet [rose / raised] from 6% to 8%.

02 Using dried strawberries makes a pie taste [sweet / sweetly].

03 Your problems and challenges suddenly seem [insignificant / insignificantly].

04 He could not believe his eyes and ears! Three dead chickens were [lying / laying] on the floor.

05 That he may come back can [rise / raise] her hopes.

06 Such information [lies / lays] in the tag we have chosen to use.

07 If we are playing with sound effect, our vocabulary is likely to remain [stable / stably].

08 The important reason for their success was that the country became more [peaceful / peacefully].

09 Her friend is [lying / laying] a towel on the grass beside her.

10 The cornerstone of the building was [lain / laid] and construction began in 1365.

POINT

022~024

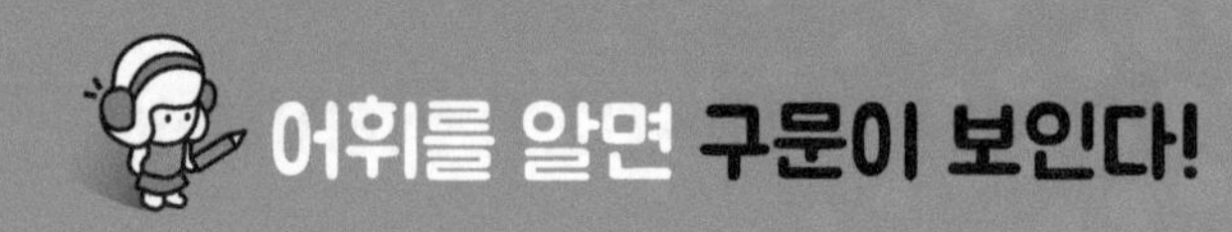

체크! Words & Phrases

POINT 022

□ put together	조립하다, 모으다
□ advice	조언
□ award	상
□ bathe	씻다
□ forehead	이마
□ run out of	다 쓰다
□ firewood	장작
□ tiny	작은
□ imagination	상상력

POINT 023

□ pace	속도
□ pile	쌓다
□ continuous	지속적인
□ discover	발견하다
□ amazing	놀라운
□ draw	그리다
□ specific	구체적인
□ praise	칭찬
□ care	관심을 가지다

POINT 024

□ take a rest	쉬다
□ swiftly	재빠르게
□ expression	표현
□ take responsibility	책임을 지다
□ skilled	숙련된
□ signal	신호를 보내다
□ oncoming	다가오는

★ 모르는 단어에 체크하고, 소리 내어 10번만 뜻과 함께 말해 보세요.

[01-20] 다음 빈칸에 알맞은 우리말 뜻이나 단어를 쓰시오.

01 continuous ______________

02 discover ______________

03 amazing ______________

04 swiftly ______________

05 expression ______________

06 advice ______________

07 award ______________

08 bathe ______________

09 pace ______________

10 pile ______________

11 숙련된 ______________

12 신호를 보내다 ______________

13 칭찬 ______________

14 관심을 가지다 ______________

15 장작 ______________

16 작은 ______________

17 상상력 ______________

18 다가오는 ______________

19 구체적인 ______________

20 이마 ______________

4형식 동사 vs. 5형식 동사

her daughter가 to put의 의미상의 주어
her daughter가 목적어, to put ~이 목적보어로 쓰인 5형식 문장

She [**asked** (V) / **her daughter** (O) / **to put the picture together** (OC)] / and then she [**read** (V) / **her daughter** (IO) / **a story** (DO)].

4형식 문장

그녀는 요구했다 / 그녀의 딸에게 / 그림을 모으라고 / 그러고 나서 그녀는 읽어주었다 / 그녀의 딸에게 / 이야기를
··· 그녀는 그녀의 딸에게 그림을 모으라고 했고 그러고 나서 이야기를 읽어주었다.

Grammar Point

❶ 4형식은 동사 뒤에 간접목적어(IO; ~에게)와 직접목적어(DO; ~을/를)가 온다.
❷ 5형식은 동사 뒤에 목적어(O)와 목적보어(OC)가 온다.
❸ 4형식 vs. 5형식 구분 (S + V + A + B)
4형식: A와 B가 상관없다 → I gave you a book. (you ≠ a book)
5형식: A와 B가 상관있다 → He made me happy. (me = happy, 내가 행복한 것)

Words & Phrases

- put together 조립하다, 모으다
- advice 조언
- award 상
- bathe 씻다
- forehead 이마
- run out of 다 쓰다
- firewood 장작
- tiny 작은
- imagination 상상력

다음 문장의 밑줄 친 밑줄 친 동사가 4형식 동사인지 5형식 동사인지 구분하시오.

01 They can give you advice on your study skills or plans.

02 This novel made her the first woman to win the award.

03 Her mother asked her how she managed to do it so quickly.

04 Dr. Ross told the father to bathe his daughter's forehead with cool water.

05 The girl's family had run out of the firewood they needed to keep their tiny house warm.

06 Children do not use their imagination enough because TV shows them everything.

끊어 읽으면 답이 보인다!

[01-06] **빈칸에 알맞은 말을 넣으시오.**

01

V IO DO

They can ________ you advice / on your study skills or plans.

그들은 너에게 조언을 해 줄 수 있다 / 너의 공부 기술이나 계획에 대한

해석 그들은 너에게 공부 기술이나 계획에 대한 조언을 해 줄 수가 있다.

해설 간접목적어 you와 직접목적어 advice는 같은 대상이 아니므로 4형식 동사가 필요하다. 따라서 give가 적절하다.

02

V O OC

This novel / ________ her the first woman / to win the award.

이 소설은 / 그녀를 최초의 여성으로 만들었다 / 그 상을 수상한

해석 이 소설은 그녀를 그 상을 수상한 최초의 여성으로 만들었다.

해설 목적어 her와 목적보어 the first woman이 같은 대상이므로 5형식 동사가 필요하다. 따라서 made가 적절하다.

03

V IO DO

Her mother / ________ her how she managed to do it / so quickly.

그녀의 어머니는 / 어떻게 그녀가 그것을 해낼 수 있었는지 물었다 / 그렇게 빨리

해석 그녀의 어머니는 그녀에게 어떻게 그것을 그렇게나 빨리 해낼 수 있었는지 물었다.

해설 간접목적어 her와 직접목적어 how she managed to do it이 같은 대상이 아니므로 4형식 동사가 필요하다. 따라서 asked가 적절하다.

04

V O OC

Dr. Ross / ________ the father to bathe his daughter's forehead / with cool water.

로스 박사는 / 아버지에게 그의 딸의 이마를 닦아주라고 말했다 / 시원한 물로

해석 로스 박사는 그 아버지에게 시원한 물로 딸의 이마를 닦아 주라고 시켰다.

해설 목적어는 the father이고 이마를 닦는 행위의 주체도 the father이므로 to bathe 이하는 목적보어이다. 따라서 5형식 동사가 필요하므로 told가 적절하다.

05

to부정사 O

The girl's family / had run out of the firewood / they needed / to ________ their tiny house

OC

warm. 그 소녀의 가족은 / 장작이 바닥났다 / 그들이 필요한 / 그들의 작은 집을 따뜻하게 유지하기 위한

해석 그 소녀의 가족은 작은 집을 따뜻하게 유지하는 데 필요한 장작이 바닥났다.

해설 목적어인 their tiny house를 warm(목적 보어)하게 하는 것이므로 목적어를 보충 설명하고 있다. 따라서 5형식 동사가 필요하므로 keep이 적절하다.

06

V IO DO

Children / do not use their imagination enough / because / TV ________ them everything.

아이들은 / 그들의 상상력을 충분히 사용하지 않는다 / 왜냐하면 / TV가 그들에게 모든 것을 보여준다

해석 TV가 아이들에게 모든 것을 보여주기 때문에 그들은 상상력을 충분히 사용하지 않는다.

해설 간접목적어 them과 직접목적어 everything이 같은 대상이 아니므로 4형식 동사가 필요하다. 따라서 shows가 적절하다.

사역동사 have, make, let

능동 관계 → 동사원형
사역동사
to pile, piled (X)

[The fast pace of today's lifestyle] / **has us pile** one thing / on top of another.
(S: The fast pace of today's lifestyle / V: has / O: us / OC: pile)

오늘날 생활 방식의 빠른 속도는/ 우리가 한 가지를 쌓도록 한다 / 또 다른 것 위에
··· 오늘날 빠른 생활 방식이 우리로 하여금 한 가지의 것을 또 다른 것 위에 쌓아두게 한다.

Grammar Point

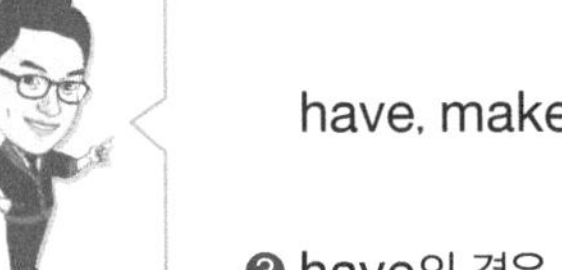

❶ 사역동사는 '~에게 ...을 하게 하다'라는 의미를 지닌 동사이다.
❷ 목적어와 목적보어의 관계에 따라 동사원형이나 과거분사가 온다.

have, make, let + 목적어 + 동사원형(능동) / 과거분사(수동)

❸ have의 경우 목적보어에 -ing가 오기도 한다.
My mother had me cleaning my room. 엄마는 내가 내 방을 청소하도록 시켰다.
(O: me / OC: cleaning)

Words & Phrases

- pace 속도
- pile 쌓다
- on top of ~ 위에
- continuous 지속적인
- discover 발견하다
- amazing 놀라운
- draw 그리다
- specific 구체적인
- praise 칭찬
- care 관심을 가지다

다음 중 알맞은 것을 고르시오.

01 She had her daughters [visit / to visit] their grandfather more often.

02 The construction noise was so loud that I could hardly make myself [hear / heard].

03 It happened because they'd made it [happen / happened] through continuous effort.

04 His children discovered that the double lenses made the house [look / looked] bigger.

05 Collect 100 amazing artists in a room and have them [draw / to draw] the same chair.

06 Specific praise lets her [know / to know] you really care.

끊어 읽으면 답이 보인다!

[01 – 06] **빈칸에 알맞은 말을 넣으시오.**

01

사역동사 / 능동 관계

She had / her daughters / ________ their grandfather / more often.

그녀는 하게 했다 / 그녀의 딸이 / 그들의 할아버지를 방문하도록 / 더 자주

해석 그녀는 그녀의 딸이 좀 더 자주 할아버지를 방문하도록 했다.

해설 had는 사역동사로 쓰이고 있다. 목적보어(visit)는 목적어인 her daughters와 능동 관계이다. 따라서 동사원형 visit이 적절하다.

02

사역동사 / 수동 관계

The construction noise / was so loud / that I could hardly make myself ________.

공사장 소음은 / 너무 시끄러워서 / 나는 거의 내 말을 들리게 말할 수 없었다

해석 공사장 소음은 너무 시끄러워서 나는 거의 내 말을 들리게 말할 수 없었다.

해설 make는 사역동사로 쓰이고 있다. 목적어 myself와 hear의 관계는 '내 말은 들려지는 대상'이므로 서로 수동 관계이다. 따라서 과거분사 heard가 적절하다.

03

사역동사 / 능동 관계

It happened / because they'd made / it / ________ / through continuous effort.

그것은 발생했다 / 왜냐하면 그들은 만들었기 때문에 / 그것이 / 발생하도록 / 지속적인 노력을 통해서

해석 그들이 지속적인 노력을 통해서 그것이 일어나도록 했기 때문에 발생했다.

해설 made는 사역동사로 쓰이고 있다. happen은 자동사이므로 목적어 it과 목적보어(happen)는 서로 능동 관계이다. 따라서 동사원형인 happen이 적절하다.

04

사역동사 / 능동 관계

His children discovered / that the double lenses made / the house / ________ bigger.

그의 아이들은 발견했다 / 두 개의 렌즈가 만들었다는 것을 / 그의 집이 / 더 크게 보이도록

해석 그의 아이들은 그 두 개의 렌즈가 집이 더 크게 보이도록 했다는 것을 발견했다.

해설 made는 사역동사로 쓰이고 있다. look은 자동사이므로 목적어 the house와 목적보어(look)는 서로 능동 관계이다. 따라서 동사원형인 look이 적절하다.

05

사역동사 / 능동 관계

Collect 100 amazing artists / in a room / and have / them / ________ the same chair.

100명의 놀라운 화가들을 모아라 / 방에 / 그리고 하게 해라 / 그들이 / 같은 의자를 그리도록

해석 100명의 놀라운 화가들을 모아서 그들이 같은 의자를 그리도록 해라.

해설 have는 사역동사로 쓰이고 있다. 목적어 them(100 amazing artists)과 목적보어(draw)는 화가가 그림을 그리는 주체이기 때문에 서로 능동 관계이다. 따라서 동사원형 draw가 적절하다.

06

사역동사 / 능동 관계 / (that) 생략

Specific praise lets / her / ________ / you really care.

구체적인 칭찬은 하게 한다 / 그녀가 / 알도록 / 당신이 정말로 신경 쓰고 있다는 것을

해석 구체적인 칭찬은 그녀로 하여금 당신이 정말로 신경 쓰고 있다는 것을 알도록 해준다.

해설 let은 사역동사로 쓰이고 있다. 목적어 her와 목적보어(know)는 서로 능동 관계이다. 따라서 동사원형 know가 적절하다.

사역동사 get

He wanted to take a rest / at home, /

목적어와 목적보어의 관계에 따라 to부정사 또는 과거분사가 됨

but his wife / **got him to go** shopping / with her.

him이 go shopping(능동 관계 → to go)

그는 쉬고 싶었다 / 집에서 / 하지만 그의 부인이 / 그가 쇼핑하러 가게 했다 / 그녀와 함께

⋯› 그는 집에서 쉬고 싶었지만, 그의 부인이 함께 쇼핑하게 했다.

Grammar Point

❶ 사역동사 get은 '~에게 ...을 하게 하다'라는 의미를 가진다.

❷ 목적어와 목적보어의 관계에 따라 to부정사(능동)나 과거분사(수동)가 온다.

get + 목적어 + to부정사(능동) / 과거분사(수동)

❸ '계속'의 의미가 강하면 -ing(현재분사)가 오기도 한다.

Her plan got the work going well. 그녀의 계획은 그 작업이 잘 진행되게 했다.

다음 중 알맞은 것을 고르시오.

01 Something in her got our mind [to fill / filled] swiftly, so we decided to help her.

02 Students tried to make a poster in order to get their classmates [to know / known] the fact.

03 My mother was always trying to get me [clean / to clean] my room.

04 The expression "carry the ball" means to take responsibility for getting something [to do / done].

05 Jane had difficulty finding someone to help her, but she finally got the house [to paint / painted].

06 He became skilled in signaling the oncoming cars and got them [stop / to stop] yards before the white lines.

Words & Phrases

take a rest 쉬다
go shopping 쇼핑하러 가다
swiftly 재빠르게
expression 표현
take responsibility 책임을 지다
skilled 숙련된
signal 신호를 보내다
oncoming 다가오는

끊어 읽으면 답이 보인다!

POINT 024

[01-06] **빈칸에 알맞은 말을 넣으시오.**

01

사역동사 / 능동 관계

Something in her / got / our mind / __________ swiftly, / so we decided to / help her.

그녀 안의 무언가가 / 하게 했다 / 우리의 마음이 / 신속히 채워지도록 / 그래서 우리는 결정했다 / 그녀를 돕도록

해석 그녀 안에 있는 무언가가 우리 마음이 빨리 채워지도록 했으며, 그래서 우리는 그녀를 돕기로 결정했다.

해설 목적어 our mind와 목적보어 fill은 '마음이 채워지는 것'이므로 서로 수동 관계이다. 따라서 과거분사 filled가 적절하다.

02

능동 관계

Students tried to / make a poster / in order to get / their classmates / __________ the fact.

학생들은 노력했다 / 포스터를 만들다 / 하게 하기 위해서 / 그들이 친구들이 / 그 사실을 알도록

해석 학생들은 반 친구들이 그 사실을 알 수 있도록 하기 위해서 포스터를 제작하고자 노력했다.

해설 목적어 their classmates와 목적보어 know의 관계는 친구들이 그 사실을 아는 것의 주체이므로 서로 능동 관계이다. 따라서 to know가 적절하다.

03

사역동사 / 능동 관계

My mother / is always trying to / get / me / __________ my room.

나의 어머니는 / 항상 노력하신다 / 하게 하도록 / 내가 / 방을 정리하도록

해석 어머니는 내가 방을 정돈하게 하려고 항상 노력하신다.

해설 목적어 me와 목적보어 clean은 내가 방을 정리하는 것의 주체이므로 서로 능동 관계이다. 따라서 to clean이 적절하다.

04

사역동사 / 수동 관계

The expression "carry the ball" / means / to take responsibility / for getting something __________.

"carry the ball"이라는 표현은 / 의미한다 / 책임을 진다는 것을 / 어떤 일이 이루어진 것에 대해서

해석 "carry the ball"이라는 표현은 어떤 일이 이루어진 것에 대해서 책임을 진다는 것을 의미한다.

해설 목적어 something과 목적보어 do는 무언가가 이루어지는 서로 수동 관계이다. 따라서 과거분사 done이 적절하다.

05

have difficulty -ing: ~하는 데 어려움이 있다 / 사역동사 / 수동 관계

Jane / had difficulty / finding someone / to help her, / but she finally / got / the house / __________.

제인은 / 어려움이 있었다 / 누군가를 찾는데 / 그녀를 도와줄 / 하지만, 마침내 그녀는 / 하게 했다 / 집을 / 페인트칠 하도록

해석 제인은 그녀를 도와줄 누군가를 찾는 데 어려움이 있었지만 그녀는 마침내 집을 페인트칠했다.

해설 목적어 the house와 목적보어 paint는 수동 관계이다. 따라서 과거분사 painted가 적절하다.

06

사역동사 / 능동 관계

He became skilled / in signaling the oncoming cars / and got / them / __________ / yards before the white lines. 그는 능숙해졌다 / 오는 차에 신호를 보내는 것에 / 그리고 하게 했다 / 차들이 / 멈추도록 / 하얀 선 몇 야드 앞에서

해석 그는 오는 차량에 신호를 보내는 데 능숙해졌고, 차들이 하얀 색 선 몇 야드 앞에서 멈추도록 했다.

해설 목적어 them(the oncoming cars)과 목적보어 stop은 차가 멈추는 대상이므로 서로 능동 관계이다. 따라서 to stop이 적절하다.

Point (022~024) Review

p.11

[01-10] 다음 중 알맞은 것을 고르시오.

01 At last, they got a mechanic [repaired / to repair] the elevator.

02 The woman had her son and daughter [wash / to wash] their hands.

03 You can buy a ticket that lets you [visit / visiting] all the museums more cheaply.

04 Leaders could get others [produce / to produce] their food and necessities.

05 The use of natural light makes customers [spent / spend] more money in stores.

06 The men who had their self-esteem [raise / raised] were more likely to want to be tested for it.

07 She got her washing machine [fixed / to fix] to help her mom.

08 Some sports get people [move / to move] at high speeds without any power-producing device.

09 If you want to stand out from the group, you have to make your feelings [know / known] to others.

10 Think about times when you have been chosen by somebody who made you [feel / felt] special.

POINT

025~027

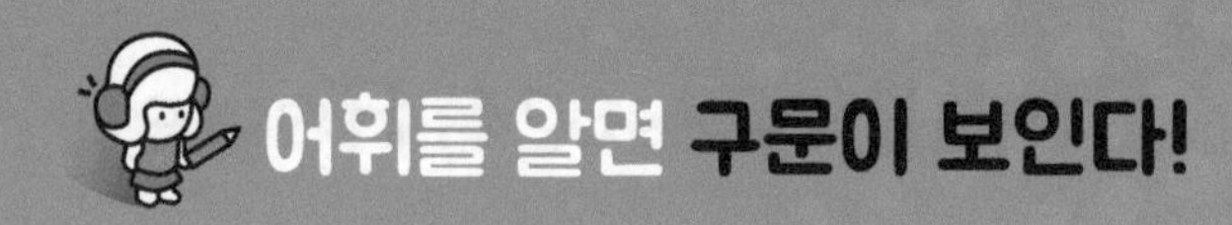

체크! Words & Phrases

POINT 025

□ match	성냥
□ observe	관찰하다
□ fade	서서히 사라지다
□ untrained	훈련되지 않은
□ aquarium	수족관
□ go through	통과하다, 끝내다
□ act	쇼의 한 파트
□ notice	알아차리다

POINT 026

□ sunshine	햇빛
□ gardening	원예
□ prepare	준비하다
□ meal	식사
□ decline	거절하다
□ proposal	제안
□ personnel	(조직의) 인원, 인사과
□ employee	근로자, 직원
□ routine	일상, 경로

POINT 027

□ social	사회적인
□ bookshelf	책꽂이
□ arise	발생하다
□ resemble	~와 닮다
□ appearance	외양
□ immediately	즉시
□ foreign	외국의

★모르는 단어에 체크하고, 소리 내어 10번만 뜻과 함께 말해 보세요.

[01-20] 다음 빈칸에 알맞은 우리말 뜻이나 단어를 쓰시오.

01 fade ____________
02 bookshelf ____________
03 arise ____________
04 personnel ____________
05 employee ____________
06 go through ____________
07 act ____________
08 resemble ____________
09 appearance ____________
10 observe ____________
11 원예 ____________
12 준비하다 ____________
13 사회적인 ____________
14 즉시 ____________
15 일상, 경로 ____________
16 훈련되지 않은 ____________
17 수족관 ____________
18 거절하다 ____________
19 제안 ____________
20 햇빛 ____________

지각동사

능동 관계

I **heard** / **something moving** slowly / along the walls /

지각동사는 목적어와 목적보어를 취하는데, 목적어와 목적보어의 관계상 moving이 적절

and I searched for a match / in the dark.

나는 들었다 / 무언가 천천히 움직이는 것을 / 벽을 따라 / 그리고 나는 성냥을 찾았다 / 어둠 속에서

⋯ 나는 무엇인가 벽을 따라 천천히 움직이는 소리를 들었고, 어둠 속에서 성냥을 찾았다.

Grammar Point

※ '보다, 듣다' 등의 의미를 가진 지각동사가 올 때, 목적보어는 목적어와의 관계에 따라 동사원형/-ing(능동)와 -ed(수동)가 온다.

watch, see, observe, hear, listen to	+ 목적어 +	동사원형/-ing(능동) 과거분사 -ed(수동)

다음 중 알맞은 것을 고르시오.

Words & Phrases

match 성냥

observe 관찰하다

fade 서서히 사라지다

untrained 훈련되지 않은

aquarium 수족관

go through 통과하다, 끝내다

act 쇼의 한 파트

notice 알아차리다

01 The scientists observed the toy [breaking / broken] by young children.

02 When Amy heard her name [calling / called], she made her way to the stage.

03 She looked out the window and saw the rain [to begin / beginning] to fade.

04 I spent the rest of the party watching the other kids [to enjoy / enjoying] their gifts.

05 An untrained dolphin in an aquarium watches another dolphin [go / to go] through its act.

06 When I was teaching, I noticed most of the students [playing / to play] with their phones.

끊어 읽으면 답이 보인다!

POINT 025

[01-06] 빈칸에 알맞은 말을 넣으시오.

01
지각동사 / 수동 관계

The scientists observed / the toy / __________ by young children.

과학자들은 관찰했다 / 장난감이 / 어린 아이들에 의해서 망가지는 것을

해석 과학자들은 어린 아이들이 장난감을 망가뜨리는 것을 관찰했다.

해설 목적어 the toy와 목적보어 break는 장난감이 망가지는 대상이므로 수동 관계이다. 따라서 과거분사 broken이 적절하다.

02
지각동사 / 수동 관계

When Amy heard / her name / __________, / she made her way / to the stage.

에이미는 들었을 때 / 그녀의 이름이 / 불려지는 것을 / 그녀는 나아갔다 / 무대로

해석 에이미는 자신의 이름이 불리는 것을 들었을 때, 무대로 나아갔다.

해설 hear은 대표적인 지각동사이다. 목적어 her name과 목적보어 call은 이름이 불리는 대상이 되므로 수동 관계이다. 따라서 과거분사 called가 적절하다.

03
지각동사 / 능동 관계

She looked out the window / and saw / the rain / __________ to fade.

그녀는 창밖을 내다보았다 / 그리고 보았다 / 비가 / 잦아들기 시작하는 것을

해석 그녀는 창밖을 내다보았고 비가 잦아들기 시작하는 것을 보았다.

해설 see는 대표적인 지각동사이다. 목적어 the rain과 목적보어 begin은 '비가 잦아들기 시작하는 것'이므로 능동 관계이다. 따라서 현재분사 beginning이 적절하다.

04
spend 시간 -ing: ~하는 데 시간을 쓰다 / 지각동사 / 능동 관계

I spent the rest of the party / watching / the other kids / __________ their gifts.

나는 파티의 남은 시간을 보냈다 / 보면서 / 다른 아이들이 / 그들의 선물을 즐기는 것을

해석 나는 다른 아이들이 선물을 (받고) 즐기는 것을 보면서 남은 파티 시간을 보냈다.

해설 watch는 대표적인 지각동사이다. 목적어 the other kids와 목적보어 enjoy는 다른 아이들이 즐기는 것의 주체이므로 능동 관계이다. 따라서 현재분사 enjoying이 적절하다.

05
지각동사 / 능동 관계

An untrained dolphin / in an aquarium / watches / another dolphin / __________ through its act. 훈련받지 않은 돌고래는 / 수족관에 있는 / 보다 / 다른 돌고래가 / 쇼를 하다

해석 수족관의 훈련받지 않은 돌고래는 다른 돌고래가 쇼를 하는 것을 본다.

해설 목적어 another dolphin과 목적보어 go는 돌고래가 쇼를 하는 주체이므로 능동 관계이다. 따라서 동사원형인 go가 적절하다.

06
지각동사 / 능동 관계

When I was teaching, / I noticed / most of the students / __________ with their phones.

내가 가르치고 있을 때 / 나는 알아차렸다 / 대부분의 학생들이 / 그들의 휴대전화로 노는 것을

해석 내가 가르치고 있을 때, 나는 학생들 대다수가 그들의 휴대전화로 노는 것을 알아차렸다.

해설 목적어 most of the students와 목적보어 play는 학생들이 노는 것의 주체이므로 능동 관계이다. 따라서 현재분사인 playing이 적절하다.

POINT 026 help의 쓰임

[Vitamin D, / called the sunshine vitamin,] / helps / keep bones and teeth strong.

S — Vitamin D / V — helps ([help+(to) 동사원형]의 형태를 가진다)

keep → keeping (X) / to keep (O)

비타민 D는 / 햇빛 비타민이라고 불리는 / 돕는다 / 뼈와 치아를 튼튼하게 유지하도록
→ 햇빛 비타민이라고 불리는 비타민 D는 뼈와 치아를 튼튼하게 유지하도록 도와준다.

Grammar Point

❶ 동사 help는 목적어와 목적보어로 to부정사나 원형부정사를 갖는다.

help + 동사원형 / to부정사 help + 목적어 + 동사원형 / to부정사

❷ cannot help -ing (~하지 않을 수 없다)를 제외하고는 help 다음에 동명사는 오지 않는다.

Words & Phrases

- sunshine 햇빛
- gardening 원예
- prepare 준비하다
- meal 식사
- decline 거절하다
- proposal 제안
- personnel (조직의) 인원, 인사과
- employee 근로자, 직원
- routine 일상, 경로

다음 중 알맞은 것을 고르시오.

01 Sam kept helping her [do / done] gardening every weekend.

02 The guidebook helps you [find / finding] out your reading level.

03 My husband continued helping me [to prepare / preparing] a meal.

04 They cannot help [feel / feeling] disappointed with the fact that she declined their proposal.

05 The personnel manager helps new employees [become / became] familiar with the system.

06 *Charlie Brown* and *Blondie* are part of my morning routine and help me [starting / to start] the day with a smile.

끊어 읽으면 답이 보인다!

POINT 026

[01 - 06] 빈칸에 알맞은 말을 넣으시오.

01

help + O + (to) 동사원형 / = to do

Sam kept helping / her / ________ gardening / every weekend.

샘은 계속 돕고 있었다 / 그녀가 / 정원을 가꾸는 것을 / 매 주말마다

해석 샘은 그녀가 주말마다 정원을 가꾸는 것을 계속 돕고 있었다.

해설 동사 help의 목적보어는 동사원형과 to부정사 모두 올 수 있다. 따라서 동사원형 do가 적절하다.

02

help + O + (to) 동사원형 / = to find

The guidebook helps / you / ________ out your reading level.

가이드북은 돕는다 / 당신이 / 당신의 적절한 독서 수준을 알도록

해석 가이드북은 당신이 당신의 적절한 독서 수준을 알도록 도와준다.

해설 동사 help의 목적보어는 동사원형과 to부정사 모두 올 수 있다. 따라서 동사원형 find가 적절하다.

03

help + O + (to) 동사원형 / = prepare

My husband continued / helping / me / ________ a meal.

내 남편은 계속했다 / 돕는 것을 / 내가 / 식사를 준비하도록

해석 내 남편은 내가 식사를 준비하는 것을 계속해서 도와주었다.

해설 동사 help의 목적보어는 동사원형과 to부정사 모두 올 수 있다. 따라서 to부정사인 to prepare가 적절하다.

04

cannot help -ing: ~하지 않을 수 없다 / that: 동격의 접속사 (the fact = that절)

They cannot help ________ disappointed / with the fact / that she declined their proposal. 그들은 실망감을 느낄 수밖에 없다 / 그 사실에 대해 / 그녀가 그들의 제안을 거절했다는

해석 그들은 그녀가 그들의 제안을 거절한 사실에 실망할 수밖에 없었다.

해설 cannot help -ing(~하지 않을 수 없다)의 표현이므로 뒤에는 동명사 feeling이 적절하다.

05

help + O + (to) 동사원형 / = to become

The personnel manager / helps / new employees / ________ familiar with the system.

인사부장은 / 돕는다 / 새로운 직원들이 / 시스템에 대해 친근해지도록

해석 인사부장은 새로운 직원들이 시스템을 알게 하도록 돕는다.

해설 동사 help의 목적보어는 동사원형과 to부정사 모두 올 수 있다. 따라서 동사원형 become이 적절하다.

06

help + O + (to) 동사원형 / = start

Charlie Brown and *Blondie* / are part of my morning routine / and help / me / ________ the day / with a smile. 〈찰리 브라운〉과 〈브론디〉는 / 내 아침 일상의 한 부분이고 / 돕는다 / 내가 / 하루를 시작하도록 / 미소로

해석 〈찰리 브라운〉과 〈브론디〉는 내 아침 일상의 한 부분이고, 내가 미소로 하루를 시작하도록 돕는다.

해설 동사 help의 목적보어는 동사원형과 to부정사 모두가 올 수 있다. 따라서 to부정사인 to start가 적절하다.

전치사가 필요 없는 동사

discuss about (X)
discuss는 전치사가 필요 없는 동사

We are social animals / [who need to **discuss our problems** / with others].

우리는 사회적 동물이다 / 우리 문제를 논의할 필요가 있는 / 다른 사람들과
⋯› 우리는 다른 이들과 문제를 논의할 필요가 있는 사회적 동물이다.

Grammar Point

❶ 다음 동사들은 전치사가 필요 없다.

marry, discuss, reach, enter, attend, resemble, access, answer

❷ 의미나 품사가 변하면 전치사가 필요한 경우도 있다.

get married with ~와 결혼하다 attend to 주의하다 attend on 시중들다
discuss with ~와 토론하다 enter into 시작하다 access to ~에 대한 접근
answer to ~에 대한 답변

다음 중 알맞은 것을 고르시오.

01 Are you able to [reach / reach to] the top of the bookshelf?

02 If you [marry / marry with] this man, a lot of difficulties will arise.

03 The plant [resembles / resembles with] grass in appearance and shape.

04 We can [access / access to] a world of information at the click of a mouse.

05 When we [entered / entered to] the room, I immediately knew that something was wrong.

06 You may [attend / attend to] a meeting with a foreign visitor.

Words & Phrases

social 사회적인
bookshelf 책꽂이
arise 발생하다
resemble ~와 닮다
appearance 외양
immediately 즉시
foreign 외국의

끊어 읽으면 답이 보인다!

POINT 027

[01-06] 빈칸에 알맞은 말을 넣으시오.

01

reach to (X)

Are you able to ________ / the top of the bookshelf?

당신은 닿을 수 있나요 / 책장 꼭대기에

해석 당신은 책장 꼭대기에 닿을 수 있나요?

해설 reach는 뒤에 전치사가 오지 않는 동사이므로 reach가 적절하다.

02

marry with (X)

If you ________ this man, / a lot of difficulties / will arise.

만약 당신이 이 사람과 결혼한다면 / 많은 어려움이 / 발생할 겁니다

해석 당신이 만약 이 사람과 결혼한다면, 많은 어려움이 발생할 겁니다.

해설 동사 marry는 전치사 with를 쓰지 않는다. 다만 get married with(~와 결혼하다)는 가능하다.

03

resembles with (X)

The plant ________ grass / in appearance and shape.

그 식물은 잔디와 닮았다 / 외양과 모양 면에서

해석 그 식물은 외양과 모양 면에서 잔디와 닮았다.

해설 resemble은 전치사 with를 쓰지 않는다. 참고로 resemble은 수동태 불가 동사이다.

04

access to (X)

We can ________ a world of information / at the click of a mouse.

우리는 정보의 세계에 접근할 수 있다 / 마우스 클릭으로

해석 우리는 마우스 클릭으로 정보의 세계에 접근할 수 있다.

해설 access가 동사로 사용될 경우 전치사 to와 함께 쓰지 않는다. have access처럼 명사일 경우 to를 사용한다.

05

entered to (X)

When we ________ the room, / I immediately knew / that something was wrong.

우리가 방으로 들어갔을 때/ 나는 즉시 알았다 / 무언가가 잘못되었음을

해석 우리가 방으로 들어갔을 때 나는 무언가가 잘못되었음을 즉시 알았다.

해설 enter가 '들어가다'로 사용될 경우 뒤에 전치사가 오지 않는다. '시작하다'로 사용되면 enter into가 가능하다.

06

attend to (X)

You may ________ a meeting / with a foreign visitor.

여러분은 회의에 참석할 수 있다 / 외국인 방문객과 함께

해석 여러분은 외국인 방문객과 함께 회의에 참석할 수 있다.

해설 attend가 '참석하다'로 사용될 경우 뒤에 전치사가 붙지 않는다. '주의하다'일 경우 attend to, '시중들다'일 경우 attend on으로 사용할 수 있다.

Point (025~027) Review

p.12

[01 – 10] 다음 중 알맞은 것을 고르시오.

01 She saw an anxious expression suddenly [come / to come] over the driver's face.

02 He's too busy now to [attend / attend to] anything else but my work.

03 A helmet can help [protect / protecting] your brain from injury if you have an accident.

04 A driver saw two men [carrying / carried] heavy bags on a lonely country road.

05 She will dream of the man she is going to [marry / marry with].

06 The elaborate scoring rules help [made / to make] evaluation more objective.

07 I can listen to her [play / to play] the piano any time, and so can my relatives in Seoul.

08 I watched you [donating / to donate] canned goods, warm clothes, blankets, and money to the poor.

09 Paying attention to your own feelings can help you [know / knowing] the right thing to do.

10 West Africans believe that one must leave a pair of shoes at the door to prevent a ghost from [entering / entering to] the house.

Chapter 03 Review

p.13

[01-10] 다음 중 알맞은 것을 고르시오.

01 There is a good reason why birds reproduce by [lying / laying] eggs.

02 It's not fair to [discuss / discuss about] her case when she's not present.

03 Women are using all kinds of methods to make themselves [appear / to appear] more beautiful.

04 Movie stars prefer to have the left side of their face [photograph / photographed].

05 I heard him [declare / declared] that his only interest in life was playing bridge.

06 It soon became [evident / evidently] that their knowledge was limited and of no practical value.

07 You're helping [support / supporting] the formation of future leaders in the profession.

08 He told how the managers were to get tasks [to do / done] in the organization.

09 Give children options and allow them [making / to make] their own decisions.

10 I watched a man on the Metro [try / tried] to get off the train and fail.

Chapter

04

시제

POINT

028~030

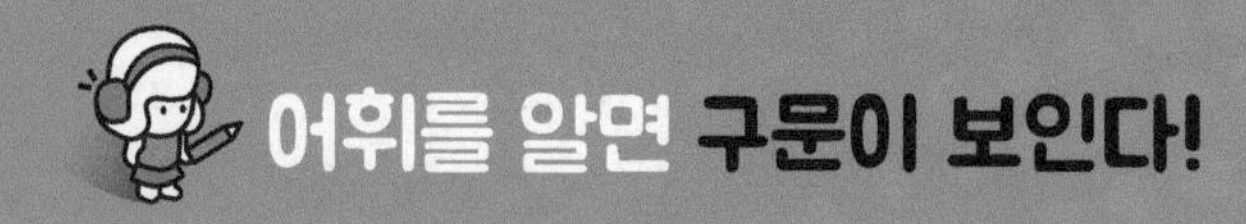

체크! Words & Phrases

POINT 028

□ flow	흐르다
□ manager	경영인, 관리인
□ land	착륙하다
□ international	국제의
□ heritage	유산
□ attraction	관광지, 매력
□ take in	섭취하다
□ activate	활성화하다
□ mechanism	기재, 매커니즘

POINT 029

□ allow	허용하다
□ predict	예측하다
□ determine	결정하다
□ tool	도구
□ review	검토하다
□ attention	관심
□ disappear	사라지다
□ meaningful	유의미한
□ out of focus	초점에서 벗어난

POINT 030

□ establish	설립하다
□ capital	수도
□ Black Death	흑사병
□ reduce	줄이다
□ enemy	적
□ general	장군
□ be over	끝나다
□ independence	독립

★ 모르는 단어에 체크하고, 소리 내어 10번만 뜻과 함께 말해 보세요.

[01-20] 다음 빈칸에 알맞은 우리말 뜻이나 단어를 쓰시오.

01 international ____________

02 capital ____________

03 Black Death ____________

04 attention ____________

05 disappear ____________

06 activate ____________

07 mechanism ____________

08 predict ____________

09 general ____________

10 independence ____________

11 줄이다 ____________

12 유산 ____________

13 관광지, 매력 ____________

14 설립하다 ____________

15 적 ____________

16 도구 ____________

17 초점에서 벗어난 ____________

18 섭취하다 ____________

19 흐르다 ____________

20 결정하다 ____________

현재시제

항상 서울을 흐르고 있음 / 한강이라고 불리고 있음

The river / **which flows through Seoul** / **is called** the Han River.
S / V

강은 / 서울을 통과해서 흐르는 / 한강이라고 불린다
⋯ 서울을 통과해서 흐르는 강은 한강이라고 불린다.

Grammar Point

❶ 현재 적용되는 사건의 경우 현재시제를 사용한다.
❷ 절대 불변의 진리(과학 원리, 보편적 원리), 속담, 현재의 습관, 시간표상의 반복적 활동, 시간과 조건의 부사절도 현재시제를 사용한다.

불변의 진리, 속담, 현재의 습관
정해진 스케줄(시간표)
시간과 조건의 부사절
➔ 현재시제

다음 중 알맞은 것을 고르시오.

01 Today's computer processors [have / had] faster speed than before.

02 Jack [got / gets] up at 6 o'clock every morning because he has to go to school early.

03 They will leave as soon as the manager [arrives / will arrive] tomorrow.

04 My plane [lands / will land] at Kimpo International Airport at 10 o'clock in the morning.

05 Today, this UNESCO World Heritage Site [is / was] one of Italy's most popular tourist attractions.

06 If you [take / will take] in an extra 200 calories by drinking a soft drink, your body won't activate the same mechanism.

Words & Phrases

- flow 흐르다
- manager 경영인, 관리인
- land 착륙하다
- international 국제의
- heritage 유산
- attraction 관광지, 매력
- take in 섭취하다
- activate 활성화하다
- mechanism 기재, 매커니즘

끊어 읽으면 답이 보인다!

[01 - 06] **빈칸에 알맞은 말을 넣으시오.**

01

현재시제

Today's computer processors / __________ faster speed / than before.

오늘날의 컴퓨터 프로세서는 / 더 빠른 속도를 가진다 / 이전보다

해석 오늘날의 컴퓨터 프로세서는 이전보다 더 빠르다.

해설 Today(오늘날)로부터 현재 상황을 말하는 문장임을 알 수 있으므로 have가 적절하다.

02

현재의 습관 → 현재시제

Jack __________ up / at 6 o'clock every morning / because he has to go to school early.

잭은 일어난다 / 매일 아침 6시에 / 왜냐하면 그는 학교에 일찍 가야 하니까

해석 잭은 학교에 일찍 가야 하기 때문에 매일 아침 6시에 일어난다.

해설 매일 아침 6시에 일어나는 현재의 습관을 나타내므로 현재시제인 gets가 적절하다.

03

시간의 부사절 → 현재시제

They will leave / as soon as the manager __________ / tomorrow.

그들은 떠날 것이다 / 매니저가 도착하자마자 / 내일

해석 내일 매니저가 도착하자마자 그들은 떠날 것이다.

해설 내일이라는 미래 사건이지만, as soon as의 시간의 부사절이므로 현재시제를 사용한 arrives가 적절하다.

04

정해져 있는 시간표상의 사건 → 현재시제

My plane __________ / at Kimpo International Airport / at 10 o'clock in the morning.

내 비행기는 착륙한다 / 김포 국제공항에 / 아침 10시에

해석 내 비행기가 아침 10시에 김포 국제공항에 착륙한다.

해설 앞으로 벌어질 미래 사건이지만, 정해진 시간표상의 사건이므로 현재시제를 사용한 lands가 적절하다.

05

현재의 사실

Today, / this UNESCO World Heritage Site / __________ one of Italy's most popular tourist attractions.

오늘날, / 여기 유네스코 세계문화유산은 / 이탈리아의 가장 유명한 관광지 중 하나이다.

해석 오늘날 여기 유네스코 세계문화유산은 이탈리아의 가장 유명한 관광지 중 하나이다.

해설 현재의 사실이므로 현재시제를 사용한다. 따라서 is가 적절하다.

06

조건의 부사절 → 현재시제

If you __________ in / an extra 200 calories / by drinking a soft drink, / your body won't activate / the same mechanism.

여러분이 섭취한다면 / 추가의 200칼로리를 / 음료수를 마심으로써 / 여러분의 신체는 활성화하지 않을 것이다 / 같은 메커니즘을

해석 여러분이 만약 음료수를 마셔서 추가로 200칼로리를 섭취한다면, 여러분의 신체는 같은 메커니즘을 활성화하지 않을 것이다.

해설 미래의 사건을 염두에 둔 것이지만, 조건절이므로 현재시제를 사용한 take가 적절하다.

시간/조건절의 현재시제

조건절(if)에서 의미는 미래지만 현재시제가 대신한다.

If he **allows** me / to take the position, / I **will do** it.

will allow (X)

만약 그가 내게 허락한다면 / 그 지위를 맡는 것을 / 나는 그것을 할 것이다
··· 만약 내가 그 지위를 맡는 것을 그가 허락한다면, 나는 그것을 할 것이다.

Grammar Point

❶ 시간/조건을 나타내는 문장에서 미래시제 대신에 현재시제를 사용한다.

시간	조건
when, until, as soon as, before, after	if, unless, once

❷ 의문사/관계부사로 사용된 when, 명사절을 이끄는 if는 미래시제 사용이 가능하다.

You can't predict when something will go wrong. (when: 언제)
언제 일이 잘못될지 당신은 예측할 수 없다.

I don't know if he will be on my side or not. (if: ~인지 아닌지)
나는 그가 내편이 될지 안 될지 잘 모르겠다.

Words & Phrases

allow 허용하다
take the position 자리를 맡다
predict 예측하다
determine 결정하다
tool 도구
review 검토하다
be afraid 두려워 하다
attention 관심
disappear 사라지다
meaningful 유의미한
out of focus 초점에서 벗어난

다음 중 알맞은 것을 고르시오.

01 When winter [comes / will come], I will go there and meet her.

02 I cannot determine if this tool [works / will work] for you tomorrow.

03 As soon as Mark [reviews / will review] the reports, he will determine who is the best.

04 Your kids are afraid that the special attention will disappear if they [learn / will learn] to read.

05 They wonder if their work [leads / will lead] to anything meaningful in their future life.

06 If we [start / will start] a task asking "What can I gain from this?," it will make a simple problem become out of focus.

끊어 읽으면 답이 보인다!

[01 - 06] **빈칸에 알맞은 말을 넣으시오.**

01

시간절

When winter ________, / I will go there / and meet her.

겨울이 올 때 / 나는 거기에 갈 것이고 / 그녀를 만날 것이다

해석 겨울이 올 때, 나는 거기에 가서 그녀를 만날 것이다.

해설 When이라는 시간의 부사절이므로 현재시제를 사용한 comes가 적절하다.

02

'~인지 아닌지'의 명사절

I cannot determine / if this tool ________ / for you / tomorrow.

나는 결정할 수 없다 / 이 도구가 효과가 있을지 여부를 / 당신에게 / 내일

해석 나는 이 도구가 내일 당신에게 효과가 있을지 결정할 수 없다.

해설 if가 '~인지 아닌지'를 의미하므로 조건절이 아닌 명사절을 이끌고 있다. 따라서 미래의 일이므로 will work가 적절하다.

03

시간절

As soon as Mark ________ the reports, / he will determine / who is the best.

마크가 보고서를 검토하자마자 / 그는 결정할 것이다 / 누가 최고인지

해석 마크가 보고서를 검토하자마자 그는 누가 최고인지 결정할 것이다.

해설 As soon as가 시간의 부사절을 이끌고 있으므로 미래시제가 아닌 현재시제를 사용한 reviews가 적절하다.

04

조건절

Your kids are afraid / that the special attention will disappear / if they ________ to read. 당신의 아이들은 두려워 한다 / 특별한 관심이 사라질 것이라는 걸 / 만약 그들이 읽는 법을 배운다면

해석 여러분의 아이들은 읽는 법을 배운다면 특별한 관심이 사라질 것이라는 것을 두려워 한다.

해설 미래 사건이지만, 조건절이므로 현재시제를 사용한 learn이 적절하다.

05

'~인지 아닌지'의 명사절

They wonder / if their work ________ to anything / meaningful in their future life.

그들은 궁금해 한다 / 그들의 작품이 무언가로 이어질지를 / 그들의 미래 인생에서 유의미한

해석 그들은 그들의 작품이 그들의 미래의 삶에서 유의미한 무언가로 이어질지를 궁금해 한다.

해설 if는 '~인지 아닌지'로 쓰이며 명사절을 이끌고 있으므로 미래 사건일 경우 미래시제를 사용한 will lead가 적절하다.

06

조건절 / 분사구문, '물어보며' / 사역동사

If we ________ a task / asking / "What can I gain from this?,"/ it will make / a simple problem / become out of focus.

우리가 일을 시작한다면 / 물어보며 / "이걸로 내가 무엇을 얻을 수 있지?"라고 / 그것은 만들 것이다 / 간단한 문제를 / 초점에서 벗어나게

해석 우리가 "이걸로 내가 무엇을 얻을 수 있지?"를 물어보며 일을 시작한다면, 그것은 간단한 문제를 초점에서 벗어나게 만들 것이다.

해설 If로 시작하는 조건절에서는 현재시제를 쓰므로 start가 적절하다.

POINT 030 과거시제

(동격절)

The tennis club, / **one of the largest clubs in our school**, / **was** established / **in 2001**.

S (뒤에 과거를 나타내는 부사구로 인해 과거시제가 되어야 한다) V

테니스 클럽은 / 학교에서 가장 큰 클럽 중 하나인 / 만들어졌다 / 2001년에

→ 학교에서 가장 큰 클럽 중 하나인 테니스 클럽은 2001년에 만들어졌다.

Grammar Point

❶ 역사적 사실(객관적 사실)일 경우 과거시제를 사용한다.

❷ 가정법 과거로 사용될 경우, if절 안의 시제는 과거시제를 사용한다.

Words & Phrases

- establish 설립하다
- capital 수도
- Black Death 흑사병
- reduce 줄이다
- enemy 적
- general 장군
- take one's life ~의 목숨을 빼앗다
- be over 끝나다
- independence 독립

다음 중 알맞은 것을 고르시오.

01 This is the house where I [lived / live] three years ago.

02 If she [has / had] some money, she would lend it to you.

03 The capital of Korea, Seoul, [is / was] named Hanyang in the past.

04 The Black Death of the 14th century [reduced / has reduced] Europe's total population by 30-60%.

05 Not to fall into the enemy's hands, General Hannibal [took / takes] his own life by drinking poison.

06 Jinsu learned that World War II [was / had been] over in 1945 and then Korea regained its independence from Japan.

끊어 읽으면 답이 보인다!

POINT 030

[01-06] 빈칸에 알맞은 말을 넣으시오.

01

과거 부사구

This is the house / where I ________ three years ago.
이것은 그 집이다 / 내가 3년 전에 살았던

해석 이곳은 내가 3년 전에 살았던 집이다.
해설 뒤에 과거를 의미하는 three years ago가 오므로 과거시제인 lived가 적절하다.

02

가정법 과거: If + S + V(과거)..., S + 조동사 과거 + 동사원형

If she ________ some money, / she would lend it / to you.
그녀가 약간의 돈이 있었다면 / 그녀는 그것을 빌려주었을지도 모른다 / 너에게

해석 그녀가 약간의 돈이 있었다면, 너에게 그 돈을 빌려주었을지도 모른다.
해설 가정법 과거의 경우 if절 안에 시제는 과거시제를 사용한다. 따라서 had가 적절하다.

03

과거 부사구

The capital of Korea, Seoul, / ________ named / Hanyang / in the past.
한국의 수도인 서울은 / 이름이 불렸다 / 한양으로 / 과거에는

해석 한국의 수도인 서울은 과거에 한양으로 불렸다.
해설 과거 부사구인 in the past가 있으므로 과거시제인 was가 적절하다.

04

역사적 사실 → 과거

The Black Death of the 14th century / ________ / Europe's total population / by 30-60%.
14세기의 흑사병은 / 줄였다 / 유럽 전체 인구의 / 30~60%

해석 14세기의 흑사병은 유럽 인구의 30~60%를 줄였다.
해설 흑사병이 유럽의 인구를 줄인 것은 역사적 사실이다. 역사적 사실은 과거시제를 사용하므로 reduced가 적절하다.

05

역사적 사실 → 과거

Not to fall into the enemy's hands, / General Hannibal / ________ his own life / by drinking poison. 적의 손에 떨어지지 않기 위해서 / 한니발 장군은 / 자신이 목숨을 거뒀다 / 독약을 마심으로써

해석 적의 손에 넘어가지 않기 위해서 한니발 장군은 독약을 마심으로써 스스로 목숨을 끊었다.
해설 한니발 장군이 목숨을 끊은 것은 역사적 사실이다. 따라서 과거시제인 took이 적절하다.

06

역사적 사실 → 과거

Jinsu learned / that World War II ________ over in 1945 / and then Korea regained its independence / from Japan.
진수는 배웠다 / 2차 세계대전은 1945년에 끝이 났다 / 그리고 그때 한국은 독립을 했다 / 일본으로부터

해석 2차 세계대전은 1945년에 끝났고, 한국은 일본으로부터 독립했다고 진수는 배웠다.
해설 역사적 사실이므로 과거시제를 사용한다. 따라서 was가 적절하다.

Point (028-030) Review

p.14

[01-10] 다음 중 알맞은 것을 고르시오.

01 When the students [finish / will finish] the group project, the teacher will review it immediately.

02 I [called / has called] Kevin at nine last night, but he wasn't home.

03 I cannot say exactly when the project [is / will be] completed tomorrow.

04 If you [know / knew] me well, you would know that I am not cowardly.

05 When you [ask / will ask] basic questions, you will more than likely be perceived by others to be smarter.

06 Please complete and return the form before you [leave / will leave] the room.

07 I was taught that Columbus [discovered / had discovered] America in 1492.

08 If the sun sets in the west, it always [rises / will rise] again the next morning in the east.

09 As soon as the new program [is installed / will be installed], all staff will begin to learn how to use it.

10 If the weather [is / will be] good, he will arrive in the island on August 15.

POINT

031~033

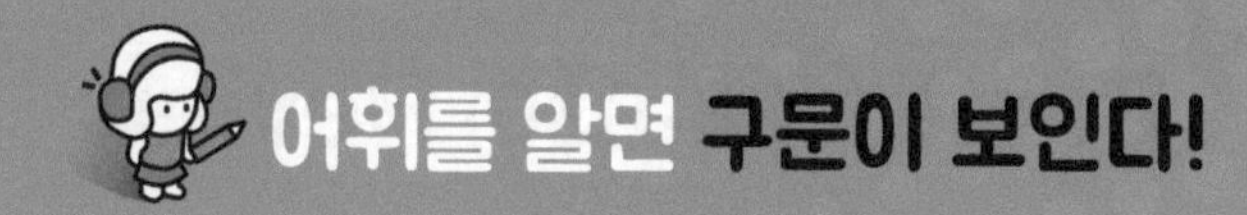

체크! Words & Phrases

POINT 031

- ☐ director 책임자
- ☐ volunteer 자원봉사자
- ☐ dramatically 대폭, 크게
- ☐ Arctic 북극의
- ☐ melt 녹다
- ☐ decade 십년
- ☐ firm 회사
- ☐ recently 최근에
- ☐ ensure 확인하다
- ☐ employee 직원

POINT 032

- ☐ participate 참가하다
- ☐ multinational 다국적의
- ☐ carry out 수행하다
- ☐ provide 제공하다
- ☐ detailed 세세한
- ☐ insight 통찰력
- ☐ announce 알리다
- ☐ imported 수입된
- ☐ luxury 사치의, 호화로운

POINT 033

- ☐ note 언급하다
- ☐ unfortunately 불행하게도
- ☐ include 포함하다
- ☐ check 수표
- ☐ realize 깨닫다
- ☐ terrible 끔찍한
- ☐ regret 후회하다

★모르는 단어에 체크하고, 소리 내어 10번만 뜻과 함께 말해 보세요.

[01-20] 다음 빈칸에 알맞은 우리말 뜻이나 단어를 쓰시오.

01 realize ______
02 terrible ______
03 imported ______
04 luxury ______
05 decade ______
06 firm ______
07 multinational ______
08 carry out ______
09 director ______
10 volunteer ______
11 북극의 ______
12 녹다 ______
13 불행하게도 ______
14 포함하다 ______
15 확인하다 ______
16 직원 ______
17 세세한 ______
18 통찰력 ______
19 후회하다 ______
20 대폭, 크게 ______

현재완료

↗ 기간을 나타내는 for the twenty years로 인해서 현재완료가 온다.

I know / you **have helped** so many students / **for twenty years**.

나는 알고 있다 / 당신이 매우 많은 학생들을 도와왔다는 것을 / 20년 동안
⋯› 나는 당신이 20년 동안 매우 많은 학생들을 도와왔다는 것을 알고 있다.

Grammar Point

❶ 과거에서 현재로 이어지는 사건은 현재완료(have p.p.)를 사용한다.
❷ 현재 완료와 같이 사용되는 표현

since + 과거, over/for + 기간,
before, recently, already, yet,
until now,once, twice, just, already

Words & Phrases

- director 책임자
- volunteer 자원봉사자
- except ~을 제외하고
- dramatically 대폭, 크게
- Arctic 북극의
- melt 녹다
- decade 십년
- firm 회사
- recently 최근에
- ensure 확인하다
- employee 직원

다음 문장의 밑줄 친 부분을 해석하시오.

01 Tim has worked for the company as sales director for 4 years.

02 Since then, they have sent almost 13,000 volunteers to 25 countries.

03 He is so busy today. He hasn't done anything except surveying until now.

04 The number of foreigners visiting Korea has increased dramatically over the past few years.

05 Because of global warming, half of Arctic ice has melted over the last three decades.

06 A design firm in Amsterdam has recently introduced a new method for ensuring that its employees go home on time and rest.

끊어 읽으면 답이 보인다!

POINT 031

[01 - 06] 빈칸에 알맞은 말을 넣으시오.

01

for + 기간 → 현재완료

Tim ________ / for the company / as sales director / for 4 years.
팀은 일해 왔다 / 그 회사를 위해서 / 판매 담당자로서 / 4년 동안

해석 팀은 4년 동안 판매 담당자로서 그 회사를 위해 일해 왔다.
해설 for 4 years라는 기간이 나왔으므로 현재완료 has worked가 적절하다.

02

현재완료

Since then, / they ________ / almost 13,000 volunteers / to 25 countries.
그때 이후로 / 그들은 보내 왔다 / 거의 1만 3천명의 자원봉사자를 / 25개국으로

해석 그때 이후로 그들은 25개국에 거의 1만 3천 명의 자원봉사자들을 보내 왔다.
해설 Since then이 나왔으므로 현재 완료 have sent가 적절하다.

03

until now → 현재완료

He is so busy today. / He ________ anything / except surveying / until now.
그는 오늘 너무 바쁘다 / 그는 어떤 것도 하지 못했다 / 조사를 제외하고 / 지금까지

해석 그는 오늘 매우 바쁘다. 그는 지금까지 조사를 제외하고는 어떠한 것도 하지 못했다.
해설 until now가 나왔으므로 현재완료 hasn't done이 적절하다.

04

S　　　　　　　　over + 기간 → 현재완료

[The number of foreigners / visiting Korea] / ________ / dramatically / over the past few years. 외국인의 수는 / 한국을 방문하는 / 증가하고 있다 / 엄청나게 / 지난 몇 년 동안

해석 지난 몇 년 동안 한국을 방문하는 외국인의 수는 엄청나게 증가했다.
해설 기간을 나타내는 over the past few years가 나왔으므로 현재완료 has increased가 적절하다.

05

over + 기간 → 현재완료

Because of global warming, / half of Arctic ice / ________ / over the last three decades. 지구 온난화 때문에 / 북극의 얼음 절반가량이 / 녹고 있다 / 지난 30년 동안.

해석 지구 온난화 때문에 지난 30년 동안 북극의 얼음 절반이 녹고 있다.
해설 기간을 나타내는 over the last three decades가 나왔으므로 현재완료 has melted가 적절하다.

06

A design firm in Amsterdam / has ________ introduced a new method / for ensuring / that its employees go home / on time / and rest.
암스테르담의 한 디자인 회사는 / 최근에 새로운 방법을 도입했다 / 확실히 하기 위해서 / 그 회사의 직원들이 집에 가도록 / 정시에 / 그리고 쉬도록

해석 암스테르담의 한 디자인 회사는 직원들이 정시에 집에 가서 쉬도록 하는 것을 확실히 하기 위해서 최근에 새로운 방법을 도입했다.
해설 현재완료 시제인 has introduced가 나왔으므로 recently가 적절하다.

현재완료를 쓸 수 없는 경우

has visited (X)

In the summer of 2010, / he **visited** Korea, / to participate in a house-building project.

2010년 여름 / 그는 한국을 방문했다 / 집짓기 프로젝트에 참여하기 위해서
⋯› 2010년 여름 그는 집짓기 프로젝트에 참여하기 위해서 한국을 방문했다.

Grammar Point

❶ 명확한 시제를 알려주는 경우 현재완료는 쓸 수 없다.

when, just now, ago, yesterday, just now(방금 막), last

❷ 하지만 since가 이끄는 부사구(절)와는 쓸 수 있다.
He has lived here since he was born. 그는 태어난 이래로 여기에서 살고 있다.

Words & Phrases

participate 참가하다
multinational 다국적의
carry out 수행하다
provide 제공하다
detailed 세세한
insight 통찰력
at the height of ~의 전성기에
announce 알리다
imported 수입된
luxury 사치의, 호화로운

다음 중 알맞은 것을 고르시오.

01 I [saw / have seen] several rabbits in that park as a child.

02 The CEO of the multinational food company [died / has died] last Saturday.

03 I [lost / have lost] my bag a few days ago.

04 The actions we needed [were / have been] carried out at two o'clock last Monday.

05 The ancient city [provided / has provided] detailed insight into life at the height of the Roman Empire when it was discovered in 1599.

06 Last week the Finance Minister [announced / has announced] more taxes on imported luxury vehicles.

끊어 읽으면 답이 보인다!

[01-06] **빈칸에 알맞은 말을 넣으시오.**

01

과거 부사구

I ________ several rabbits / in that park / as a child.

나는 토끼 몇 마리를 보았다 / 그 공원에서 / 아이였을 때

해석 아이였을 때 나는 그 공원에서 토끼를 봤다.

해설 as a child라는 과거 시점이 등장하므로 현재완료는 사용하지 못한다. 따라서 과거시제인 saw가 적절하다.

02

과거 부사구

The CEO of the multinational food company / ________ last Saturday.

다국적 식품 회사의 대표 이사가 / 지난 토요일에 사망했다

해석 다국적 식품 회사의 대표 이사가 지난 토요일에 사망했다.

해설 last Saturday라는 과거 시점이 등장하므로 현재완료는 사용하지 못한다. 따라서 과거 시제인 died가 적절하다.

03

과거 부사구

I ________ my bag / a few days ago.

나는 가방을 잃어버렸다 / 며칠 전에

해석 나는 내 가방을 며칠 전에 잃어버렸다.

해설 a few days ago라는 과거 시점이 등장하므로 현재완료는 사용하지 못한다. 따라서 과거 시제인 lost가 적절하다.

04

과거 부사구

The actions / we needed / ________ carried out / at two o'clock last Monday.

조치가 / 우리가 필요한 / 실행되었다 / 지난 월요일 2시에

해석 우리가 필요한 조치가 지난 월요일 2시에 실행되었다.

해설 at two o'clcok last Monday라는 과거 시점이 등장하므로 현재완료는 사용하지 못한다. 따라서 과거시제인 were가 적절하다.

05

과거 부사구

The ancient city / ________ detailed insight / into life / at the height of the Roman Empire / when it was discovered / in 1599.

고대 도시는 / 세세한 통찰을 제공했다 / 삶에 대한 / 로마제국 전성기에 / 그것이 발견되었을 때 / 1599년에

해석 고대 도시는 1599년 발견되었을 때 로마제국 전성기 삶에 대한 세세한 통찰을 제공했다.

해설 When it was discovered in 1599라는 과거 시점이 등장하므로 현재완료는 사용하지 못한다. 따라서 과거시제인 provided가 적절하다.

06

과거 부사구

Last week / the Finance Minister / ________ more taxes / on imported luxury vehicles.

지난주 / 재정부 장관은 / 더 많은 세금을 발표했다 / 수입 고급 차량에 대한

해석 지난주 재정부 장관은 수입 고급 차에 대해 더 많은 세금을 발표했다.

해설 Last week라는 과거 시점이 등장하므로 현재완료는 사용하지 못한다. 따라서 과거시제인 announced가 적절하다.

과거완료

'수표를 동봉하는 것을 잊은 사건'이 '편지를 쓴'시점보다 앞서므로 과거완료

She **noted** at the letter's end / that he **had** unfortunately **forgotten** / to include the check.

그녀는 편지의 마지막에 썼다 / 그가 불행하게도 잊었다고 / 수표를 포함하는 것을

⋯→ 그녀는 편지 말미에 그가 안타깝게도 수표를 동봉하는 것은 잊어버렸다고 썼다.

Grammar Point

❶ 과거의 한 시점에서 과거로 이어지는 사건

❷ 과거의 한 시점보다 더 먼 과거(대과거)

❸ 가정법 과거완료에서 if절 안의 시제:

If had p.p. ~, S + would + have p.p.

❹ '~하자마자'의 표현:

No sooner had S + p.p. ~ than ~ = Hardly had S p.p. ~ before(when) ~

대과거
과거완료 had p.p.
더 먼 과거 — 과거

다음 중 알맞은 것을 고르시오.

01 I felt very sorry for what I [had done / have done] to him 3 years ago.

02 If she [has studied / had studied] harder, she could have passed the exam.

03 Later, the police realized that they [have made / had made] a terrible mistake.

04 No sooner [did Jack send / had Jack sent] the letter than he regretted writing it.

05 This 68-year-old man was the same person who he [had been / was] six months earlier.

06 Gary [had lived / has lived] in Rome for ten years when he moved to Milan last year.

Words & Phrases

note 언급하다
unfortunately 불행하게도
include 포함하다
check 수표
realize 깨닫다
terrible 끔찍한
mistake 실수
regret 후회하다

끊어 읽으면 답이 보인다!

POINT 033

[01 - 06] 빈칸에 알맞은 말을 넣으시오.

01

과거 / 더 이전의 사건(대과거)

I felt very sorry / for what I ______________ / to him / 3 years ago.

나는 매우 미안함을 느꼈다 / 내가 했던 일에 대해서 / 그에게 / 3년 전에

해석 나는 3년 전에 그에게 했던 일에 대해서 매우 미안함을 느꼈다.

해설 미안함을 느낀 것은 과거의 일이고 그에게 했던 일은 이보다 더 과거이므로 과거완료 had done이 적절하다.

02

가정법 과거완료

If she ______________ harder, / she could have passed the exam.

그녀가 더 열심히 공부했더라면 / 그녀는 시험에 통과했었을 수도 있었다

해석 그녀가 더 열심히 공부했더라면 시험에 통과했었을 수도 있었다.

해설 과거의 상황을 가정하는 가정법 과거완료구문이다. 따라서 had studied가 적절하다.

03

과거 / 더 이전의 사건(대과거)

Later, / the police realized / that they ______________ a terrible mistake.

나중에 / 경찰은 깨달았다 / 그들이 끔찍한 실수를 저질렀음을

해석 나중에 경찰은 그들이 끔찍한 실수를 저질렀음을 깨달았다.

해설 실수를 저지른 시점이 깨달은 시점보다 이전이므로 과거 완료 had made가 적절하다.

04

부정부사어구 V S → 도치 No sooner had S ~ than ~하자마자

No sooner ______________ the letter than / he regretted writing it.

잭이 편지를 보내자마자 / 그는 그걸 쓴걸. 후회했다

해석 잭은 편지를 보내자마자 그걸 쓴 것을 후회했다.

해설 No sooner had S + p.p.의 형태가 되어야 하므로 had Jack sent가 적절하다.

05

과거 / 더 이전의 사건(대과거)

This 68-year-old man / was the same person / who he ______________ six months earlier.

이 68세의 남자는 / 같은 사람이었다 / 6개월 이전의

해석 이 68세의 남자는 6개월 전과 같은 사람이었다.

해설 과거보다 이전의 사건을 설명하므로 과거완료 had been이 적절하다.

06

더 이전의 사건(대과거) / 과거

Gary ______________ in Rome / for ten years / when he moved to Milan / last year.

개리는 로마에서 살아왔다. / 10년 동안 / 그가 밀란으로 이사왔을 때 / 작년

해석 개리는 작년 밀란으로 이사왔을 때 10년 동안 로마에서 살았다.

해설 과거보다 이전의 사건을 설명하므로 과거완료가 적절하다. 따라서 had lived가 적절하다.

Point (031~033) Review

p.15

[01-10] 다음 중 알맞은 것을 고르시오.

01 The exam [has / had] already started when I entered the classroom.

02 In recent weeks, my wife's health [has taken / had taken] a dramatic turn for the worse.

03 Since you started in the mail room in 1979, your contributions to this company [were / have been] invaluable.

04 A piano player who [has / had] never sung in public before sang for the very first time.

05 I [waited / have waited] in a car at a red light when there was a lot of traffic on the street and none on the cross street.

06 If you [met / had met] her 10 years ago, you could have married her then.

07 It [have rained / had rained] earlier that week and then the river was brown and swollen.

08 If he [did not get / had not gotten] the chance, he would have lived the rest of his life as a no-name piano player.

09 Immortality, which means living forever, [had been / has been] an unreachable ambition for many people until now.

10 Tom and Jamie [lived / have lived] together in New York in 2012.

POINT

034~036

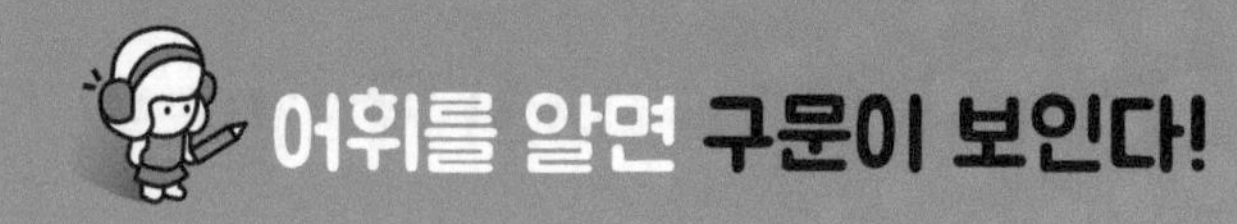

체크! Words & Phrases

POINT 034

□ donate	기부하다
□ portion	부분
□ laundry	세탁
□ detective	형사
□ suspect	용의자
□ irritated	짜증난
□ prepare for	~을 준비하다

POINT 035

□ investigation	조사
□ indicate	보여주다
□ strategy	전략
□ merger	합병
□ stock	주식
□ skyrocket	치솟다
□ repeatedly	반복적으로
□ race	인종
□ gender	성별

POINT 036

□ sector	기관, 분야
□ voluntarily	자발적으로
□ release	풀어 주다
□ lease	임대 계약
□ stockholder	주주
□ chairman	회장
□ resign	사임하다
□ resistance	저항
□ infection	감염
□ evidence	증거

★ 모르는 단어에 체크하고, 소리 내어 10번만 뜻과 함께 말해 보세요.

[01-20] 다음 빈칸에 알맞은 우리말 뜻이나 단어를 쓰시오.

01 skyrocket ____________

02 repeatedly ____________

03 lease ____________

04 stockholder ____________

05 infection ____________

06 evidence ____________

07 indicate ____________

08 strategy ____________

09 sector ____________

10 voluntarily ____________

11 형사 ____________

12 용의자 ____________

13 부분 ____________

14 세탁 ____________

15 합병 ____________

16 주식 ____________

17 짜증난 ____________

18 ~을 준비하다 ____________

19 사임하다 ____________

20 저항 ____________

시제 일치

주절의 시제가 과거 / 종속절의 시제도 will 대신 과거형인 would를 사용

The second sign **said** / that the hotel **would donate** a portion / of end-of-year laundry savings.

두 번째 표시는 쓰여 있다 / 호텔은 일부를 기부할 것이라고 / 연말 세탁비 절약 중
··· 두 번째 표시는 연말에 세탁비 절약의 일부를 호텔이 기부한다는 내용이 쓰여 있다.

Grammar Point

❶ 주절의 시제가 과거일 경우, 종속절에서 현재와 미래시제를 사용할 수 없다.
❷ 주절의 시제가 현재일 경우, 종속절에서 모든 시제를 사용할 수 있다.

다음 중 알맞은 것을 고르시오.

01 He was quite satisfied with how well he [feels / felt].

02 I knew that Guus Hidink [became / becomes] the head coach of Chelsea FC.

03 She met the boy who [will / would] one day become her husband.

04 The detective didn't know that the suspect [has / had] the alibi, which made him irritated.

05 He thought he [has to / had to] prepare for the final exam coming up in a couple of days.

06 Her sisters, on their big horses, thought it [is / was] exciting to cross the river at the deepest part.

Words & Phrases

- donate 기부하다
- portion 부분
- laundry 세탁
- satisfied with ~에 만족한
- detective 형사
- suspect 용의자
- irritated 짜증난
- prepare for ~을 준비하다

끊어 읽으면 답이 보인다!

POINT 034

[01 - 06] **빈칸에 알맞은 말을 넣으시오.**

01

과거

He was quite satisfied with / how well he ________.

그는 아주 만족했다 / 얼마나 그가 건강한지에 대해서

해석 그는 자신이 얼마나 건강한지에 대해서 만족했다.

해설 주절의 시제가 과거이니 종속절의 시제는 기본적으로 현재일 수는 없다. 따라서 과거 시제인 felt가 적절하다.

02

I knew / that Guus Hidink ________ the head coach / of Chelsea FC.

나는 알았다 / 거스 히딩크가 감독이 되었다고 / 첼시 FC의

해석 나는 거스 히딩크가 첼시 FC의 감독이 되었다는 것을 알았다.

해설 주절의 시제가 과거이니 종속절의 시제는 기본적으로 현재일 수는 없다. 따라서 과거 시제 became이 적절하다.

03

She met the boy / who ________ one day become her husband.

그녀는 소년을 만났다 / 언젠가 그녀의 남편이 될

해석 그녀는 어느날 그녀의 남편이 될 소년을 만났다.

해설 주절의 시제가 과거이니 종속절의 시제는 기본적으로 현재일 수는 없다. 따라서 과거 시제인 would가 적절하다.

04

앞문장 전체를 받음

The detective didn't know / that the suspect ________ the alibi, / which made him irritated.

형사는 알지 못했다 / 용의자가 알리바이가 있다는 것을 / 이는 그를 짜증나게 만들었다

해석 형사는 용의자가 알리바이가 있다는 사실을 알지 못했고, 이는 그를 짜증나게 만들었다.

해설 주절의 시제가 과거이니 종속절의 시제는 기본적으로 현재일 수는 없다. 따라서 과거시제인 had가 적절하다.

05

He thought / he ________ prepare for / the final exam / coming up in a couple of days.

그는 생각했다 / 그가 준비해야만 한다는 것을 / 기말고사를 / 며칠 안으로 다가오는

해석 그는 며칠 안으로 다가오는 기말고사를 준비해야만 한다고 생각했다.

해설 주절의 시제가 과거이니 종속절의 시제는 기본적으로 현재일 수는 없다. 따라서 과거 시제인 had to가 적절하다.

06

가주어 / 진주어

Her sisters, / on their big horses, / thought / it ________ exciting / to cross the river / at the deepest part. 그녀의 여동생들은 / 그들의 큰 말을 타고 있던 / 생각했다 / 흥미진진하다고 / 강을 건너는 것이 / 가장 깊은 곳에서

해석 큰 말을 타고 있던 그녀의 여동생들은 가장 깊은 곳에서 강을 건너는 것이 흥미진진하다고 생각했다.

해설 주절의 시제가 과거이니 종속절의 시제는 기본적으로 현재일 수는 없다. 따라서 과거 시제인 was가 적절하다.

시제 일치의 예외

Her investigation **indicated** / [that reading on a computer screen / **involves** various strategies / **from** browsing / **to** simple word detection.]

주절의 시제가 과거이지만 that절의 내용이 일반적 진리에 해당하므로 현재 시제를 사용한다.

from A to B: A에서 B까지

그녀의 조사는 알려주었다 / 컴퓨터 스크린상으로 읽는 것은 / 다양한 전략을 포함한다 / 훑어보기부터 / 간단한 단어 찾기까지 ··· 그녀의 연구는 컴퓨터 스크린으로 읽는 것이 훑어보기부터 간단한 단어 찾기까지 다양한 전략들을 포함한다는 것을 보여주었다.

Grammar Point

❶ 불변의 진리, 속담, 현재의 규칙적 습관, 정해진 스케줄(시간표), 시간을 나타내는 부사절 및 조건절의 미래 사건은 현재 시제를 사용한다.
❷ 명령, 제안, 주장, 권고의 that절 안은 동사원형을 사용한다.
❸ 역사적 사건의 경우 과거완료는 사용하지 않는다. (과거 시제 사용)

Words & Phrases

- **investigation** 조사
- **indicate** 보여주다
- **strategy** 전략
- **merger** 합병
- **stock** 주식
- **skyrocket** 치솟다
- **repeatedly** 반복적으로
- **incubator** 인큐베이터
- **regardless of** ~와 상관없이
- **race** 인종
- **gender** 성별

다음 중 알맞은 것을 고르시오.

01 Yesterday his teacher told us that the earth [is / was] round like a ball.

02 Chuck learned from this experience that it's true that two heads [are / were] better than one.

03 Jessica, an elementary school teacher, told her students that five and three [makes / made] eight.

04 When the news of the merger [comes / will come] out, the stock price of the company will skyrocket.

05 A nurse repeatedly suggested that the twins [were / be] kept together in an incubator because they were sick.

06 They believed that all people [had / have] the right to medical care regardless of race, religion, gender, and political belief.

끊어 읽으면 답이 보인다!

POINT 035

[01 - 06] **빈칸에 알맞은 말을 넣으시오.**

01

과학적 사실, 불변의 진리

Yesterday / his teacher told us / that the earth __________ round / like a ball.
어제 / 그의 선생님이 우리에게 말했다 / 지구는 둥글다고 / 공처럼

해석 어제 그의 선생님은 지구는 공처럼 둥글다고 말씀하셨다.

해설 주절이 과거지만, 지구가 둥글다는 것은 불변의 진리이므로 현재시제를 사용한다. 따라서 is가 적절하다.

02

속담 / learned의 목적어 / 가주어-진주어

Chuck learned / from this experience / that it's true / that two heads __________ better / than one. 척은 배웠다 / 이 경험으로부터 / 사실이라고 / 두 개의 머리가 더 낫다고 / 하나보다

해석 척은 두 개의 머리가 하나보다 낫다(백지장도 맞들면 낫다)는 것을 이 경험으로부터 배웠다.

해설 주절이 과거지만 속담이므로 현재형을 사용한다. 따라서 are가 적절하다.

03

Jessica, / an elementary school teacher, / told her students / that five and three __________ eight.
제시카 / 초등학교 교사인 / 그녀의 학생들에게 말했다 / 5 더하기 3은 8이라고

해석 초등학교 교사인 제시카는 학생들에게 5 더하기 3은 8이라고 말했다.

해설 5 더하기 3은 8이라는 것은 불변의 진리이므로 주절과 상관없이 현재시제를 사용한다. 따라서 makes가 적절하다.

04

시간의 부사절

When the news of the merger / __________ out, / the stock price / of the company / will skyrocket. 합병 소식이 / 나올 때 / 주식 가격은 / 그 회사의 / 치솟을 것이다

해석 합병 소식이 나올 때, 그 회사의 주식 가격은 치솟을 것이다.

해설 미래의 상황을 나타내지만, 시간의 부사절이므로 현재시제를 사용한다. 따라서 comes가 적절하다.

05

제안동사의 that절 + 당위성

A nurse repeatedly suggested / that the twins __________ kept together / in an incubator / because they were sick.
간호사는 반복적으로 제안했다 / 쌍둥이들은 같이 있어야 한다고 / 하나의 인큐베이터 안에 / 왜냐하면 그들은 아프니까

해석 간호원은 쌍둥이가 아프기 때문에 하나의 인큐베이터 안에 같이 있어야 한다고 반복적으로 제안했다.

해설 제안을 나타내는 suggest의 that절이 당위성을 의미할 경우 《(should) + 동사원형》을 사용하므로 be가 적절하다.

06

불변의 진리(보편타당한 원리)

They believed / that all people __________ the right / to medical care / regardless of race, religion, gender, and political belief.
그들은 믿었다 / 모든 사람은 권리를 가지고 있다고 / 의료에 대한 / 인종과 종교, 성별, 그리고 정치적 신념에 상관없이

해석 그들은 모든 사람들은 인종, 종교, 성별, 그리고 정치적 신념에 상관없이 의료를 받을 권리를 가지고 있다고 믿었다.

해설 불변의 진리를 의미하므로 주절의 시제와 상관없이 현재시제를 사용한다. 따라서 have가 적절하다.

주장/권유/명령/제안의 that절

요구 동사

주절의 시제가 과거지만, 요구동사의 that절이므로 refrained가 아닌 refrain

He **requested** / that the private sector voluntarily **refrain** from / any such activity.

그는 요청했다 / 사설 기관들은 자발적으로 삼가야 한다고 / 그 어떤 활동도
→ 그는 사설 기관들은 그 어떤 활동도 자발적으로 삼가야 한다고 요청했다.

Grammar Point

❶ 주장, 권유, 명령, 제안의 that절은 should를 생략한 동사원형을 사용한다.
insist, suggest, order, recommend, require, ask +that+S+(should)+동사원형

❷ should를 생략하지 않고 쓰기도 한다.

❸ insist, suggest의 경우 that절의 내용에 당위성(~해야 한다)이 없다면 시제/수 일치를 시켜 준다.

Words & Phrases

sector 기관, 분야
voluntarily 자발적으로
refrain from ~을 삼가다
release 풀어 주다
lease 임대 계약
stockholder 주주
chairman 회장
resign 사임하다
resistance 저항
infection 감염
evidence 증거
organ 기관

다음 중 알맞은 것을 고르시오.

01 I am writing to ask that we [be / are] released from the new lease.

02 The stockholders demanded that the chairman [resign / resigned] from the position.

03 Her teacher required that we [not watch / didn't watch] our smartphones too much.

04 Recent research suggests that where your ancestors came from [affects / affect] your resistance to infections.

05 Some evidence suggests that early human populations [prefer / preferred] the fat and organ meat of the animal over its muscle meat.

06 Suppose that your doctor said that you have six months to live and recommended that you [did / do] everything you ever wanted to do.

끊어 읽으면 답이 보인다!

POINT 036

[01 - 06] **빈칸에 알맞은 말을 넣으시오.**

01

요구동사 / = should be

I am writing to ask / that we ________ released / from the new lease.

나는 요구하려고 쓰고 있다 / 우리가 풀려나야 한다고 / 새로운 임대 계약으로부터

해석 나는 우리가 새로운 임대 계약에서 풀려나야 한다고 요구하려고 (편지를) 쓰고 있다.

해설 ask라는 요구동사가 앞에 있으므로 that절의 동사는 동사원형 be가 적절하다.

02

요구동사 / = should resign

The stockholders demanded / that the chairman ________ / from the position.

주주들은 요구했다 / 의장은 사임해야 한다 / 그 지위로부터

해석 주주들은 의장은 그 자리에서 물러나야 한다고 요구했다.

해설 demand라는 요구동사가 앞에 있으므로 that절의 동사는 동사원형 resign이 적절하다.

03

요구동사 / = should not watch

Her teacher required / that we ________ our smartphones / too much.

그녀의 선생님은 요구했다 / 우리가 스마트폰을 봐서는 안 된다고 / 너무 많이

해석 그녀의 선생님은 우리가 스마트폰을 너무 많이 봐서는 안 된다고 요구했다.

해설 required라는 요구동사가 앞에 있으므로 that절의 동사는 should가 생략된 not watch가 적절하다.

04

S / V / 당위성 없음

Recent research suggests / that [where your ancestors came from] / ________ your resistance / to infections.

최근의 연구는 암시한다 / 여러분의 조상이 온 곳은 / 여러분의 저항력에 영향을 끼친다고 / 감염에 대한

해석 최근 연구에 따르면 여러분의 조상이 어디서 왔느냐에 따라 감염에 대한 여러분의 저항력에 영향을 준다고 한다.

해설 제안동사 suggest 뒤에 that절이 나오지만, that절의 내용이 당위성(~해야 한다)이 아닌 단순한 사실 전달이므로 수/시제 일치를 해주어야 한다. where ~ from이라는 의문사절이 주어이므로 단수 동사인 affects가 적절하다.

05

당위성 없음, 과거 사실

Some evidence suggests / that early human populations / ________ / the fat / and organ meat of the animal / over its muscle meat.

일부 증거는 말해주고 있다 / 초기 인간들은 / 선호했다 / 지방과 / 동물의 내장 고기를 / 그것의 근육 고기보다

해석 일부 증거에 따르면 초기 인류는 근육 고기보다는 동물의 지방과 내장 고기를 선호했음을 암시하고 있다.

해설 제안동사 suggest 뒤에 that절이 나오지만, 단순한 과거 사실을 전달하고 있으므로 과거형 preferred가 적절하다.

06

권고 동사

Suppose / that your doctor said / that you have six months / to live / and recommended / that you ________ everything / you ever wanted to do.

가정해 보자 / 여러분의 의사가 말했다고 / 여러분이 6개월이 있다 / 살 수 있는 / 그리고 권고했다 / 여러분이 모든 것을 하라고 / 여러분이 하고 싶었던

해석 여러분의 의사가 당신이 살 날이 6개월 남았고 당신이 하고 싶었던 모든 것을 하라고 권고했다고 가정해 보자.

해설 recommend라는 권고 동사가 앞에 있으므로 that절의 동사는 동사원형 do가 적절하다.

Point (034~036) Review

p.16

[01-10] 다음 중 알맞은 것을 고르시오.

01 Jackson promised that he [will / would] send service manuals to us.

02 You will not succeed in your project if you [do not / will not] do your best.

03 The program reported that acid rain [hurts / hurt] wild animals and plants in the forest.

04 The group insisted that the crime [be dealt with / was dealt with] more strictly.

05 The doctor recommended that he [rest / rested] for a week.

06 If it [rains / will rain] tomorrow, we will postpone our monthly picnic.

07 The committee demanded that the industrialized countries [be / were] liable for global warming.

08 The psychologist recommended that the teachers [not separate / didn't separate] poor students from good ones.

09 Tom will call you when he [gets / will get] an e-mail from Jane.

10 The police insisted that two men [resist / resisted] arrest, but it was not true.

Chapter 04 Review

p.17

[01-10] 다음 중 알맞은 것을 고르시오.

01 The movie has / had already started when I entered the theater.

02 The teacher said that the Civil-War broke / had broken out in 1861.

03 Some students said that they will / would help me to finish the work, but they didn't.

04 If you respond / will respond to my request, I will give you a chance to participate in the audition.

05 She is much better than she was / has been 5 years ago.

06 I met Rosa in Seoul in 2015, and I have / had not seen her since then.

07 Hardly has / had the meeting started when many people began complaining about the topic.

08 She lost the tablet that her brother has / had bought the day before.

09 In science class, the children learned that light travels / traveled faster than sound.

10 Copernicus changed everything by suggesting that the sun be / is at the center of the solar system.

Chapter

05

형용사·부사 비교급

Adverbs

Adjectives

Comparatives

POINT

037~039

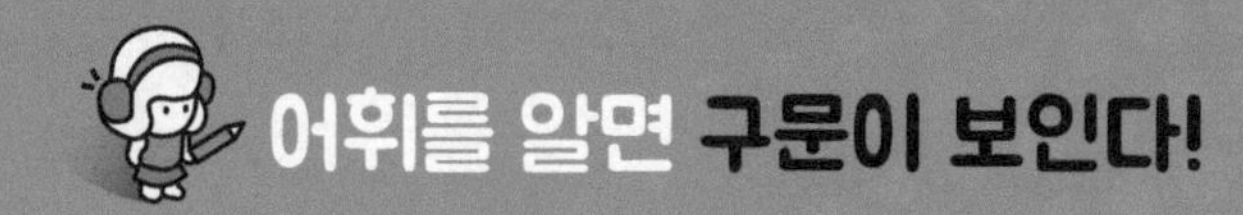

체크! Words & Phrases

POINT 037

□ awake	깨다
□ pour	붓다
□ adopted	입양된
□ doubtful	의심스러운
□ definite	명확한
□ specific	구체적인
□ please	즐겁게 하다
□ tourist	관광객

POINT 038

□ challenge	도전, 어려움
□ insignificant	사소한
□ identical	동일한
□ strange	이상한
□ stand in line	줄을 서다
□ streamline	유선형으로 하다
□ twin(s)	쌍둥이

POINT 039

□ relationship	관계
□ dirt	먼지
□ provide	제공하다
□ dependent	의존하는
□ attempt	시도하다
□ empire	제국
□ stable	안정적인
□ disagreement	불일치
□ conversation	대화
□ impolite	무례한
□ count	세다

★ 모르는 단어에 체크하고, 소리 내어 10번만 뜻과 함께 말해 보세요.

[01 - 20] 다음 빈칸에 알맞은 우리말 뜻이나 단어를 쓰시오.

01 provide ______________

02 dependent ______________

03 streamline ______________

04 twin(s) ______________

05 dirt ______________

06 pour ______________

07 adopted ______________

08 impolite ______________

09 empire ______________

10 stable ______________

11 의심스러운 ______________

12 명확한 ______________

13 불일치 ______________

14 대화 ______________

15 이상한 ______________

16 줄을 서다 ______________

17 즐겁게 하다 ______________

18 관광객 ______________

19 사소한 ______________

20 동일한 ______________

형용사 vs. 부사

different(X)
앞의 동사 do를 수식하므로 부사가 온다.

Think about / what you can do **differently** / in the future.

생각해라 / 여러분이 다르게 할 수 있는 것에 대해서 / 미래에
⋯ 여러분은 미래에 다르게 할 수 있는 것에 대해서 생각해 봐라.

Grammar Point

❶ 형용사는 명사와 대명사를 수식하며, 부사는 동사, 형용사, 다른 부사, 문장을 수식한다.
❷ 2형식 동사의 주격 보어 자리와 5형식 동사의 목적격 보어 자리에 형용사가 사용된다.
❸ as ~ as 사이에 들어가는 형용사/부사를 주의하자. (➞ 수식하는 대상을 찾아라.)

다음 중 알맞은 것을 고르시오.

01 Esther awoke one morning to the sound of a [heavy / heavily] pouring April shower.

02 Adopted pets can be just as [amazing / amazingly] as the little puppy or cat you find in a pet store.

03 At first, Mrs. Harris looked up [doubtful / doubtfully] but answered with a big smile.

04 Working at a candy store might not sound like a healthy job, but it is [definite / definitely] a sweet job.

05 Generalized praise like "great picture" isn't as [meaningful / meaningfully] to children as finding something specific.

06 She started to paint the Thai flag and is being trained to draw it more [beautiful / beautifully] to please the tourists.

Words & Phrases

awake 깨다
pour 붓다
adopted 입양된
doubtful 의심스러운
definite 명확한
specific 구체적인
please 즐겁게 하다
tourist 관광객

끊어 읽으면 답이 보인다!

POINT 037

[01-06] 빈칸에 알맞은 말을 넣으시오.

01

부사: 현재분사 수식

Esther awoke / one morning / to the sound / of a __________ pouring April shower.
에스더는 깨어났다 / 아침에 / 소리에 / 엄청나게 쏟아지는 4월 소나기에

해석 에스더는 엄청나게 쏟아지는 4월의 소나기 소리에 아침에 깨어났다.

해설 현재분사 pouring을 수식하므로 형용사가 아닌 부사가 적절하다. 따라서 heavily가 적절하다.

02

Adopted pets can be just as __________ / as the little puppy or cat / you find in a pet store. 입양된 동물들은 놀라울 수 있다 / 작은 강아지나 고양이처럼 / 당신이 발견하는 / 애완동물 가게에서

해석 입양된 애완동물들은 당신이 애완동물 가게에서 발견하는 작은 강아지나 고양이처럼 놀라울 수 있다.

해설 be동사 뒤에 오며 주어인 Adopted pets에 대한 세부 설명이므로 형용사가 와야 한다. 따라서 amazing이 적절하다.

03

부사: 동사 수식

At first, / Mrs. Harris looked up __________ / but answered with a big smile.
처음에 / 해리스 여사는 의심스럽게 올려다보았다 / 하지만, 큰 미소를 지으며 대답했다

해석 처음에 해리스 여사는 의심스럽게 올려다보았지만, 큰 미소로 대답했다.

해설 동사 looked up을 수식하므로 부사가 적절하다. 따라서 doubtfully가 적절하다.

04

문장 전체 수식

Working at a candy store / might not sound like a healthy job, / but it is __________ a sweet job. 과자점에서 일하는 것은 / 건강한 일처럼 들리지 않는다 / 하지만 확실히 달콤한 일이다

해석 과자점에서 일하는 것은 건강한 일처럼 들리지 않을 수도 있다. 하지만 그것은 확실히 달콤한 일이다.

해설 is 뒤에 오지만 문장 전체를 수식하므로 부사가 적절하다. 따라서 definitely가 적절하다.

05

S 주어 수식 V

[Generalized praise / like "great picture"] / isn't as __________ / to children / as finding something specific. 일반화된 칭찬은 / "대단한 그림이야" 같이 / 유의미하지 않다 / 아이들에게 / 구체적인 무언가를 발견하는 것처럼

해석 "대단한 그림"같은 일반화된 칭찬은 구체적인 무언가를 발견하는 것처럼 아이들에게 유의미하지 않다.

해설 be동사 뒤에서 보어로 사용되고 있으며 주어인 generalized praise에 대한 구체적인 설명에 해당되므로 형용사가 온다. 따라서 meaningful이 적절하다.

06

❶ ❷

She started / to paint the Thai flag / and is being trained / to draw it / more __________ / to please the tourists.
그녀는 시작했다 / 태국의 국기를 그리기 / 그리고 훈련받고 있다 / 그것을 그리는 것을 / 더 아름답게 / 관광객들을 기쁘게 하기 위해서

해석 그녀는 태국 국기를 그리기 시작했고, 관광객들을 즐겁게 해주기 위해서 보다 아름답게 국기를 그리도록 훈련받고 있다.

해설 앞에 나오는 draw it을 수식하므로 부사가 적절하다. 따라서 beautifully가 적절하다.

형용사 vs. 부사 - 2형식

2형식 동사

Your problems and challenges / suddenly **seem**

→ '사소하게'로 해석되지만 동사 뒤 보어 자리이므로 형용사가 온다. insignificantly (X)

insignificant when you fall in love.

당신의 문제와 어려움은 / 갑자기 사소해 보인다 / 당신이 사랑에 빠질 때

··· 당신의 문제와 어려움은 사랑에 빠질 때 갑자기 사소해 보인다.

Grammar Point

❶ 2형식 동사 뒤는 주격보어 자리이므로 명사를 설명하는 것이 와야 한다.
❷ 주로 명사/형용사/분사(-ing/-ed)/전치사구가 온다.
❸ 형용사 자리에 '~하게'로 해석된다고 해서 부사를 쓰지 않도록 한다.

be, seem, appear, become, turn, look, sound, feel ✚ 형용사(~하게)

다음 중 알맞은 것을 고르시오.

01 Just like people, no two places can look [identical / identically].

02 What he is saying now sounds [strange / strangely], but it is true.

03 I bought some strawberries in the market and they tasted [sweet / sweetly].

04 Tim stood in line for the ticket over 1 hour and felt [unhappy / unhappily] then.

05 It is no accident that fish have bodies which are streamlined and [smooth / smoothly].

06 Jane and Amie were born as twins, but they became [different / differently] when they grew up.

Words & Phrases

- **challenge** 도전, 어려움
- **insignificant** 사소한
- **identical** 동일한
- **strange** 이상한
- **stand in line** 줄을 서다
- **streamline** 유선형으로 하다
- **twin(s)** 쌍둥이

끊어 읽으면 답이 보인다!

[01 - 06] **빈칸에 알맞은 말을 넣으시오.**

01

2형식 동사 + 형용사

Just like people, / no two places / can look ___________.

사람들처럼 / 어떤 두 장소도 / 똑같이 보일 수 없다

해석 사람들처럼, 어떤 두 장소도 똑같이 보일 수 없다.

해설 2형식 동사 look 뒤에서 주어를 설명하는 보어로 사용되고 있으므로 형용사 identical이 적절하다.

02

2형식 동사 + 형용사

What he is saying / now / sounds ___________, / but it is true.

그가 말하고 있는 것은 / 지금 / 이상하게 들린다 / 하지만, 그건 사실이다

해석 그가 지금 말하고 있는 것은 이상하게 들리지만, 사실이다.

해설 2형식 동사 sound 뒤에서 주어를 설명하는 보어로 사용되고 있으므로 형용사 strange가 적절하다.

03

2형식 동사 + 형용사

I bought some strawberries / in the market / and they tasted ___________.

나는 몇 개의 딸기를 샀다 / 시장에서 / 그리고 그것들은 달콤한 맛이 났다.

해석 나는 시장에서 딸기 몇 개를 샀는데, 그것들은 달콤한 맛이 났다.

해설 2형식 동사 taste 뒤에서 주어를 설명하는 보어로 사용되고 있으므로 형용사 sweet가 적절하다.

04

2형식 동사 + 형용사

Tim stood in line / for the ticket / over 1 hour / and felt ___________ then.

팀은 줄을 섰다 / 표를 위해서 / 1시간 넘게 / 그리고 그때 언짢다고 느꼈다.

해석 팀은 표를 사기 위해서 1시간 넘게 줄을 섰고, 그때 언짢다고 느꼈다.

해설 2형식 동사 feel 뒤에서 주어를 설명하는 보어로 사용되고 있으므로 형용사 unhappy가 적절하다.

05

강조용법

It is no accident / that fish have bodies / which are streamlined and ___________.

우연이 아니다 / 물고기가 몸을 가지는 것은 / 유선형의 매끄러운

해석 물고기가 유선형의 매끄러운 몸을 가지고 있는 것은 우연이 아니다.

해설 be동사 are 뒤에서 주어를 설명하는 보어로 사용되고 있으므로 형용사 smooth가 적절하다.

06

2형식 동사 + 형용사

Jane and Amie were born / as twins, / but they became ___________ / when they grew up. 제인과 에이미는 태어났다 / 쌍둥이로 / 하지만, 그들은 달라졌다 / 그들이 성장하면서

해석 제인과 에이미는 쌍둥이로 태어났지만, 그들은 성장하면서 달라졌다.

해설 2형식 동사 become 뒤에서 주어를 설명하는 보어로 사용되고 있으므로 형용사 different가 적절하다.

형용사 vs. 부사 - 5형식

→ 목적보어 → 형용사

Because the land made / travel so **difficult**, / the guest-host relationship / was valued.

땅이 만들었기 때문에 / 여행을 너무 어렵게 / 손님과 주인의 관계는 / 가치 있게 되었다.

··· 그 땅이 이동을 매우 어렵게 만들었기 때문에 손님과 주인의 관계는 중요하게 여겨졌다.

Grammar Point

❶ 5형식 구문의 목적보어 자리는 목적어에 대한 설명이므로 명사를 설명할 수 있는 형용사가 적절하다.

❷ '~하게'로 해석된다고 부사가 온다고 착각하지 말자.

make, consider, find, leave, keep + 목적어 + 형용사(~하게)

Words & Phrases

- relationship 관계
- dirt 먼지
- emergent 긴급한
- provide 제공하다
- dependent 의존하는
- attempt 시도하다
- empire 제국
- stable 안정적인
- disagreement 불일치
- conversation 대화
- impolite 무례한
- count 세다

다음 중 알맞은 것을 고르시오.

01 Three hours will be enough for us to make your home [free / freely] of any dirt.

02 In less emergent situations, however, providing food can make people [dependent / dependently].

03 Hammurabi attempted to make his empire more [stable / stably] by settling those disagreements.

04 Many smartphone owners check Twitter during a conversation and do not consider it [impolite / impolitely].

05 Watch a dog [close / closely] for 15 minutes and count the number of yawns.

06 You're talking with someone and then you notice some other person you consider more [important / importantly].

끊어 읽으면 답이 보인다!

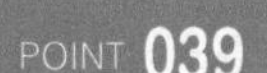

[01-06] **빈칸에 알맞은 말을 넣으시오.**

01
의미상의 주어 / O / OC

Three hours will be enough / for us / to make / your home / ________ of any dirt.
세 시간은 충분할 것이다 / 우리가 / 만드는 데 / 당신의 집이 / 먼지가 없게

해석 우리가 당신 집을 먼지가 없게 만드는 데 3시간이면 충분할 것이다.
해설 5형식 동사 make의 목적보어 자리이므로 형용사 free가 적절하다.

02
V / O / OC

In less emergent situations, / however, / providing food can make / people / ________.
덜 긴급한 상황에서 / 하지만 / 음식을 제공하는 것은 / 만들 수 있다 / 사람들을 / 의존적으로

해석 하지만 덜 긴급한 상황에서 음식을 제공하는 것은 사람들을 의존적으로 만들 수 있다.
해설 5형식 동사 make의 목적보어 자리이므로 형용사 dependent가 적절하다.

03
V / O / OC

Hammurabi attempted to / make / his empire / more ________ / by settling those disagreements. 함무라비는 시도했다 / 만들려고 / 그의 제국을 / 보다 안정적으로 / 그러한 불일치를 조정함으로써

해석 함무라비는 이러한 불일치를 조정해서 그의 제국을 보다 안정적으로 만들려고 했다.
해설 '안정적으로'라고 해석되지만, 5형식 동사 make의 목적보어 자리이므로 형용사 stable이 적절하다.

04
V / O / OC

Many smartphone owners / check Twitter / during a conversation / and do not consider / it / ________. 많은 스마트폰 소유자들은 / 트위터를 확인한다 / 대화 도중에 / 그리고 고려하지 않는다 / 그것을 / 무례하다고

해석 많은 스마트폰 사용자들은 대화 도중 트위터를 확인하는데, 이를 무례하다고 생각하지 않는다.
해설 5형식 동사 consider의 목적보어 자리이므로 형용사 impolite가 적절하다.

05

Watch a dog / ________ / for 15 minutes / and count the number of yawns.
개를 봐라 / 면밀히 / 15분 동안 / 그리고 하품하는 수를 세라.

해석 15분 동안 개를 면밀히 보고, 하품하는 수를 세어 보아라.
해설 동사 watch를 수식하고 있으므로 부사가 와야 한다. 따라서 closely가 적절하다.

06
선행사는 관계사절의 consider의 목적어 / V / OC

You're talking with someone / and then you notice / some other person / you consider more ________. 당신은 누군가와 이야기하고 있다 / 그리고 나서 당신은 알아차린다 / 어떤 다른 사람을 / 당신이 보다 중요하다고 생각하는

해석 당신이 누군가와 대화를 하고 있는데, 당신이 더 중요하다고 생각하는 다른 사람이 있음을 알아챈다.
해설 5형식 동사 consider의 목적보어 자리이므로 형용사가 와야 한다. 목적어가 없는 것처럼 보이나 목적어는 선행사에 있다. 따라서 important가 적절하다.

Point (037-039) Review

p.18

[01 – 10] 다음 중 알맞은 것을 고르시오.

01 A sandwich in the cafeteria isn't [exact / exactly] the same thing as a hot meal at home.

02 Our feet remain [firm / firmly] on the earth even though our planet is spinning.

03 As we grew older, my mother made sure we did our part by keeping our rooms [neat / neatly].

04 There are many sports jobs altogether, but the competition becomes [increasing / increasingly] tough.

05 More and more people find it very [beneficial / beneficially] to help the country.

06 Cultures as [diverse / diversely] as the Japanese and the Guatemalan Maya practice parent-infant co-sleeping.

07 Some people avoid the opportunity to make a public presentation because it makes them [nervous / nervously].

08 Students were asked to describe the film as [full / fully] as possible to others.

09 Look at the photos from the late 19th century and you will see that every person in them looks [extreme / extremely] serious.

10 They believe that the product should be at least as [satisfactory / satisfactorily] as their last purchase.

POINT

040~042

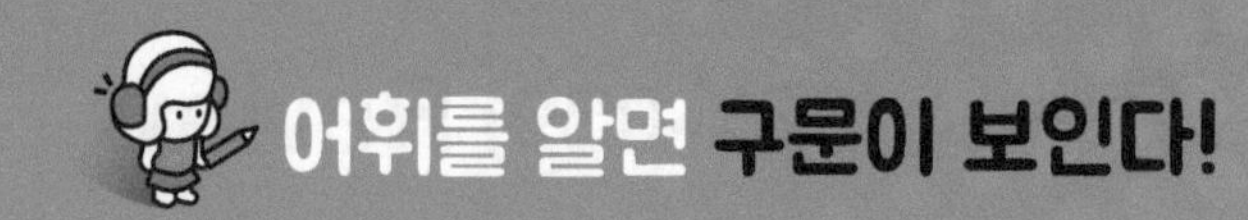

체크! Words & Phrases

POINT 040

- ☐ weapon 무기
- ☐ escape 탈출하다
- ☐ manner 방식, 예절
- ☐ pace 속도
- ☐ therefore 그래서
- ☐ unhurried 느긋한
- ☐ play a role 역할을 하다
- ☐ provide 제공하다
- ☐ efficient 효율적인

POINT 041

- ☐ artificial 인공적인
- ☐ flavor 조미료, 풍미
- ☐ a variety of 다양한
- ☐ blame 비난하다
- ☐ nuclear weapon 핵무기
- ☐ manage 가까스로 ~하다
- ☐ estimate 추산하다

POINT 042

- ☐ form 형성하다
- ☐ judgement 판단
- ☐ emphasis 강조
- ☐ significantly 현저히, 상당히
- ☐ boost 신장시키다
- ☐ boring 지루한
- ☐ rate 평가하다
- ☐ cultural 문화의
- ☐ theory 이론
- ☐ prove 증명하다

★모르는 단어에 체크하고, 소리 내어 10번만 뜻과 함께 말해 보세요.

[01-20] 다음 빈칸에 알맞은 우리말 뜻이나 단어를 쓰시오.

01 flavor ____________

02 a variety of ____________

03 provide ____________

04 significantly ____________

05 cultural ____________

06 theory ____________

07 unhurried ____________

08 play a role ____________

09 artificial ____________

10 prove ____________

11 핵무기 ____________

12 가까스로 ~하다 ____________

13 형성하다 ____________

14 판단 ____________

15 탈출하다 ____________

16 방식, 예절 ____________

17 무기 ____________

18 추산하다 ____________

19 비난하다 ____________

20 신장시키다 ____________

-ly로 끝나는 형용사

be동사 다음에는 형용사가 와야 한다. friendly는 -ly가 붙지만, 형용사이다.

The first question / is why some students **are friendly** / with someone else.

첫 번째 의문은 / 왜 일부 학생들이 상냥한가이다 / 다른 누군가에게
··· 첫 번째 의문은 왜 일부 학생들은 다른 누군가에게 상냥한가이다.

Grammar Point

다음은 -ly가 붙지만, 모두 형용사이다.

friendly 상냥한	leisurely 한가한	lovely 사랑스러운	costly 값이 비싼
deadly 치명적인	timely 시기적절한	elderly 나이 든	likely 그럴 듯한
cowardly 겁이 많은	lively 활기찬	orderly 정돈된	

Words & Phrases

weapon 무기
ever such 매우
escape 탈출하다
manner 방식, 예절
pace 속도
therefore 그래서
unhurried 느긋한
play a role 역할을 하다
provide 제공하다
efficient 효율적인

다음 중 알맞은 것을 고르시오.

01 Many nations used [dead / deadly] weapons at war.

02 David was very [live / lively] and ever such a good dancer.

03 The students escaped from the fire in an [order / orderly] manner.

04 The pace of the game is therefore [leisure / leisurely] and unhurried.

05 Because the project needs more workers and time, it will be [cost / costly].

06 Our plan can play an important role by providing an efficient and [time / timely] service.

끊어 읽으면 답이 보인다! POINT 040

[01 - 06] **빈칸에 알맞은 말을 넣으시오.**

01

치명적인 무기
Many nations / used ________ weapons / at war.
많은 국가들은 / 치명적인 무기를 사용했다 / 전쟁에서

해석 많은 국가들은 전쟁에서 치명적인 무기를 사용했다.
해설 내용상 '죽은 무기'보다는 '치명적인 무기'가 더 적절하므로 deadly가 적절하다.

02

활기찬
David was very ________ / and ever such a good dancer.
데이비드는 매우 활기찼고 / 매우 뛰어난 댄서였다

해석 데이비드는 매우 활기찼고, 매우 뛰어난 댄서였다.
해설 '뛰어난 댄서'와 어울려야 하므로 '살아 있는'보다는 '활기찬'이 더 적절하다. 따라서 lively가 적절하다.

03

질서정연한
The students escaped / from the fire / in an ________ manner.
학생들은 탈출했다 / 화재로부터 / 질서정연한 방식으로

해석 학생들은 질서정연한 방식으로 화재에서 탈출했다.
해설 orderly는 형용사로 '질서정연한'을 의미하고 order은 명사로 '질서, 주문, 명령'을 의미한다. manner를 수식하는 형용사가 와야 하므로 orderly가 적절하다.

04

여유로운 느긋한
The pace of the game / is therefore ________ and unhurried.
게임의 속도는 / 그래서 여유롭고 느긋하다.

해석 게임의 속도는 그래서 여유롭고 느긋하다.
해설 leisurely는 형용사로 '여유로운'을 의미한다. leisure는 명사로 '여가, 여유'를 의미한다. 뒤의 unhurried와 같이 형용사가 와야 하므로 leisurely가 적절하다.

05

비용이 많이 드는
Because the project needs / more workers and time, / it will be ________.
그 프로젝트는 필요하기 때문에 / 더 많은 근로자와 시간이 / 그것은 많은 비용이 들 것이다

해석 그 프로젝트는 더 많은 근로자와 시간이 필요하기 때문에 많은 비용이 들 것이다.
해설 costly는 형용사로 '비용이 많이 드는'을 의미하고 cost는 '비용, 비용이 들다'를 의미한다. 빈칸은 보어 자리로 형용사가 와야 하므로 costly가 적절하다.

06

시의적절한 서비스
Our plan can play an important role / by providing an efficient and ________ service.
우리 계획은 중요한 역할을 할 수 있다 / 효율적이고 시의적절한 서비스를 제공함으로써

해석 우리 계획은 효율적이며 시의적절한 서비스를 제공함으로써 중요한 역할을 할 수 있다.
해설 service라는 명사를 수식하므로 형용사가 필요하다. timely는 형용사로 '시의적절한'을 의미한다.

-ly가 붙으면 의미가 달라지는 형용사

'폭이 넓게'가 아닌 '널리'를 의미한다

Artificial flavors are **widely** used / in a variety of food products.

인공 조미료는 널리 사용된다 / 다양한 음식 제품에
··· 인공 조미료는 다양한 식품 상품에 널리 사용된다.

다음의 형용사는 -ly가 붙어 다른 의미로 사용된다.

close 가까운 – **closely** 철저하게	**deep** 깊게 – **deeply** 깊이, 몹시
dead 죽은 – **deadly** 치명적인	**high** 높게, 높은 – **highly** 높이, 매우
near 가까운 – **nearly** 거의	**late** 늦은 – **lately** 최근에
short 짧은, 부족한 – **shortly** 곧	**wide** 넓은, 넓게 – **widely** 널리
most 가장, 대부분 – **mostly** 대개	**rough** 거친 – **roughly** 대략
hard 열심히, 단단한 – **hardly** 거의 ~하지 않다	

다음 중 알맞은 것을 고르시오.

01 He has got [hard / hardly] any money left.

02 Funny men are [high / highly] necessary for most people.

03 Don't blame him. Remember how busy he has been [late / lately].

04 The nuclear weapon is considered the most [dead / deadly].

05 Jasmine was [near / nearly] hit by a speeding car, but she managed to avoid it.

06 The number of people visiting Korea is estimated at [rough / roughly] 100,000.

Words & Phrases

artificial 인공적인
flavor 조미료, 풍미
a variety of 다양한
blame 비난하다
nuclear weapon 핵무기
manage 가까스로 ~하다
estimate 추산하다

끊어 읽으면 답이 보인다!

POINT 041

[01-06] 빈칸에 알맞은 말을 넣으시오.

01

거의 ~하지 않다

He has got ________ / any money left.

그는 거의 못했다 / 어떠한 돈도 남겨 두지

해석 그는 거의 어떠한 돈도 남겨 두지 못했다.

해설 내용상 hard의 '열심히'보다는 hardly(거의 ~하지 못했다)가 더 자연스럽다. 뒤에 any가 있는 것으로 보아 부정문의 의미가 와야 한다.

02

매우

Funny men / are ________ necessary / for most people.

재미있는 사람들은 / 매우 필요하다 / 대부분의 사람들에게

해석 재미있는 사람들은 대부분의 사람들에게 매우 필요하다.

해설 실제로 높은 것이 아닌 강조하는 '매우'로 사용되므로 highly가 적절하다.

03

최근에

Don't blame him. / Remember / how busy / he has been ________.

그를 비난하지 마라 / 기억해라 / 얼마나 바쁜지 / 그가 최근에

해석 그를 비난하지 마라. 그가 최근에 얼마나 바빴는지 기억해라.

해설 내용상 '늦은(late)'보다는 '최근에(lately)'가 더 적절하다.

04

치명적인

The nuclear weapon / is considered / the most ________.

핵무기는 / 간주되고 있다 / 가장 치명적이라고

해석 핵무기는 가장 치명적이라고 간주되고 있다.

해설 핵무기는 '죽은(dead)'이라는 뜻보다는 '치명적인(deadly)'이라는 뜻과 내용상 더 잘 어울린다.

05

거의

Jasmine was ________ hit / by a speeding car, / but she managed to avoid it.

자스민은 거의 치일 뻔 했다 / 빠른 자동차에 의해 / 하지만 그녀는 그것을 겨우 피할 수 있었다

해석 자스민은 빠르게 다가오는 차에 거의 치일 뻔 했지만, 겨우 피할 수 있었다.

해설 'near(가까운, 가까이)'보다는 'nearly(거의 치일 뻔 한 것)'가 자연스럽다.

06

S V

[The number of people / visiting Korea] is estimated / at ________ 100,000.

사람들의 수는 / 한국을 방문하는 / 추정된다 / 대략 10만 명으로

해석 한국을 방문하는 사람들의 수는 대략 10만 명 정도로 추정된다.

해설 'rough(거친)' 10만 명보다는 'roughly(대략)' 10만 명이 더 자연스럽다.

few vs. little / many vs. much

information은 셀 수 없는 불가산명사이므로 many를 쓸 수 없다

Decision-makers have collected **much information** / in their minds / and thus can use this information / to form a judgment.

의사 결정권자들은 많은 정보를 모아 왔다 / 그들의 마음 속에 / 그래서 이 정보를 사용할 수 있다 / 판단을 하기 위해서

⋯→ 의사 결정권자들은 마음 속에 많은 정보를 모아 두었고, 그래서 이 정보를 판단하기 위해서 사용할 수 있다.

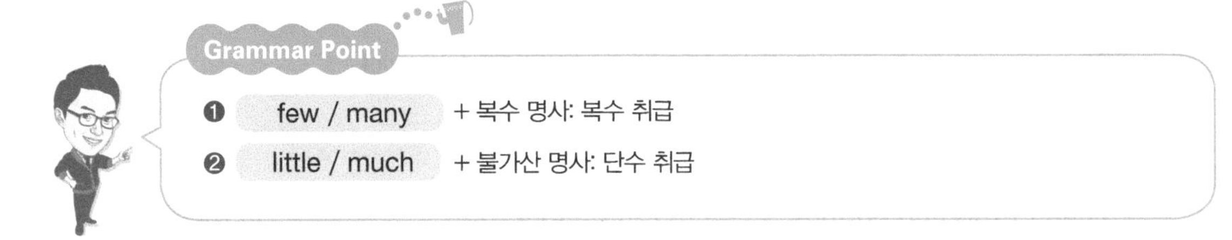

Grammar Point
❶ few / many + 복수 명사: 복수 취급
❷ little / much + 불가산 명사: 단수 취급

Words & Phrases

- **decision-maker** 의사 결정권자
- **form** 형성하다
- **judgement** 판단
- **emphasis** 강조
- **prohibition** 금지
- **significantly** 현저히, 상당히
- **boost** 신장시키다
- **boring** 지루한
- **rate** 평가하다
- **cultural** 문화의
- **theory** 이론
- **prove** 증명하다

다음 중 알맞은 것을 고르시오.

01 American culture has put [much / many] emphasis on prohibition as well.

02 Spending as [few / little] as $5 a day on others could significantly boost happiness.

03 I wasn't prepared enough, so I made quite a few [mistake / mistakes] in my first show.

04 After an hour of hard, boring work, everyone rated how [much / many] they enjoyed the afternoon.

05 People who have had [few / little] cultural experiences are now enjoying long-awaited cultural events.

06 Scientists developed [many / much] different theories or guesses, but they could not prove that their ideas were correct.

끊어 읽으면 답이 보인다!

POINT 042

[01 – 06] 빈칸에 알맞은 말을 넣으시오.

01

much + 불가산 명사

American culture / has put ________ emphasis / on prohibition / as well.

미국의 문화는 / 많은 강조를 해 왔다 / 금지에 대해 / 마찬가지로

해석 미국 문화는 마찬가지로 금지에 많은 강조를 해 왔다.

해설 뒤에 불가산 명사 emphasis가 왔으므로 much가 적절하다.

02

little + 불가산 명사

[Spending / as ________ as $5 a day / on others] / could significantly boost happiness. 소비하는 것은 / 하루에 5달러만큼 적게 / 다른 것들에 대해 / 엄청나게 행복을 증진시킬 수 있다

해석 하루에 다른 것에 5달러 정도만 소비해도 상당히 행복을 증진시킬 수 있다.

해설 5달러라는 돈을 받고 있다. 돈은 불가산 명사로 little이 와야 한다.

03

few + 복수 명사

I wasn't prepared enough, / so I made quite a few ________ / in my first show.

나는 충분히 준비되지 않았다 / 그래서 나는 약간의 실수를 했다 / 내 첫 번째 쇼에서

해석 나는 충분히 준비되지 않아서, 첫 번째 쇼에서 약간의 실수를 저질렀다.

해설 few 뒤에 오므로 명사는 복수 명사가 와야 한다. 따라서 mistakes가 적절하다.

04

양

After an hour / of hard, boring work, / everyone rated / how ________ / they enjoyed the afternoon. 한 시간 후에 / 어렵고 지루한 일의 / 모든 사람들은 평가했다 / 얼마나 많이 / 그들이 오후를 즐겼는지를

해석 어렵고 지루한 1시간의 일을 한 후에 모든 사람들은 그들이 얼마만큼 오후를 즐겼는지를 평가했다.

해설 '오후를 즐긴 정도'를 의미하므로 much가 적절하다.

05

few + 복수 명사

[People / who have had ________ cultural experiences] / are now enjoying / long-awaited cultural events. 사람들은 / 문화적 경험이 거의 없는 / 지금 즐기고 있다 / 오랫동안 기다려 온 문화 이벤트를

해석 문화적 경험이 거의 없는 사람들은 오랫동안 기다려 온 문화 이벤트를 지금 즐기고 있다.

해설 뒤에 복수 명사 experiences가 오므로 few가 적절하다.

06

many + 복수 명사

Scientists developed / ________ different theories / or guesses, / but they could not prove / that their ideas were correct.

과학자들은 발전시켰다 / 많은 다른 이론들을 / 또는 추측들을 / 하지만 그들은 증명할 수는 없었다 / 그들의 생각이 옳다는 것을

해석 과학자들은 다른 많은 이론 또는 추측들을 발전시켰지만, 그들의 생각이 옳다는 것은 증명할 수 없었다.

해설 뒤에 복수 명사 theories가 오므로 many가 적절하다.

Point (040~042) Review

p.19

[01－10] 다음 중 알맞은 것을 고르시오.

01 Harry Potter was a [high / highly] unusual boy in many ways in the movie.

02 Our hotel offers a [friend / friendly] atmosphere and personal service to you.

03 There were so many children that her family had [few / little] money for movies and activities.

04 Because the site is located [near / nearly] the river, people don't need a well.

05 We generally have [less / fewer] information than we would like.

06 Nick has been fighting a [dead / deadly] disease for 2 years.

07 The symbol "♥" might make people more lovely and [kind / kindly].

08 The extra [few / little] dollars earned at midnight weren't worth it when we looked at our work.

09 A child who regularly sleeps in her parents'room is [like / likely] to become dependent on them.

10 All three inventions made the cities of Mesopotamia powerful trading centers with as [much / many] as 30,000 people each.

POINT

043~045

체크! Words & Phrases

POINT 043

- ☐ identical twins 일란성 쌍둥이
- ☐ exactly 정확하게
- ☐ indecisive 우유부단한
- ☐ weakness 유약함, 약점
- ☐ pretty 아주
- ☐ be stuck in ~에만 박혀 있다
- ☐ inspect 조사하다
- ☐ drought 가뭄

POINT 044

- ☐ slave 노예
- ☐ assistant 조력자
- ☐ volunteer 자원봉사자
- ☐ notice 알아차리다
- ☐ poisonous 독성의
- ☐ serve 도움이 되다
- ☐ novel 참신한
- ☐ approach 방법
- ☐ affect 영향을 주다

POINT 045

- ☐ successful 성공적인
- ☐ similar 유사한
- ☐ useless 쓸모없는
- ☐ effort 노력
- ☐ enthusiasm 열정
- ☐ contagious 전염되는, 전염성의
- ☐ improve 개선하다

★ 모르는 단어에 체크하고, 소리 내어 10번만 뜻과 함께 말해 보세요.

[01-20] 다음 빈칸에 알맞은 우리말 뜻이나 단어를 쓰시오.

01 effort ____________

02 slave ____________

03 assistant ____________

04 indecisive ____________

05 useless ____________

06 inspect ____________

07 drought ____________

08 poisonous ____________

09 serve ____________

10 contagious ____________

11 유사한 ____________

12 자원봉사자 ____________

13 일란성 쌍둥이 ____________

14 정확하게 ____________

15 유약함, 약점 ____________

16 아주 ____________

17 방법 ____________

18 영향을 주다 ____________

19 열정 ____________

20 개선하다 ____________

live vs. alive

live와 alive 모두 형용사로 '살아 있는'을 의미한다.
live는 명사 앞에서, alive는 명사 뒤에서 수식한다.

We saw **live iguanas and snakes** / and enjoyed our travel / in that island.

alive iguanas and snakes (X)
iguanas and snakes were alive (O)

우리는 살아 있는 이구아나와 뱀들을 보았고 / 여행을 즐겼다 / 그 섬에서
→ 우리는 살아 있는 이구아나와 뱀을 보았고, 그 섬에서 여행을 즐겼다.

Grammar Point

※ 대부분의 'a-'가 붙는 형용사는 앞에서 명사를 수식할 수 없다. 주로 주격보어나 목적격보어로 사용된다.

live { 앞에서 명사 수식 가능 / live, like, sleeping, lonely

alive { 앞에서 명사 수식 불가능 / 주격보어/목적격보어 / alive, alike, asleep, alone

Words & Phrases

- identical twins 일란성 쌍둥이
- exactly 정확하게
- indecisive 우유부단한
- weakness 유약함, 약점
- pretty 아주
- be stuck in ~에만 박혀 있다
- inspect 조사하다
- drought 가뭄
- rain forest 열대우림

다음 중 알맞은 것을 고르시오.

01 People think identical twins are exactly [like / alike] in every way.

02 She hates her indecisive character and her weakness [like / alike].

03 Without friends, the world would be a pretty [alone / lonely] place.

04 You thought you loved working [alone / lonely], but you're just stuck in an office.

05 All pet shops that sell [alive / live] animals are inspected by the health department.

06 The Hammond tornado was [like / alike] a snowstorm in South Africa, or a drought in the rain forest.

끊어 읽으면 답이 보인다!

[01-06] **빈칸에 알맞은 말을 넣으시오.**

01

비슷한

People think / identical twins are exactly ＿＿＿＿＿ / in every way.

사람들은 생각한다 / 일란성 쌍둥이는 정확하게 똑같다 / 모든 면에서

해석 사람들은 일란성 쌍둥이는 모든 면에서 정확하게 똑같다고 생각한다.

해설 형용사가 와야 하는데 내용상 alike(똑같은)가 어울린다. like는 '~와 같은'의 전치사이다.

02

동등하게, 마찬가지로

She hates / her indecisive character / and her weakness / ＿＿＿＿＿.

그녀는 싫어한다 / 자신의 우유부단한 성격과 / 자신의 약함을 / 똑같이

해석 그녀는 자신의 우유부단한 성격과 자신의 약함을 똑같이 싫어한다.

해설 부사가 와야 하는데 내용상 alike(똑같이, 동등하게)가 적절하다. like는 '~와 같은'의 전치사이다.

03

외로운 장소

Without friends, / the world would be a pretty ＿＿＿＿＿ place.

친구들이 없다면 / 세상은 매우 외로운 장소일 것이다

해석 친구들이 없다면 세상은 아주 외로운 장소일 것이다.

해설 뒤에 나오는 명사 place를 수식하므로 lonely(외로운)가 적절하다. alone은 명사를 앞에서 수식하지 못한다.

04

혼자서

You thought / you loved working ＿＿＿＿＿, / but you're just stuck in an office.

당신은 생각했다 / 당신은 혼자서 일하는 것을 좋아했다 / 하지만 당신은 단지 사무실에 박혀 있을 뿐이다

해석 당신은 혼자서 일하는 것을 좋아했다고 생각했지만, 당신은 사무실에 박혀 있을 뿐이다.

해설 내용상 '혼자서'의 부사로 쓰이고 있으므로 alone이 적절하다.

05

살아 있는 동물들

[All pet shops / that sell ＿＿＿＿＿ animals] / are inspected / by the health department.

모든 애완동물 가게는 / 살아 있는 동물을 파는 / 조사를 받고 있다 / 보건부에 의해서

해석 살아있는 동물을 파는 모든 애완동물 가게는 보건부의 조사를 받고 있다.

해설 뒤에 나오는 명사 animals를 수식하고 있으므로 live(살아 있는)가 적절하다. alive는 앞에서 명사를 수식하지 못한다.

06

like + 명사: ~처럼

The Hammond tornado / was ＿＿＿＿＿ a snowstorm / in South Africa, / or a drought in the rain forest. 해몬드 토네이도는 / 눈폭풍과 같았다 / 남아프리카의 / 아니면 열대우림의 가뭄과 같다

해석 해몬드 토네이도는 남아프리카에서의 눈폭풍이나 열대우림에서의 가뭄과 같았다.

해설 뒤에 명사가 오므로 전치사 like(~처럼)가 적절하다. alike는 '한결같이, 똑같이'를 의미한다.

so vs. such

so ~ that 용법

I was **so sick** yesterday / **that** I couldn't study at all.

형용사가 나올 경우 such가 아닌 so가 쓰여야 한다.

나는 어제 너무 아팠다 / 그래서 나는 전혀 공부를 할 수가 없었다
··· 나는 어제 너무 아파서 공부를 전혀 할 수가 없었다.

Grammar Point

❶ so는 뒤에 형용사나 부사만 올 수 있다. such는 명사가 반드시 와야 한다.
❷ so/such ~ that ... : 너무 ~해서 …하다
❸ so/as/how + 형용사 + a(n) + 명사 vs. such/what/quite + a(n) + 형용사 + 명사

Words & Phrases

not ~ at all 전혀 ~이 아니다
slave 노예
assistant 조력자
volunteer 자원봉사자
notice 알아차리다
poisonous 독성의
serve 도움이 되다
novel 참신한
approach 방법
affect 영향을 주다

다음 중 알맞은 것을 고르시오.

01 The slave was [so / such] a great person that the lion didn't kill him.

02 Should [so / such] a lawyer fire his assistant and do his own typing?

03 [A quite few / Quite a few] volunteers counted correctly, but some noticed nothing.

04 This tree is poisonous and grows [so / such] full and thick that it kills all plants growing beneath it.

05 Even if you do not act in the show, mastering [so / such] a difficult role will serve you well in the future.

06 Most people can see how powerfully [such a novel approach / such novel an approach] would affect their opportunities.

끊어 읽으면 답이 보인다!

POINT 044

[01 - 06] 빈칸에 알맞은 말을 넣으시오.

01

such + a(n) + 형용사 + 명사

The slave was ____________ a great person / that the lion didn't kill him.

그 노예는 너무나도 대단한 사람이라서 / 사자는 그를 죽이지 않았다

해석 그 노예는 너무나도 대단한 사람이어서 사자는 그를 죽이지 않았다.

해설 뒤에 [such + a(n) + 형용사 + 명사]의 어순이므로 such가 적절하다.

02

such + a(n) + 명사

Should ____________ a lawyer / fire his assistant / and do his own typing?

그런 변호사가 / 그의 조수를 해고하고 / 그리고 자신의 타이핑을 해야만 하나

해석 그런 변호사가 그의 조수를 해고하고 자신이 타이핑을 해야만 하나?

해설 [such + a(n) + 명사]의 어순이므로 such가 적절하다. so는 뒤에 형용사나 부사가 와야 한다.

03

quite + a(n) + 형용사 + 명사

____________ volunteers / counted correctly, / but some noticed nothing.

꽤 많은 자원봉사자들이 / 올바르게 셌다 / 하지만, 일부는 아무 것도 알아차리지 못했다.

해석 꽤 많은 자원봉사자들이 제대로 숫자를 셌지만, 일부는 어떠한 것도 알아차리지 못했다.

해설 [quite + a(n) + 형용사 +명사]의 어순이다. *quite a few 꽤 많은

04

so + 형용사

This tree is poisonous / and grows ____________ full and thick / that it kills all plants / growing beneath it. 이 나무는 독성이 있고 / 너무 완전히 그리고 두텁게 자라서 / 그것은 모든 식물을 죽인다 / 그 아래에서 자라는

해석 이 나무는 독성이 있고 너무 완전하고 두텁게 자라서 자기 아래서 자라는 모든 식물을 죽인다.

해설 such는 뒤에 반드시 명사가 나와야 하는데 이 문장에서는 명사가 없으므로 so가 적절하다.

05

S such + a(n) + 형용사 + 명사 V

Even if you do not act / in the show, / [mastering ____________ a difficult role] / will serve you well / in the future.

비록 당신이 연기하지 않더라도 / 쇼에서 / 그런 어려운 역을 마스터하는 것은 / 당신에게 좋다 / 미래에

해석 비록 당신이 그 쇼에서 연기를 하지 않더라도, 그런 어려운 역할을 마스터해내는 것은 미래에 당신에게 좋다.

해설 [such + a(n) + 형용사 + 명사]의 어순이므로 such가 적절하다. *so + 형용사 + a(n) + 명사

06

such + a(n) + 형용사 + 명사

Most people can see / how powerfully / ____________ a novel approach / would affect their opportunities. 대부분의 사람들은 알 수 있다 / 얼마나 강력하게 / 그런 참신한 방법이 / 그들의 기회에 영향을 줄 수 있는지

해석 대부분의 사람들은 그렇게나 참신한 방법이 얼마나 강력하게 그들의 기회에 영향을 미치는지 알 수 있다.

해설 [such + a(n) + 형용사 + 명사]의 어순이므로 such가 적절하다.

주의해야 할 형용사 어순

[One of the most successful writers / of all time] /
S

said **something similar** / about a hundred years earlier.
V

→ -thing은 형용사가 뒤에서 수식한다, similar something (X)

가장 성공적인 작가 중 한 명은 / 모든 시대에서 / 비슷한 것을 말했다 / 약 백 년이나 일찍
⋯ 역대 가장 성공한 작가 중 한 명도 약 백 년 전 이와 비슷한 말을 했다.

Grammar Point

❶ -thing 로 끝나는 명사는 형용사가 뒤에서 수식을 한다. -thing + 형용사

❷ [형용사 + enough]의 어순을 가진다. pretty enough (O)   enough pretty (X)

❸ 형용사구의 경우 명사를 뒤에서 수식하기도 한다.
Two thieves stopped a train and stole mailbags full of money.
2명의 도둑은 기차를 멈췄고, 돈으로 가득 찬 우편가방을 훔쳤다.

다음 중 알맞은 것을 고르시오.

01 I didn't look into the manual [enough hard / hard enough].

02 There's [exciting something / something exciting] about getting a letter in the mail.

03 It is useless to worry that you are not [enough beautiful / beautiful enough].

04 [Nothing great / Great nothing] was ever gained without effort and enthusiasm.

05 The show would become [enough contagious / contagious enough] to improve education.

06 When I said [different something / something different] and broke the promise, there was a much bigger battle.

Words & Phrases

successful 성공적인
similar 유사한
useless 쓸모없는
effort 노력
enthusiasm 열정
contagious 전염되는, 전염성의
improve 개선하다

끊어 읽으면 답이 보인다!

POINT 045

[01-06] **빈칸에 알맞은 말을 넣으시오.**

01

형용사 + enough

I didn't look into the manual / ______________.

나는 매뉴얼을 조사하지 않았다 / 충분히 열심히

해석 나는 그 매뉴얼을 충분히 열심히 조사하지 않았다.

해설 [형용사+enough]의 어순으로 hard enough가 적절하다.

02

something + 형용사

There's ______________ / about getting a letter / in the mail.

흥미진진한 무언가가 있다 / 편지를 얻는 것에 대한 / 우편으로

해석 우편으로 편지를 받는 것에 대한 흥미진진한 무언가가 있다.

해설 -thing으로 끝나는 말은 형용사가 뒤에서 수식한다. 따라서 something exciting이 적절하다.

03

가주어-진주어 / 형용사 + enough

It is useless / to worry / that you are not ______________.

쓸모가 없다 / 걱정하는 것은 / 당신이 충분히 아름답지 않다고

해석 당신이 충분히 아름답지 않다고 걱정하는 것은 쓸모없다.

해설 [형용사+enough]의 어순으로 beautiful enough가 적절하다.

04

nothing + 형용사

______________ / was ever gained / without effort and enthusiasm.

어떠한 위대한 것도 / 얻지 못했다 / 노력과 열정 없이

해석 어떠한 위대한 것도 노력과 열정이 없다면 얻을 수 없다.

해설 -thing으로 끝나는 말은 형용사가 뒤에서 수식한다. 따라서 Nothing great가 적절하다.

05

형용사 + enough

The show / would become ______________ / to improve education.

그 쇼는 / 충분히 전염성이 있을 것이다 / 교육을 개선할 정도로

해석 그 쇼는 교육을 개선할 정도로 전염성이 충분할 것이다.

해설 [형용사+enough]의 어순으로 contagious enough가 적절하다.

06

something + 형용사

When I said ______________ / and broke the promise, / there was a much bigger battle.

내가 다른 무언가를 말하고 / 약속을 깼을 때 / 엄청나게 커다란 다툼이 있었다

해석 내가 다른 무언가를 말하고 약속을 깰 때, 더 커다란 싸움이 있었다.

해설 -thing으로 끝나는 말은 형용사가 뒤에서 수식한다. 따라서 something different가 적절하다.

Point (043-045) Review

p.20

[01-10] 다음 중 알맞은 것을 고르시오.

01 We can always learn [new something / something new] every time we observe a robin.

02 Karl Popper, who ironically was a professor of scientific method, denied that there was [so / such] a thing as a scientific method.

03 This park is not [as a quiet place / as quiet a place] as it used to be.

04 Cover this [asleep / sleeping] child with your coat or he may catch a cold.

05 In reality, fire comes in many forms [alike / like] candle flame, charcoal fire, and torch light.

06 [Powerful something / Something powerful] happens inside most people when they are listened to.

07 Many of the technological advances have sparked a reaction among bakers and consumers [likely / alike].

08 Despite her disability, she tried to lead [as a normal life / as normal a life] as possible.

09 She came into the room [so / such] quickly that we didn't see her coming.

10 There is [nothing unhealthy / unhealthy nothing] with this diet.

POINT

046~048

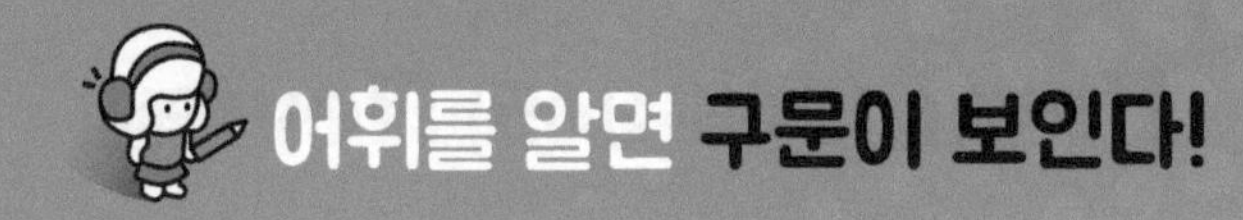

체크! Words & Phrases

POINT 046

□ commercial	광고, 상업의
□ when it comes to	~에 대하여
□ innovation	혁신
□ put stress on	~을 강조하다
□ conversation	대화
□ draw	끌어들이다
□ participant	참가자
□ excited	흥분한

POINT 047

□ seek	추구하다
□ accept	받아들이다
□ critical	비판적인
□ employee	근로자, 직원
□ science fiction	공상과학소설
□ involve	포함하다
□ spaceship	우주선
□ manageable	관리 가능한
□ indoors	실내
□ chase	쫓아가다

POINT 048

□ favorite	선호하는
□ amusement park	놀이동산
□ frequently	빈번히
□ skip	거르다
□ lose weight	살을 빼다
□ duty	책임
□ junior	어린

★모르는 단어에 체크하고, 소리 내어 10번만 뜻과 함께 말해 보세요.

[01-20] 다음 빈칸에 알맞은 우리말 뜻이나 단어를 쓰시오.

01 accept ____________

02 critical ____________

03 duty ____________

04 employee ____________

05 manageable ____________

06 indoors ____________

07 draw ____________

08 participant ____________

09 amusement park ____________

10 frequently ____________

11 공상과학소설 ____________

12 포함하다 ____________

13 ~에 대하여 ____________

14 혁신 ____________

15 거르다 ____________

16 살을 빼다 ____________

17 쫓아가다 ____________

18 광고, 상업의 ____________

19 대화 ____________

20 추구하다 ____________

비교급

뒤에 나오는 것과 비교할 경우 -er과 than을 사용한다.

Martin thinks / his life would be **better than** now / if he were able to move / to another city.

마틴은 생각한다 / 그의 인생은 지금보다는 더 나을 거라고 / 만약 그가 이사를 갈 수 있다면 / 다른 도시로
··· 마틴은 다른 도시로 이사를 갈 수 있다면 지금보다는 그의 인생이 더 좋아질 거라고 생각한다.

Grammar Point

❶ than은 비교급과 함께 쓰인다.
-er + than B (B보다 더 ~한)

❷ 형용사/부사가 2~3음절 이상일 경우 앞에 more를 붙인다.
more beautiful　　more friendly　　more carefully

❸ as ~ as 사이에는 형용사/부사의 원급이 쓰인다.
as 원급 as B (B만큼 ~하는)

Words & Phrases

- **commercial** 광고, 상업의
- **be called B** B라고 불리우다
- **when it comes to** ~에 대하여
- **innovation** 혁신
- **put stress on** ~을 강조하다
- **conversation** 대화
- **draw** 끌어들이다
- **participant** 참가자
- **excited** 흥분한

다음 문장의 밑줄 친 부분을 해석하시오.

01 The commercial will not say that <u>a product is better than others.</u>

02 Although the paint is called Sky Blue, <u>I think it is more green than blue.</u>

03 <u>Small companies can be greater than large ones</u> when it comes to innovation.

04 English class puts <u>more stress on conversation than on reading.</u>

05 Some games have <u>drawn as many as 20,000 participants.</u>

06 I don't feel <u>as excited at this game as I felt at the last one.</u>

끊어 읽으면 답이 보인다!

POINT 046

[01 - 06] 빈칸에 알맞은 말을 넣으시오.

01

비교급 + than

The commercial / will not say / that a product is __________ / than others.

광고는 / 말하지 않을 것이다 / 한 상품이 더 낫다 / 다른 것들보다

해석 광고는 한 상품이 다른 것들보다 더 낫다고 말하지 않을 것이다.

해설 뒤에 than이 있으므로 비교급 better가 적절하다.

02

비교급 + than

Although the paint is called / Sky Blue, / I think / it is __________ green / than blue.

비록 그 페인트가 불리더라도 / 스카이 블루라고 / 나는 생각한다 / 그것은 녹색에 가깝다 / 파랗기보다

해석 그 페인트가 스카이 블루라고 불리더라도, 나는 그것은 파랗기보다 녹색에 가깝다고 생각한다.

해설 뒤에 than이 있으므로 비교급 more가 적절하다.

03

비교급 + than / companies / ~에 관하여

Small companies / can be __________ / than large ones / when it comes to innovation.

작은 회사들은 / 더 위대해질 수 있다 / 큰 회사들보다 / 혁신에 관해서

해석 혁신에 대해서는 작은 회사들이 큰 회사들보다 더 위대해질 수 있다.

해설 뒤에 than이 있으므로 비교급 greater가 적절하다.

04

비교급 + than

English class / puts __________ stress / on conversation / than on reading.

영어 수업은 / 더 강조를 두고 있다 / 회화에 / 읽기보다

해석 영어 수업은 읽기보다 회화에 더 많은 강조를 두고 있다.

해설 뒤에 than이 있으므로 비교급 more가 적절하다.

05

as + 형용사 원급 + as

Some games / have drawn / as __________ as / 20,000 participants.

일부 게임들은 / 끌어들였다 / ~만큼 많이 / 2만 명의 참가자들

해석 일부 게임은 무려 2만 명의 참가자들을 끌어들였다.

해설 as와 as 사이에는 원급이 오므로 many가 적절하다.

06

as + 형용사 원급 + as / game

I don't feel / as __________ / at this game / as I felt / at the last one.

나는 느끼지 않는다 / 흥분됨을 / 이 게임에 / 내가 느낀 것처럼 / 지난 게임에서

해석 나는 저번 게임에서 느꼈던 만큼의 흥분이 이 게임에서는 느껴지지 않는다.

해설 as와 as 사이에는 원급이 오므로 excited가 적절하다.

비교급 강조

very, too (X) → 뒤에 나오는 비교급을 강조한다.

An image has a **much greater** impact / on your brain / than words.

이미지는 더 큰 영향력을 준다 / 당신의 두뇌에 / 단어들보다
⋯→ 이미지는 글자보다 당신의 두뇌에 더욱 더 큰 영향을 준다.

Grammar Point

❶ 비교급을 강조하는 것은 much, far, even, still, a lot이다.
❷ very, too, more는 비교급을 강조할 수 없다.

Words & Phrases

- **have an impact on** ~에 영향을 주다
- **be likely to** ~할 가능성이 크다
- **seek** 추구하다
- **accept** 받아들이다
- **critical** 비판적인
- **employee** 근로자, 직원
- **science fiction** 공상과학소설
- **involve** 포함하다
- **spaceship** 우주선
- **manageable** 관리 가능한
- **indoors** 실내
- **chase** 쫓아가다

다음 중 알맞은 것을 고르시오.

01 Learning about these patterns helps us to understand the world [a lot / very] better.

02 They are [too / far] less likely to seek or accept critical feedback from their employees.

03 Science fiction involves [very / much] more than shiny robots and fantastical spaceships.

04 Jamie thought the next game would be [much / many] better if he did his best.

05 In skateboarding, the asphalt tends to hurt [much / very] more than snow when you fall on the ground.

06 Your pet is going to be [far / too] more manageable indoors if you take him or her outside to chase a ball for an hour every day.

끊어 읽으면 답이 보인다!

POINT 047

[01-06] **빈칸에 알맞은 말을 넣으시오.**

01

S V

[Learning about these patterns] / helps / us / to understand the world / __________ better.
이러한 패턴을 배우는 것은 / 돕는다 / 우리가 / 그 세상을 이해하는 것을 / 더 잘

해석 이러한 패턴을 배우는 것은 우리가 세상을 더 잘 이해하도록 돕는다.
해설 뒤의 비교급 better를 강조하는 a lot이 적절하다.

02

They are __________ less likely to / seek or accept critical feedback / from their employees. 그들은 더 가능성이 적다 / 비판적인 피드백을 추구하거나 인정할 / 그들의 직원으로부터

해석 그들은 그들의 직원들로부터 비판적인 피드백을 추구하거나 인정할 가능성이 더욱 없다.
해설 뒤의 비교급 less를 강조하는 far가 적절하다.

03

Science fiction / involves __________ more / than shiny robots and fantastical spaceships. 공상 과학 소설은 / 더 많이 포함한다 / 멋진 로봇이나 환상적인 우주선보다

해석 공상 과학 소설은 멋진 로봇이나 환상적인 우주선 이상의 것을 포함한다.
해설 뒤의 비교급 more를 강조하는 much가 적절하다.

04

Jamie thought / the next game would be __________ better / if he did his best.
제이미는 생각했다 / 다음번 게임은 훨씬 좋을 수도 있다고 / 만약 그가 최선을 다한 다면

해석 제이미는 최선을 다한다면, 다음번 게임은 훨씬 더 나아질 것이라고 생각했다.
해설 뒤의 비교급 better를 강조하는 much가 적절하다.

05

in -ing: ~할 때

In skateboarding, / the asphalt tends to hurt / __________ more / than snow / when you fall / on the ground. 스케이트보드를 탈 때 / 아스팔트는 다치게 하는 경향이 있다 / 훨씬 더 많이 / 눈보다 / 여러분이 넘어졌을 때 / 바닥에

해석 스케이트보드를 탈 때, 여러분이 바닥에 넘어질 때, 아스팔트는 눈보다 훨씬 더 많이 다치게 하는 경향이 있다.
해설 뒤의 비교급 more를 강조하는 much가 적절하다.

06

Your pet / is going to be __________ more manageable / indoors / if you take him or her / outside / to chase a ball / for an hour every day.
어려분의 애완동물은 / 훨씬 더 다루기가 쉬울 수 있을 것이다 / 실내에서 / 만약 여러분이 그를 데리고 나간다면 / 밖으로 / 공을 잡기 위해서 / 매일 한 시간 동안

해석 여러분의 애완동물을 매일 밖으로 데리고 나가서 한 시간 동안 공을 쫓아다니게 하면 실내에서 다루기가 훨씬 더 쉬워질 것이다.
해설 뒤의 비교급 more manageable을 강조하는 far가 적절하다.

as vs. than vs. to

비교급이 나오므로 뒤에는 전치사 than이 온다.

The center of the sun / is 250,000 times **hotter** / **than** the hottest summer day / at your favorite amusement park.

태양이 중심은 / 25만 배가 더 뜨겁다 / 가장 더운 여름날보다 / 당신이 좋아하는 놀이공원에서

⋯› 태양의 중심은 가장 좋아하는 놀이공원에서의 가장 더운 여름날보다 25만 배가 더 뜨겁다.

❶ -er이 붙는 비교급 뒤에는 전치사 than이 나온다.
❷ 동급을 나타내는 as ~ as에는 형용사/부사의 원급이 나온다.
❸ superior, inferior, prior, prefer, junior, senior 뒤에는 than이 아닌 to가 온다.

다음 중 알맞은 것을 고르시오.

01 The difference between the sides is not as [wide / wider] as it was.

02 There was no word I heard more frequently [as / than] "Mine!" from my daughters.

03 I would say you're beautiful, cool, and superior [to / than] any other person in the world.

04 Riding a bicycle is [good / better] than skipping meals if you want to lose weight.

05 It will take three times longer for him to finish the project [as / than] before.

06 My duty is to help new employees who are junior [to / than] me.

Words & Phrases

favorite 선호하는
amusement park 놀이동산
frequently 빈번히
daughter 딸
skip 거르다
lose weight 살을 빼다
duty 책임
junior 어린

끊어 읽으면 답이 보인다!

[01-06] **빈칸에 알맞은 말을 넣으시오.**

01

as 원급 as

[The difference / between the sides] / is not as ________ as / it was.

차이점은 / 양쪽 사이의 / 크지 않다 / 예전에 그랬던 것보다

해석 양쪽의 차이는 그 전만큼 크지 않다.

해설 as ~ as 사이에 오므로 형용사의 원급이 온다. 따라서 wide가 적절하다.

02

비교급 + than

There was no word / I heard more frequently / ________ "Mine!" / from my daughters.

한 마디도 없다 / 내가 더 빈번히 들었던 / "내 거야"보다 / 내 딸들로부터

해석 내 딸들로부터 "내 거야"보다 더 빈번히 들었던 말은 없었다.

해설 앞에 비교급 more frequently가 있으므로 than이 온다.

03

superior + to

I would say / you're beautiful, cool, / and superior ________ any other person / in the world. 나는 말할지도 모른다 / 당신은 아름답고 멋지다고 / 그리고 어떤 다른 사람들보다 우월하다고 / 세상에서

해석 나는 당신이 아름답고 멋지며, 세상의 어떤 다른 사람보다도 우월하다고 말할지도 모른다.

해설 superior은 뒤에 than이 아닌 to가 온다.

04

비교급 + than

Riding a bicycle is ________ / than skipping meals / if you want to lose weight.

자전거를 타는 것이 더 좋다 / 식사를 거르는 것보다 / 살을 빼고 싶으면

해석 살을 빼고 싶으면 식사를 거르는 것보다 자전거를 타는 것이 더 낫다.

해설 뒤에 than이 있으므로 비교급 better가 적절하다.

05

의미상의 주어

It will take three times longer / for him / to finish the project / ________ before.

3배 정도 시간이 더 걸릴 것이다 / 그가 / 그 프로젝트를 끝내는 데 / 이전보다

해석 그가 그 프로젝트를 끝내는 데 이전보다 3배 이상이 걸릴 것이다.

해설 앞에 비교급 three times longer가 있으므로 than이 온다.

06

junior + to

My duty / is to help new employees / who are junior ________ me.

내 책임은 / 새로운 직원들을 도와주는 것이다 / 나보다 어린

해석 내 책임은 나보다 어린 새로운 직원들을 도와주는 것이다.

해설 junior는 뒤에 than이 아닌 to가 온다.

Point (046~048) Review

p.21

[01-10] 다음 중 알맞은 것을 고르시오.

01 I advised him to research as much about the case [as / than] possible.

02 I don't understand why our team is inferior [to / than] others.

03 Some toy animals stayed at sea [even / very] longer.

04 You might have found your child playing [much / more] with the box than the toy.

05 A personal note written by your own hand matters [very / far] more than a few lines of typing.

06 Why do you prefer the typewriter [to / than] the computer?

07 The same amount of water flows faster and stronger through a narrow strait [as / than] across the open sea.

08 This cafe is almost as [good / better] as the one we went to yesterday.

09 The existing set of conditions is [too / much] less satisfactory and a new set of conditions would be desirable.

10 Soccer is gaining more popularity [to / than] other sports including baseball, basketball, and ice hockey.

POINT
049~051

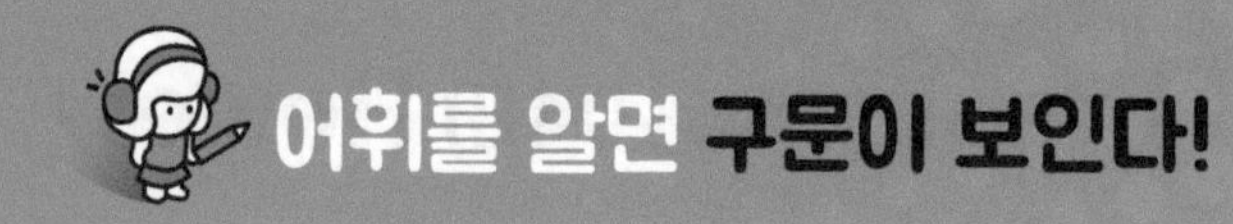

체크! Words & Phrases

POINT 049

□ nap	낮잠
□ meal	식사
□ superstition	미신
□ widely	널리
□ unlucky	불운한
□ knowledge	지식
□ inform	알려 주다

POINT 050

□ break time	휴식 시간
□ experienced	경험 있는
□ workbook	작업일지
□ walkway	통로
□ narrow	좁은
□ afford	~할 여유가 있다
□ intuitive	직관력이 있는
□ marvelous	놀라운
□ striking	눈에 띄는
□ insight	통찰력

POINT 051

□ pass on	전달하다
□ generation	세대
□ visual	시각적인
□ expression	표현
□ improve	향상시키다
□ performance	공연
□ loser	패배자

★모르는 단어에 체크하고, 소리 내어 10번만 뜻과 함께 말해 보세요.

[01-20] 다음 빈칸에 알맞은 우리말 뜻이나 단어를 쓰시오.

01 insight ____________

02 visual ____________

03 widely ____________

04 superstition ____________

05 workbook ____________

06 walkway ____________

07 nap ____________

08 meal ____________

09 improve ____________

10 performance ____________

11 경험 있는 ____________

12 휴식 시간 ____________

13 직관력이 있는 ____________

14 놀라운 ____________

15 세대 ____________

16 지식 ____________

17 알려 주다 ____________

18 좁은 ____________

19 눈에 띄는 ____________

20 패배자 ____________

다양한 비교급 표현 1

the 비교급 ~, the 비교급: ~하면 할수록 더 ~하다

The more kids take to school, / **the more** / they can lose.

더 많은 것을 아이들이 학교에 가지고 가면 갈수록 / 더 많다 / 그들이 잃을 수 있는 것이
··· 아이들이 더 많은 것을 학교에 가지고 가면 갈수록, 그들은 더 많은 것을 잃을 수 있다.

Grammar Point

❶ the 비교급 ~, the 비교급 ~: ~하면 할수록 더 ~하다
❷ 비교급 and 비교급: 점점 더 ~하는
❸ 부정어와 비교급이 결합되면 최상급의 의미를 가진다.
Nobody is stronger than me! 나보다 더 강한 사람은 없다!

다음 문장의 밑줄 친 부분을 해석하시오.

01 So it gets drier and drier as it climbs.

02 No other boy in his class is as tall as Tom.

03 Nothing is better than a short nap after eating a big meal.

04 The more social connections you have, the better your chances are for success.

05 Of all superstitions, few are as widely believed as that the number thirteen is unlucky.

06 The more you know about baseball, the more that knowledge informs how you see a game.

Words & Phrases

nap 낮잠
meal 식사
superstition 미신
widely 널리
unlucky 불운한
knowledge 지식
inform 알려 주다

끊어 읽으면 답이 보인다!

[01-06] **빈칸에 알맞은 말을 넣으시오.**

01

get + 비교급 and 비교급: 점점 ~해지다

So it gets ________ and ________ / as it climbs.

그래서 그것은 점점 더 건조해진다 / 그것이 올라감에 따라

해석 그래서 그것이 올라갈 때, 점점 더 건조해진다.

해설 '점점 더 건조해진다'는 뜻이므로 drier and drier가 적절하다.

02

as + 원급 + as

[No other boy / in his class] / is as ________ as / Tom.

어떤 다른 소년도 아니다 / 그의 교실에서 / 키가 크다 / 톰만큼

해석 교실에서 어떤 소년도 톰만큼 키가 크지 않다.

해설 톰이 가장 키가 크다는 뜻인데 부정어 No로 시작하고 비교급이 오면 최상급의 의미이다. 따라서 as와 as사이에는 tall이 적절하다.

03

부정어 + 비교급

Nothing is better / ________ a short nap / after eating a big meal.

어떤 것도 더 좋지 않다 / 짧은 낮잠보다 / 과식한 다음에

해석 과식한 다음에 짧은 낮잠보다 더 좋은 것은 없다.

해설 부정어 Nothing이 있으므로 better 다음에 than이 적절하다.

04

the 비교급 ~, the 비교급 ~

The more social connections / you have, / ________ / your chances are / for success.

인맥이 더 많으면 많을수록 / 당신이 가진 / 더 좋다 / 당신의 기회는 / 성공을 위한

해석 인맥을 많이 가지면 가질수록 당신이 성공할 기회는 더 좋아진다.

해설 앞에 비교급의 the more가 있으므로 "~하면 할수록 더 ~하다"는 의미의 the better가 적절하다.

05

부정어 + 비교급

Of all superstitions, / few are as widely believed / ________ that the number thirteen is unlucky.

모든 미신 중에서 / 널리 믿어지는 것은 거의 없다 / 숫자 13이 불행하다는 것만큼

해석 모든 미신 중에서 숫자 13이 불행하다는 것만큼 널리 믿고 있는 것은 거의 없다.

해설 부정어 few가 있고 앞에 as가 있으므로 as가 와야 한다.

06

the 비교급 ~, the 비교급 ~

The more / you know about baseball, / ________ / that knowledge / informs / how you see a game. 더 많으면 많을수록 / 당신이 야구에 대해서 아는 게 / 더 많아진다 / 그 지식이 / 알려 준다 / 당신이 경기를 어떻게 보는지

해석 당신이 야구에 대해서 많이 알면 알수록, 그러한 지식은 당신이 경기를 어떻게 보는지에 대해 더 많이 알려 준다.

해설 앞에 The more로 시작하므로 뒤에도 [the 비교급] 형태인 the more가 적절하다.

다양한 비교급 표현 2

'만원보다 적지 않다'는 내용이니 '~씩이나'이라는 의미를 가진다. 즉, '만원 씩이나'라고 이해하면 된다.

He paid / **no less than** 10,000 won / for lunch and coffee.

그는 지불했다 / 만 원씩이나 / 좋은 점심과 커피를 위해서
⋯› 그는 점심과 커피 값으로 만 원씩이나 지불했다.

Grammar Point

❶ 유용한 비교급 표현

no more than = only 단지, 고작
not more than = at most 많아야, 기껏해야
no less than = as much as ~만큼이나
not less than = at least 적어도, 최소한
no longer = not ~ any longer 더 이상 ~이 아니다

❷ A is no more B than C is D : A가 B가 아닌 것은 C가 D가 아닌 것과 같다.
A whale is no more a fish than a horse is (a fish).
고래가 물고기가 아닌 것은 말이 물고기가 아닌 것과 같다.

Words & Phrases

break time 휴식 시간
experienced 경험 있는
workbook 작업일지
walkway 통로
narrow 좁은
afford ~할 여유가 있다
intuitive 직관력이 있는
marvelous 놀라운
striking 눈에 띄는
insight 통찰력

다음 문장의 밑줄 친 부분을 해석하시오.

01 There was no more than twenty minutes of break time.

02 John is no less experienced in the marketing field than Mark.

03 This workbook takes no more than two weeks to complete.

04 This wooden walkway was very narrow, but not less than fifteen feet long.

05 Because she has not less than one hundred dollars, she can afford to buy the bag.

06 Our everyday intuitive abilities are no less marvelous than the striking insights of an experienced chess master.

끊어 읽으면 답이 보인다! POINT 050

[01-06] 빈칸에 알맞은 말을 넣으시오.

01

= only

There was ______________ twenty minutes / of break time.

겨우 20분만 있었다 / 쉬는 시간이

해석 고작 20분의 쉬는 시간이 있었다.

해설 only와 같은 뜻의 no more than이 적절하다.

02

= as much as

John is no less experienced / in the marketing field / ______________ Mark.

존은 숙련됐다 / 마케팅 분야에서 / 마크만큼

해석 존은 마케팅 분야에서 마크만큼 숙련됐다.

해설 as much as(~만큼이나)와 같은 뜻인 no less than이 와야 하므로 than이 적절하다.

03

= only

This workbook / takes ______________ two weeks / to complete.

이 작업일지는 / 단지 2주가 걸린다 / 완성하는 데

해석 이 작업일지는 완성하는 데 단 2주 걸린다.

해설 only와 같은 뜻의 no more than이 적절하다.

04

= at least

This wooden walkway / was very narrow, / but ______________ fifteen feet long.

이 나무로 된 통로는 / 매우 좁았다 / 하지만 최소한 15피트는 된다

해석 이 나무로 된 통로는 매우 좁았지만, 최소한 15피트는 된다.

해설 at least(적어도, 최소한)와 같은 뜻의 not less than이 적절하다.

05

= at least

Because she has ______________ one hundred dollars, / she can afford / to buy the bag.

그녀는 최소한 100달러는 가지고 있기 때문에 / 그녀는 여유가 있다 / 그 가방을 살

해석 그녀는 최소한 100달러는 가지고 있기 때문에 그 가방을 살 여유가 있다.

해설 at least와 같은 뜻의 not less than이 적절하다.

06

= as marvelous as

Our everyday intuitive abilities / are ______________ marvelous than / the striking insights / of an experienced chess master.

우리의 매일 매일의 직관력은 / 놀랍다 / 놀라운 직관력만큼이나 / 숙련된 체스 마스터의

해석 우리의 매일 매일의 직관력은 숙련된 체스 마스터의 놀라운 직관력만큼이나 놀랍다.

해설 as ~ as(~만큼)와 같은 뜻의 no less than이 와야 하므로 no less가 적절하다.

most vs. almost

Proverbs / **that are passed on** / **from generation to generation** are **almost all** visual expressions.

'수'와 관련된 것이 나오면 almost가 온다

속담은 / 전달된 / 세대를 거쳐서 / 거의 모두 시각적 표현들이다
⋯→ 세대를 거쳐서 전수된 속담들은 거의 모두 시각적인 표현들이다.

Grammar Point

※ most는 '대부분(의); 가장'을 의미하며, almost는 '거의'를 나타낸다.

most	대부분(의), 가장(최상급) + 명사 + of the 명사 the most + 형용사/부사(최상급)
almost	거의 + 숫자 관련 표현들 + all, everything, nothing, 숫자 always, completely, fully, as if

다음 중 알맞은 것을 고르시오.

01 [Most / Almost] musicians improve their music through live performances.

02 People's opinions are based [most / almost] always upon their feelings.

03 When babies cry at night, [most / almost] parents wake up quickly to take care of them.

04 It's [most / almost] impossible for us to sit still and do nothing, even for a few minutes.

05 [Most / Almost] of the time, the loser leaves the field quickly, while the winner stays and celebrates.

06 Watch TV for a few hours and you will find that [most / almost] everyone on TV is shown as rich and good-looking.

Words & Phrases

- pass on 전달하다
- generation 세대
- visual 시각적인
- expression 표현
- improve 향상시키다
- performance 공연
- loser 패배자

끊어 읽으면 답이 보인다!

POINT 051

[01 – 06] **빈칸에 알맞은 말을 넣으시오.**

01

대부분의 음악가

_________ musicians / improve their music / through live performances.

대부분의 음악가들은 / 그들의 음악을 향상시킨다 / 라이브 공연을 통해서

해석 대부분의 음악가들은 라이브 공연을 통해서 그들의 음악을 향상시킨다.

해설 해석상 almost(거의)보다는 most(대부분의)가 더 자연스러우므로 Most가 적절하다.

02

거의 항상

People's opinions / are based / _________ always / upon their feelings.

사람들의 의견은 / 근거를 둔다 / 거의 항상 / 그들의 느낌에

해석 사람들의 의견은 거의 항상 그들의 느낌에 근거를 둔다.

해설 most(가장)보다는 almost(거의)가 더 자연스럽다. 그리고 almost 뒤에 100%를 나타내는 always(항상)가 나온다.

03

대부분의 부모들

When babies cry at night, / _________ parents wake up / quickly / to take care of them.

아이들이 밤에 울 때 / 대부분의 부모들은 깬다 / 빠르게 / 그들을 돌보기 위해서

해석 아이들이 밤에 울 때, 대부분의 부모들은 그들을 돌보기 위해서 빨리 깬다.

해설 해석상 almost(거의)보다는 most(대부분의)가 더 자연스럽다.

04

거의 불가능한 / 의미상의 주어

It's _________ impossible / for us / to sit still / and do nothing, / even for a few minutes.

가주어–진주어 구문

거의 불가능하다 / 우리가 / 조용히 앉아서 / 아무것도 하지 않는 것은 / 심지어 몇 분 동안

해석 심지어 몇 분 동안 우리가 조용히 앉아서 아무것도 하지 않는 것은 거의 불가능하다.

해설 most(가장)보다는 almost(거의)가 더 자연스럽다. 그리고 almost 뒤에 0%를 나타내는 impossible(불가능한)이 나온다.

05

시간의 대부분

_________ of the time, / the loser / leaves the field quickly, / while the winner stays / and celebrates. 대개 / 패배자는 / 필드를 빨리 떠난다 / 반면에 승리자는 머문다 / 그리고 기념한다

해석 대개 패배자는 필드를 빨리 떠나는 반면, 승리자는 머물고 (승리를) 기념한다.

해설 해석상 almost(거의)보다는 most(대부분)가 더 자연스럽다.

06

거의 모든 사람

Watch TV / for a few hours / and you will find / that _________ everyone on TV / is shown / as rich and good-looking.

TV를 봐라 / 몇 시간 동안 / 그러면 당신은 깨달을 것이다 / TV 속의 거의 모든 사람들은 / 나온다 / 부유하고 잘 생기게

해석 TV를 몇 시간 동안 봐라. 그러면 당신은 TV 속의 거의 모든 사람들이 부유하고 잘 생기게 나온다는 것을 깨달을 것이다.

해설 most(대부분)보다는 almost(거의)가 더 자연스럽다. 그리고 almost 뒤에 100%를 나타내는 everyone(모든 사람)이 나온다.

Point (049~051) Review

p.22

[01-10] 다음 중 알맞은 것을 고르시오.

01 The [more / much] knowledge we gain, the more confusion we obtain to go along with it.

02 In my opinion, however, [almost / the most] effective way is to practice.

03 They used [most / almost] of the prize money for the end-of-the-year field trip.

04 The more cattle a man owns, [the rich / the richer] he is considered to be.

05 Some students are [most / almost] always less satisfied with their results.

06 In quicksand, the more you struggle, the [deep / deeper] you'll sink.

07 These days, [most / almost] everyone keeps at least one pet at home.

08 The more mass, or amount of material, an object has, [the strong / the stronger] its gravitational force.

09 They're doing the [most / almost] important thing regularly and, as a result, everything else is easier.

10 The more knowledge and experience a decisionmaker has, [the greater / the greatest] the chance for a good decision.

Chapter 05 Review

p.22

[01 - 10] 다음 중 알맞은 것을 고르시오.

01 In some valleys, there's [little / few] snowfall and strong winds do not allow snow to build up.

02 It's [most / almost] impossible to get the project and revive the company.

03 My mother, [alike / like] most other parents, did not get me to realize the benefits for myself.

04 The dogs were already [happy / happily] playing with a towel they had discovered under the sofa.

05 Consider the motivation to get through the limitation as [quick / quickly] as possible.

06 The Masai are a people who are [continual / continually] trying to preserve their own culture.

07 Castles declined in importance because firearms made them [easy / easily] to attack.

08 Challenge can make your drawback [beautiful / beautifully].

09 Only two of the sensors need to be functioning in order to [proper / properly] monitor the fuel levels.

10 Physicians should pay as [many / much] attention to the comfort and welfare of the patient as to the disease itself.

Chapter

06

동명사

POINT

052~054

어휘를 알면 구문이 보인다!

체크! Words & Phrases

POINT 052

□ experience	경험
□ individual	개인
□ skill	기술
□ make friends	친구를 사귀다
□ raise	모으다
□ laboratory	실험실

POINT 053

□ expose	노출시키다
□ in favor of	~을 선호하는
□ specialized	전문화된
□ knowledge	지식
□ ignore	무시하다
□ invitation	초대
□ express	표현하다
□ individuality	개성
□ present	현재
□ valuable	가치있는

POINT 054

□ delicious	맛있는
□ relationship	관계
□ develop	개발하다, 발전하다
□ weigh	무게가 나가다
□ around	약
□ average	평균
□ immense	거대한
□ hesitate	주저하다
□ reconsume	재소비하다

★모르는 단어에 체크하고, 소리 내어 10번만 뜻과 함께 말해 보세요.

[01-20] 다음 빈칸에 알맞은 우리말 뜻이나 단어를 쓰시오.

01 immense ____________

02 hesitate ____________

03 skill ____________

04 make friends ____________

05 knowledge ____________

06 laboratory ____________

07 relationship ____________

08 develop ____________

09 in favor of ____________

10 specialized ____________

11 무시하다 ____________

12 초대 ____________

13 가치 있는 ____________

14 노출시키다 ____________

15 개성 ____________

16 현재 ____________

17 재소비하다 ____________

18 평균 ____________

19 경험 ____________

20 개인 ____________

동명사의 쓰임

주어로 사용된 동명사 / 단수 취급

[**Having** successful experiences] / **helps** you grow / as an individual / during your youth.

성공적인 경험을 가진다는 것은 / 당신이 성장하도록 도와준다 / 개인으로서 / 젊은 시절 동안
··· 성공적인 경험을 한다는 것은 젊은 시절 동안 개인으로서 성장하도록 도와준다.

❶ V-ing 형태의 동명사는 문장에서 주어, 목적어, 보어로 사용된다.
❷ 동명사 주어는 단수 취급한다.
❸ 전치사 뒤에는 동명사가 와야 한다.

다음 문장의 밑줄 친 부분을 해석하시오.

01 Living without mirrors is living without an image to me.

02 Being a good listener is the most important skill for making new friends.

03 When her father's business failed, she started teaching the children in her hometown.

04 Jack and Jane have raised money for helping others.

05 My favorite activities are watching movies and listening to music.

06 Doing science in the school laboratory can be much more interesting than reading about it.

Words & Phrases

experience 경험
individual 개인
skill 기술
make friends 친구를 사귀다
raise 모으다
laboratory 실험실

끊어 읽으면 답이 보인다!

POINT 052

[01-06] **빈칸에 알맞은 말을 넣으시오.**

01 S ┌ 동명사 주어 V ┌ 동명사 보어

[________ without mirrors] / is ________ / without an image / to me.

거울 없이 사는 것은 / 사는 것이다 / 이미지 없이 / 나에게

해석 거울 없이 사는 것은 나에게 이미지 없이 사는 것이다.

해설 '(거울 없이) 사는 것'이라는 뜻이므로 두 개의 빈칸 모두 동명사 living이 적절하다.

02 S ┌ 동명사 주어 V ┌ 전치사 + 동명사

[________ a good listener] / is the most important skill / for making new friends.

좋은 청자가 되는 것은 / 가장 중요한 기술이다 / 친구를 사귀기 위한

해석 좋은 청자가 되는 것은 친구를 사귀기 위한 가장 좋은 기술이다.

해설 '(좋은 청자가) 되는 것'이라는 뜻이므로 동명사 Being이 적절하다.

03 ┌ 동명사(목적어)

When her father's business failed, / she started / ________ the children / in her hometown. 그녀의 아버지의 사업이 망했을 때 / 그녀는 시작했다 / 아이들을 가르치기 / 그녀의 고향에서

해석 그녀의 아버지의 사업이 실패했을 때, 그녀는 그녀의 고향에서 아이들을 가르치기 시작했다.

해설 started 다음에는 목적어로 동명사가 오므로 teaching이 적절하다.

04 ┌ 전치사 + 동명사

Jack and Jane have raised money / for ________ others.

잭과 제인은 돈을 모았다 / 다른 사람들을 돕기 위해서

해석 잭과 제인은 다른 사람들을 돕기 위한 돈을 모았다.

해설 전치사 for 다음에는 동명사가 와야 하므로 helping이 적절하다.

05 동명사 동명사

My favorite activities / are watching movies / and ________ to music.

내가 최고로 좋아하는 활동은 / 영화를 보는 것과 / 음악을 듣는 것이다.

해석 내가 가장 좋아하는 활동은 영화 보기와 음악 듣기이다.

해설 앞에 동명사 watching이 왔으므로 and 뒤에는 동명사 listening이 적절하다.

06 S ┌ 동명사 주어 V

[________ science / in the school laboratory] / can be much more interesting / than reading about it. 과학을 하는 건 / 학교 실험실에서 / 훨씬 더 흥미로울 수 있다 / 그것에 대해서 읽는 것보다

해석 학교 실험실에서 과학을 하는 것은 그것에 대해서 읽는 것보다 훨씬 더 흥미로울 수 있다.

해설 '(과학을) 하는 것'이라는 뜻이므로 동명사 Doing이 적절하다.

동명사 vs. 명사

전치사 뒤에 오고, 뒤에 목적어가 오므로 동명사가 온다

Some people disagree / with the idea / **of exposing three-year-olds** / to computers.

일부 사람들은 동의하지 않는다 / 그 생각에/ 세 살짜리 아이들을 노출하려는 / 컴퓨터에
⋯→ 몇몇 사람들은 세 살짜리 아이들을 컴퓨터에 노출시키는 것에 대해 동의하지 않는다.

Grammar Point

❶ 전치사 뒤에는 동명사와 명사 모두 올 수 있다.
❷ 동명사는 뒤에 목적어를 가질 수 있지만, 명사는 그럴 수 없다.

전치사 + 동명사 + 목적어
명사 + 전치사구(of)

Words & Phrases

expose 노출시키다
in favor of ~을 선호하는
specialized 전문화된
knowledge 지식
ignore 무시하다
invitation 초대
express 표현하다
individuality 개성
present 현재
valuable 가치있는

다음 중 알맞은 것을 고르시오.

01 Most people are in favor of [usage / using] our resources wisely.

02 There are many people who get specialized knowledge about a certain area through [collection / collecting] things.

03 [Ignorance / Ignoring] the invitation would be rude, wouldn't it?

04 We tend to believe that our taste in music is a great way of [expressing / expression] our individuality.

05 There can be no true understanding of the present without [knowing / knowledge] of the past.

06 There is also the possibility of [damage / damaging] your stuff, some of it valuable.

끊어 읽으면 답이 보인다!

POINT 053

[01 - 06] **빈칸에 알맞은 말을 넣으시오.**

01

전치사 + 동명사 +목적어

Most people are in favor of / __________ our resources / wisely.

대부분의 사람들은 선호한다 / 우리 자원을 사용하는 것을 / 현명하게

해석 대부분의 사람들은 현명하게 우리의 자원을 사용하기를 선호한다.

해설 전치사 of 뒤에 나오며 뒤에 목적어 our resources가 있으므로 동명사 using이 적절하다.

02

전치사 + 동명사 + 목적어

There are many people / who get specialized knowledge / about a certain area / through __________ things. 많은 사람들이 있다 / 특화된 지식을 얻는 / 특정 분야에 대한 / 무언가를 수집함으로써

해석 무언가를 수집함으로써 특정 분야에 대한 특화된 지식을 얻는 많은 사람들이 있다.

해설 전치사 through 뒤에 나오며 뒤에 목적어 things가 있으므로 동명사 collecting이 적절하다.

03

동명사 + 목적어

[__________ the invitation] / would be rude, / wouldn't it?

초대를 무시하는 것은 / 무례할 수 있어 / 그렇죠?

해설 초대를 무시하는 것은 무례할 수 있어, 그렇죠?

해석 주어로 사용되며 뒤에 목적어가 나오므로 동명사 Ignoring이 적절하다.

04

전치사 + 동명사 + 목적어

We tend to believe / that our taste in music / is a great way / of __________ our individuality. 우리는 믿는 경향이 있다 / 음악에 대한 우리의 취향은 / 훌륭한 방법이다 / 우리 개성을 표현하는

해석 우리는 음악에 대한 취향은 개성을 표현하는 훌륭한 방법이라고 믿는 경향이 있다.

해설 전치사 of 뒤에 나오며 뒤에 목적어 our individuality가 있으므로 동명사 expressing이 적절하다.

05

전치사 + 명사 + of(전치사)

There can be no true understanding / of the present / without __________ of the past.

진실된 이해는 없을 수 있다 / 현재에 대한 / 과거에 대한 지식 없이

해석 과거에 대한 지식 없이 현재에 대한 진실된 이해는 없을 수 있다.

해설 전치사 뒤에 나오며, 뒤에는 전치사가 뒤이어 나오므로 명사인 knowledge가 적절하다.

06

전치사 + 동명사 + 목적어

There is also the possibility / of __________ your stuff, / some of it valuable.

마찬가지로 가능성이 있다 / 당신의 물건을 손상할 / 그 중 일부는 귀중합니다

being 생략
= some of it being valuable
= and some of it is valuable

해석 당신 물건을 손상시켰을 가능성이 있는데 그 중 일부는 귀중한 물건이다.

해설 전치사 of 뒤에 나오며 뒤에 목적어 your stuff가 있으므로 동명사 damaging이 적절하다.

POINT 054 동명사 vs. 현재분사

S　　　　　　　　　　　　　　　　　　　　　　　　V

[**Eating** those delicious foods together] / **is** the way / we make relationships strong.

주어로 사용된 동명사 　　　　 동명사 주어: 단수 취급

그러한 맛있는 음식을 함께 먹는 것은 / 방식이다 / 우리가 관계를 강하게 만드는

→ 그런 맛있는 음식을 함께 먹는 것은 우리가 관계를 강하게 만드는 방법이다.

Grammar Point

❶ 문장이 -ing로 시작할 경우, 동명사와 현재분사를 주의해서 구분해야 한다.

❷ 해석이 "~하기, ~하는 것"으로 되며, 뒤에 본동사가 나올 경우 동명사이다.

❸ "-ing"로 시작하고, 뒤에 ",(콤마)"가 나오며, 〈주어+동사〉가 나오면 현재분사이다.

다음 문장의 밑줄 친 부분이 동명사인지 현재분사인지 구별하시오.

01 <u>Developing</u> one skill in great depth can show truth in life.

02 <u>Starting</u> the business, your family used the whole house.

03 <u>Having</u> a small body, the red wolf weighs around 20 kilograms on average.

04 <u>Considering</u> the immense benefits, don't hesitate to give reconsuming a try.

05 <u>Starting</u> the day actively with morning exercise is the key to losing weight.

06 <u>Stating</u> that my only car is broken opens up other options: taking the bus, calling a friend, taking the day off, etc.

Words & Phrases

- delicious 맛있는
- relationship 관계
- develop 개발하다, 발전하다
- weigh 무게가 나가다
- around 약
- average 평균
- immense 거대한
- hesitate 주저하다
- reconsume 재소비하다

끊어 읽으면 답이 보인다!

POINT 054

[01-06] **빈칸에 알맞은 말을 넣으시오.**

01
S ┌ 동명사 주어 V
[________ one skill / in great depth] / can show truth / in life.
하나의 기술을 발전시키는 것은 / 엄청난 깊이로 / 진실을 보여줄 수 있다 / 인생에서

해석 하나의 기술을 심도 있게 발전시키는 것은 삶에서의 진실을 보여줄 수 있다.
해설 뒤에 동사 can show가 나오므로 주어가 필요하다. 따라서 동명사 주어 Developing이 적절하다.

02
┌ 분사구문, '시작할 때'
________ the business, / your family used the whole house.
사업을 시작할 때 / 당신 가족은 집 전체를 사용했다

해석 사업을 시작할 때, 당신 가족은 집 전체를 사용했다.
해설 뒤에 주어와 동사의 온전한 문장이 나오므로 현재분사 Starting이 적절하다.

03
┌ 분사구문, '가지기 때문에' S V
________ a small body, / the red wolf / weighs around 20 kilograms / on average.
작은 몸을 가지기 때문에 / 레드울프는 / 약 20kg이 나간다 / 평균적으로

해석 작은 신체를 가지기 때문에 레드울프는 평균적으로 약 20kg이 나간다.
해설 뒤에 주어와 동사의 문장이 나오므로 현재분사인 Having이 적절하다.

04
┌ 분사구문, '고려할 때' 명령문
________ the immense benefits, / don't hesitate / to give reconsuming a try.
엄청난 혜택을 고려할 때 / 망설이지 마라 / 재소비를 시도하려는 것을

해석 엄청난 혜택을 고려할 때, 재소비를 시도하는 걸 망설이지 마라.
해설 뒤에 나오는 don't는 명령문이며 완전한 문장이다. 따라서 '고려할 때'를 의미하는 분사인 Considering이 적절하다.

05
S ┌ 동명사 주어 V ┌ key to -ing
[________ the day actively / with morning exercise] / is the key / to losing weight.
하루를 적극적으로 시작하는 것은 / 아침 운동과 함께 / 핵심이다 / 살을 빼는

해석 아침 운동으로 하루를 활기차게 시작하는 것은 살을 빼는 데 있어 핵심이다.
해설 뒤에 동사 is가 나오므로 주어가 필요하다. 따라서 동명사 주어인 Starting이 적절하다.

06
S ┌ 동명사 주어 V
[________ / that my only car is broken] / opens up other options: / taking the bus, / calling a friend, / taking the day off, / etc.
언급하는 것은 / 내 유일한 차가 고장 났다고 / 다른 선택을 열어 준다 / 버스 타기 / 친구에게 전화하기 / 하루 쉬기 / 기타 등등

해석 내 유일한 차가 고장 났다고 언급하는 것은 다른 선택지를 열어 준다: 버스 타기, 친구에게 전화하기, 하루 쉬기 등등
해설 뒤에 동사 opens가 나오므로 주어가 필요하다. 따라서 동명사 주어인 Stating이 적절하다.

Point (052~054) Review

p.23

[01-10] 다음 중 알맞은 것을 고르시오.

01 [Have / Having] friends with other interests keeps life interesting.

02 Intellectual property has played little role in [promotion / promoting] basic science.

03 Amateurs often focus on the result and forget about [do / doing] all the things.

04 Building temporary shelters [is / are] one thing, but providing the necessary urban infrastructure is another.

05 [Obtain / Obtaining] any of these sources of information costs a lot.

06 This activity is also great for [development / developing] cooperative skills among children.

07 [Find / Finding] a resting place is quite difficult in this area.

08 Bakers are researching methods for [producing / production] handmade bread.

09 Working with others [build / builds] leadership, teamwork, and the ability to consider others.

10 [Hope / Hoping] that its flavor would reach the heavenly god, people in ancient times offered tea in various ceremonies.

POINT

055~057

어휘를 알면 구문이 보인다!

체크! Words & Phrases

POINT 055

□ rush	급히 가다
□ look into	조사하다
□ case	사건
□ decision	결정
□ gain weight	살찌다
□ out of shape	건강하지 않은
□ negative	부정적인
□ step out of	~부터 나오다

POINT 056

□ expensive	비싼
□ sacrifice	희생하다
□ doubt	의심
□ conquer	정복하다
□ go abroad	외국에 가다
□ construct	구성하다

POINT 057

□ be proud of	~을 자랑스러워하다
□ apologize	사과하다
□ on time	제시간에
□ forgive	용서하다
□ ashamed	부끄러운
□ hire	고용하다
□ additional	추가적인
□ meet the deadline	마감일을 맞추다

★모르는 단어에 체크하고, 소리 내어 10번만 뜻과 함께 말해 보세요.

[01-20] 다음 빈칸에 알맞은 우리말 뜻이나 단어를 쓰시오.

01 sacrifice ____________
02 doubt ____________
03 forgive ____________
04 ashamed ____________
05 out of shape ____________
06 negative ____________
07 construct ____________
08 look into ____________
09 apologize ____________
10 additional ____________
11 사건 ____________
12 결정 ____________
13 비싼 ____________
14 고용하다 ____________
15 정복하다 ____________
16 급히 가다 ____________
17 살찌다 ____________
18 ~부터 나오다 ____________
19 ~을 자랑스러워하다 ____________
20 마감일을 맞추다 ____________

동명사를 목적어로 취하는 동사

finish는 목적어로 동명사가 온다.

I had just **finished writing** a TV script / and was rushing / to print it.

finished to write(X)

나는 막 TV 대본 쓰는 것을 끝냈고 / 그리고 뛰어갔다 / 그것을 인쇄하러
··· 나는 막 TV 대본을 다 쓰고 그것을 인쇄하러 뛰어갔다.

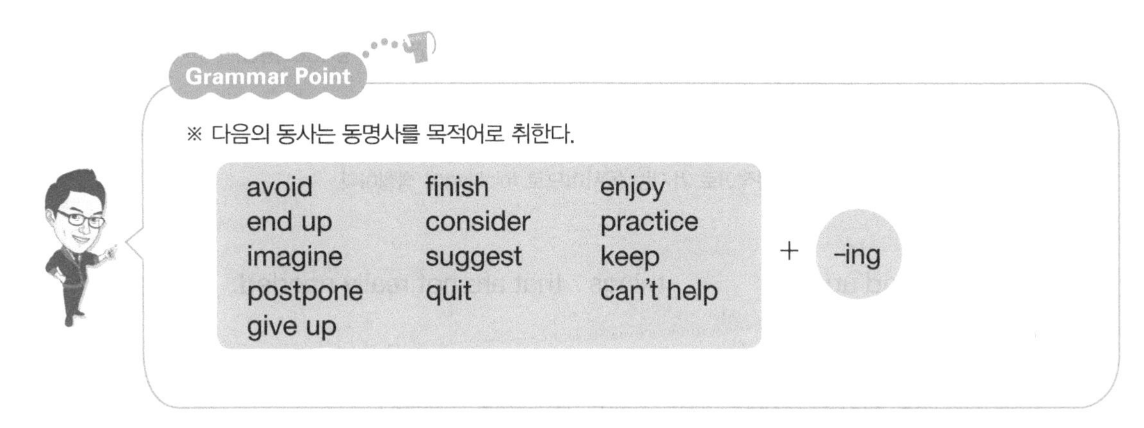

Grammar Point
※ 다음의 동사는 동명사를 목적어로 취한다.
avoid
end up
imagine
postpone
give up
finish
consider
suggest
quit
enjoy
practice
keep
can't help
+
-ing

Words & Phrases

rush 급히 가다
look into 조사하다
case 사건
decision 결정
gain weight 살찌다
out of shape 건강하지 않은
negative 부정적인
step out of ~부터 나오다

다음 중 알맞은 것을 고르시오.

01 The police seemed to avoid [looking / to look] into the case.

02 He can't help [think / thinking] that her decision could not succeed.

03 Shoppers end up [buying / to buy] things that are not really needed.

04 I am gaining weight and out of shape after I quit [to jog / jogging].

05 But if they keep [saying / to say] negative things, they paint all the world black.

06 You can enjoy [to read / reading] new books without stepping out of your home.

끊어 읽으면 답이 보인다!

POINT 055

[01-06] **빈칸에 알맞은 말을 넣으시오.**

01

avoid + -ing: ~을 피하다

The police seemed to avoid / __________ into the case.

경찰은 피하는 것 같다 / 사건을 조사하는 것을

해석 경찰은 사건을 조사하는 것을 피하는 것 같았다.

해설 avoid는 동명사를 목적어로 가지는 동사이므로 looking이 적절하다.

02

can't help + -ing: ~할 수밖에 없다

He can't help __________ / that her decision could not succeed.

그는 생각하지 않을 수 없다 / 그녀의 결정이 성공할 수 없다고

해석 그는 그녀의 결정이 성공할 수 없다는 생각을 떨쳐낼 수가 없다.

해설 can't help는 동명사를 목적어로 가지는 동사이므로 thinking이 적절하다.

03

end up -ing: 결국 ~을 하다

Shoppers end up __________ things / that are not really needed.

쇼핑객들은 물건을 결국 산다 / 정말로 필요치 않는

해석 쇼핑객들은 정말로 필요하지 않는 물건을 결국 산다.

해설 end up은 동명사를 목적어로 가지는 동사이므로 buying이 적절하다.

04

quit + -ing: ~하는 것을 그만두다

I am gaining weight / and out of shape / after I quit __________.

나는 살이 찌고 있다 / 그리고 건강도 좋지 않다 / 내가 조깅을 그만 둔 이후에

해석 조깅을 그만 둔 이후에 살이 찌고, 건강도 좋지 않다.

해설 quit는 동명사를 목적어로 가지는 동사이므로 jogging이 적절하다.

05

keep + -ing: 계속 ~하다

But if they keep __________ / negative things, / they paint all the world / black.

하지만 만약 그들이 계속 말한다면 / 부정적인 것들을 / 그들은 모든 세상을 칠할 것이다 / 검은색으로

해석 하지만 만약 그들이 계속 부정적인 것을 말한다면, 그들은 온 세상을 검게 칠할 것이다.

해설 keep은 동명사를 목적어로 가지는 동사이므로 saying이 적절하다.

06

enjoy + -ing: ~을 즐기다

You can enjoy __________ new books / without stepping out of your home.

당신은 새로운 책을 읽는 것을 즐길 수 있다 / 집밖으로 나가지 않고도

해석 당신은 집밖으로 나가지 않고도 새 책들을 읽는 것을 즐길 수 있다.

해설 enjoy는 동명사를 목적어로 가지는 동사이므로 reading이 적절하다.

동명사의 의미상의 주어

동명사 buying의 의미상의 주어로 소유격 her가 쓰였다.

What do you think of / **her buying** / such an expensive car / recently?

어떻게 생각하니? / 그녀가 산 것에 대해서 / 그렇게 비싼 차를 / 최근에
→ 너는 그녀가 그렇게 비싼 차를 최근에 산 것에 대해서 어떻게 생각하니?

❶ 동명사의 의미상의 주어는 동사 다음에 올 경우, 소유격/목적격 모두 가능하다.
We are proud of our school having a huge playground.
우리는 우리 학교가 커다란 운동장이 있다는 것을 자랑스러워한다.

❷ 사람의 경우 소유격이 더 일반적이다.

문장에서 동명사의 의미상의 주어를 찾으시오.

01 Do not hate his sacrificing himself for her.

02 He has no doubt about my conquering Mt. Everest this time.

03 Tom and Jane are looking forward to their son coming home.

04 His father is worried about his going abroad and studying there alone.

05 According to him, your going to medical school is just another example of how you listen.

06 Simple stories or pictures of a child playing with others can help your child construct her own experiences.

Words & Phrases

- **expensive** 비싼
- **sacrifice** 희생하다
- **doubt** 의심
- **conquer** 정복하다
- **go abroad** 외국에 가다
- **construct** 구성하다

끊어 읽으면 답이 보인다!

POINT 056

[01-06] **빈칸에 알맞은 말을 넣으시오.**

01

동명사의 의미상의 주어(소유격)

Do not hate / ________ sacrificing himself / for her.

싫어하지 마 / 그가 그 자신을 희생하는 것을 / 그녀를 위해서

해석 그녀를 위해서 그 자신을 희생하는 것을 싫어하지 마.

해설 himself를 통해 동명사 sacrificing의 의미상의 주어는 his임을 알 수 있다.

02

동명사의 의미상의 주어(소유격)

He has no doubt about / ________ conquering Mt. Everest / this time.

그는 의심하지 않는다 / 내가 에베레스트 산을 정복하는 것을 / 이번에

해석 그는 이번에 내가 에베레스트 산을 정복하는 것을 의심치 않는다.

해설 의미상의 주어는 소유격으로 쓰므로 my가 적절하다.

03

동명사의 의미상의 주어(목적격)

Tom and Jane / are looking forward to / ________ / coming home.

톰과 제인은 / 기대하고 있다 / 그들의 아들이 / 집에 오기를

해석 톰과 제인은 그의 아들이 집에 오는 것을 기대하고 있다.

해설 동명사 coming의 의미상의 주어는 their son이 적절하다.

04

동명사의 의미상의 주어(소유격)

His father is worried about / ________ going abroad / and studying there alone.

그의 아버지는 걱정하신다 / 그가 해외로 나가서 / 거기서 홀로 공부하는 것에 대해서

해석 그의 아버지는 그가 해외에 나가서 혼자 그곳에서 공부하는 것을 걱정하신다.

해설 동명사의 의미상의 주어는 소유격을 쓰므로 his가 적절하다.

05

동명사의 의미상의 주어(소유격)

According to him, / [________ going / to medical school] / is just another example / of how you listen. 그에 따르면 / 당신이 가는 것은 / 의대에 / 단지 또 다른 예이다 / 당신이 어떻게 듣는지에 대한

해석 그에 따르면 당신이 의대에 간다는 것은 당신이 듣는 방법에 대한 또 다른 예이다.

해설 동명사의 의미상 주어는 소유격을 쓰므로 your가 적절하다.

06

S 동명사의 의미상의 주어(목적격) V

[Simple stories / or pictures of ________ / playing with others] / can help / your child / construct her own experiences.

간단한 이야기나 / 아이가 다른 아이들과 노는 그림들은 / 도울 수 있다 / 당신의 아이가 / 그녀 자신의 경험을 쌓을 수 있도록

해석 간단한 이야기나 아이가 다른 아이들과 함께 노는 그림들은 당신의 아이가 자신만의 경험을 쌓는 것을 도와준다.

해설 동명사 playing의 주어는 a child가 적절하다.

동명사의 시제/부정/수동태

기준 시제는 현재이지만, 상을 수상한 것은 과거이므로 이를 표현하기 위해서 having p.p.를 사용

He **is** proud of / **having won** the prize **last year**, / and remembers the moment.

명백한 과거부사구

그는 자랑스러워 한다 / 작년에 그 상을 수상했던 것을 / 그리고 그 순간을 기억한다

··· 그는 작년에 그 상을 수상했던 것을 자랑스러워하고 그 순간을 기억한다.

Grammar Point

❶ 기준 시제보다 앞서거나 과거를 의미하는 동명사는 having p.p.로 표현한다.

❷ 동명사의 부정은 부정어를 동명사 앞에 둔다.

I kicked myself for not taking that position. 나는 그 직책을 수용하지 않은 것을 자책했다.

❸ 동명사의 수동태는 being p.p. 형을 사용한다.

다음 중 알맞은 것을 고르시오.

01 I am sorry for [being / having been] late to the last class.

02 She apologized for [coming not / not coming] on time, and I forgave her.

03 I feel ashamed for [not having visited / having not visited] my cousin for the last 3 years.

04 Chuck felt sorry about [going not / not going] to a dance party with his friends after school.

05 This program can improve your chances of [hiring / being hired] by a large company.

06 Despite [receiving / having received] additional staff members 3 days ago, it is difficult to meet the deadline.

Words & Phrases

be proud of ~을 자랑스러워하다

apologize 사과하다

on time 제시간에

forgive 용서하다

ashamed 부끄러운

hire 고용하다

additional 추가적인

meet the deadline 마감일을 맞추다

끊어 읽으면 답이 보인다!

POINT 057

[01 - 06] **빈칸에 알맞은 말을 넣으시오.**

01

과거에 늦음

I am sorry for / ______________ late / to the last class.

미안하다 / 늦은 것에 대해/ 지난 수업에

해석 지난 수업에 늦은 것에 대해 미안하다.

해설 미안한 것은 지금이지만, 늦은 행위는 과거이므로 having been이 적절하다.

02

부정어 + -ing

She apologized for/ ______________ on time, / and I forgave her.

그녀는 사과했다 / 제시간에 오지 않은 것에 대해 / 그리고 나는 그녀를 용서해 주었다.

해석 그녀는 제시간에 오지 않은 것에 대해 사과했고, 나는 그녀를 용서했다.

해설 동명사의 부정은 부정어를 동명사 앞에 둔다. 따라서 not coming이 적절하다.

03

부정어 + -ing

I feel ashamed / for ______________ my cousin / for the last 3 years.

나는 부끄러움을 느낀다 / 내 사촌을 방문하지 않았던 것에 대해 / 지난 3년 동안

해석 나는 지난 3년 동안 사촌을 방문하지 않았던 것에 대해 부끄러움을 느낀다.

해설 동명사의 부정은 부정어를 동명사 앞에 둔다. 따라서 not having visited가 적절하다.

04

부정어 + -ing

Chuck felt sorry / about ______________ to a dance party / with his friends / after school. 척은 미안함을 느꼈다 / 댄스파티에 가지 않은 것에 대해서 / 그의 친구들과 / 방과 후에

해석 척은 방과 후에 친구들과 함께 댄스파티에 가지 않은 걸 미안해했다.

해설 동명사의 부정은 부정어를 동명사 앞에 둔다. 따라서 not going이 적절하다.

05

고용되는 것이다

This program can improve your chances / of ______________ / by a large company. 이 프로그램은 당신의 기회를 향상시킬 수 있다 / 고용되는 / 대기업에 의해

해석 이 프로그램은 대기업에 고용될 수 있는 기회를 향상시킬 수 있다.

해설 대기업에 의해서 고용되므로 수동 관계이다. 앞에 전치사 of 로 인해서 being hired가 적절하다.

06

3일 전에 받았음 / 본동사: 현재

Despite ______________ additional staff members / 3 days ago, / it is difficult to meet the deadline. 추가 인력을 받았음에도 불구하고 / 3일 전에 / 마감일을 맞추기 어렵다

해석 3일 전 추가 인력을 받았음에도 불구하고, 마감일을 맞추기가 힘들다.

해설 기준 시제는 현재이지만, 추가 인력을 받은 것은 3일 전이다. 따라서 having received가 적절하다.

Point (055~057) Review

p.24

[01-10] 다음 중 알맞은 것을 고르시오.

01 I didn't agree with the idea of [his / he] going there with me.

02 He kept [singing / to sing], and the fly landed back on his nose.

03 I appreciated your [not leaving / leaving not] me although there was heavy rain.

04 They had to consider [hiring / to hire] a baby-sitter for the weekend.

05 I don't like [they / their] borrowing my books and magazines without asking.

06 I resolved to quit [playing / to play] the video-game last year, but I failed.

07 There was a higher chance of [exposing / being exposed] to diseases and infections.

08 You can imagine what you learned today [to be / being] used in real life.

09 I'm sorry for not [making / having made] suggestions about improving a volume of imported car sales in the last conference.

10 You may end up [spending / to spend] most of your time doing things for your friends and not be able to do your own things.

POINT
058~060

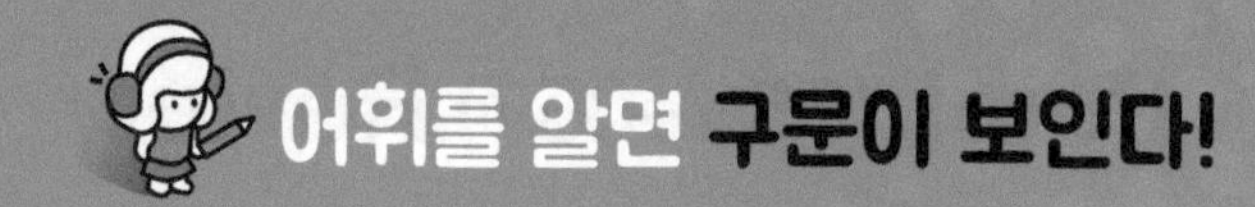

체크! Words & Phrases

POINT 058

- ☐ violent 폭력적인
- ☐ be likely to ~할 가능성이 있다
- ☐ concentrate 집중하다
- ☐ additional 추가적인
- ☐ struggle 애쓰다
- ☐ needs 욕구
- ☐ observe 관찰하다
- ☐ stomach 위
- ☐ digest 소화하다
- ☐ take a nap 낮잠자다

POINT 059

- ☐ process 과정
- ☐ attention 관심
- ☐ common 일반적인, 공통의
- ☐ gather 모으다, 모이다
- ☐ fellow 동료
- ☐ desperate 필사적인
- ☐ text 문자 보내다

POINT 060

- ☐ crop 작물
- ☐ actually 사실상
- ☐ social 사회적
- ☐ independence 독립
- ☐ when it comes to ~에 대해서
- ☐ cautious 주의하는
- ☐ bone 뼈
- ☐ souvenir 기념품
- ☐ shelf 선반

★모르는 단어에 체크하고, 소리 내어 10번만 뜻과 함께 말해 보세요.

[01-20] 다음 빈칸에 알맞은 우리말 뜻이나 단어를 쓰시오.

01 independence ____________

02 souvenir ____________

03 gather ____________

04 common ____________

05 concentrate ____________

06 actually ____________

07 social ____________

08 struggle ____________

09 needs ____________

10 observe ____________

11 관심 ____________

12 문자 보내다 ____________

13 과정 ____________

14 추가적인 ____________

15 주의하는 ____________

16 뼈 ____________

17 위 ____________

18 소화하다 ____________

19 필사적인 ____________

20 작물 ____________

동명사의 관용 표현

[Children / **who watched violent videos**] / are more likely / to **have difficulty concentrating** / when they get older.

S ... V

↳ have difficulty -ing (~하는 데 어려움이 있다) 구문으로 뒤에 동명사가 온다.

아이들은 / 폭력적인 영상을 본 / 더욱 가능성이 높다 / 집중하는 데 어려움을 겪을 / 그들이 나이가 들 때

⋯→ 폭력적인 영상을 본 아이들은 나이가 들 때, 집중하는 데 어려움을 겪을 가능성이 높다.

Grammar Point

※ 다음은 자주 나오는 동명사 관용 표현이다.

be busy -ing ~하느라 바쁘다	feel like -ing ~하고 싶다
keep A from -ing A가 ~하는 것을 막다	in -ing ~할 때
cannot help -ing ~하지 않을 수 없다	on -ing ~하자마자
There is no -ing ~하는 것은 불가능하다	be worth -ing ~할 가치가 있다
It is no use -ing ~해도 소용없다	spend 돈/시간 -ing ~하는 데 돈/시간을 쓰다
have difficulty[trouble/a hard time] -ing ~하는 데 어려움이 있다	

Words & Phrases

violent 폭력적인
be likely to ~할 가능성이 있다
concentrate 집중하다
excuse oneself 변명하다
additional 추가적인
struggle 애쓰다
needs 욕구
observe 관찰하다
stomach 위
digest 소화하다
take a nap 낮잠자다

다음 중 알맞은 것을 고르시오.

01 It is no use [trying / to try] to excuse yourself for the result.

02 On [hear / hearing] the news, he called his boss to ask for additional staff.

03 The witness could not help [to talk / talking] about what he saw last Saturday.

04 Most people of the Western world were busy [struggling / to struggle] to meet their basic needs.

05 Researcher Lauren Brent spent four years [observed / observing] a group of 90 monkeys.

06 The stomach has a hard time [digesting / to digest] food if a person takes a nap after eating.

끊어 읽으면 답이 보인다!

POINT 058

[01 - 06] **빈칸에 알맞은 말을 넣으시오.**

01

~해도 소용없다

It is no use ________ / to excuse yourself / for the result.

노력하는 것은 소용없다 / 너 자신을 변명하는 것은 / 그 결과에 대해

해석 그 결과에 대해서 너 자신을 변명하는 것은 소용없다.

해설 [It is no use -ing]는 '~해도 소용없다'는 구문으로 trying이 적절하다.

02

~하자마자

On ________ the news, / he called his boss / to ask for additional staff.

그 소식을 듣자마자 / 그는 그의 상사에게 전화했다 / 추가 직원에 대한 요구를 하기 위해서

해석 그 소식을 듣자마자 그는 추가 인원을 위한 요청을 위해 상사에게 전화했다.

해설 [on -ing]는 '~하자마자'라는 구문으로 hearing이 적절하다.

03

~하지 않을 수 없다

The witness could not help ________ / about what he saw / last Saturday.

목격자는 말을 하지 않을 수 없었다 / 그가 본 것에 대해서 / 지난 토요일

해석 목격자는 지난 토요일 그가 본 것에 대해서 말을 하지 않을 수가 없었다.

해설 [cannot help -ing]는 '~하지 않을 수 없다'는 구문으로 talking이 적절하다.

04

~하느라 바쁘다

Most people of the Western world / were busy ________ / to meet their basic needs.

서구 사회의 대부분의 사람들은 / 애쓰느라 바빴다 / 그들의 기본적인 욕구를 충족하는 데

해석 서구 사회의 대부분의 사람들은 그들의 기본적인 욕구를 충족하고자 애쓰느라 바빴다.

해설 [be busy -ing]는 '~하느라 바쁘다'는 구문으로 struggling이 적절하다.

05

~하는 데 시간을 쓰다

Researcher Lauren Brent / spent four years / ________ a group of 90 monkeys.

로렌 브렌트 연구원은 / 4년이라는 시간을 썼다 / 90마리의 원숭이 그룹을 관찰하는 데

해석 로렌 브렌트 연구원은 90마리의 원숭이 그룹을 관찰하는 데 4년이라는 시간을 썼다.

해설 [spend 시간/돈 -ing]는 '~하는 데 시간/돈을 쓰다'는 구문으로 observing이 적절하다.

06

~하는 데 어려움을 겪다

The stomach / has a hard time ________ food / if a person takes a nap / after eating.

위는 / 음식을 소화하는 데 어려움이 있다 / 만약 사람이 낮잠을 잔다면 / 식사 후에

해석 식사 후에 낮잠을 잔다면, 위는 음식을 소화하는 데 어려움을 겪는다.

해설 [have a hard time -ing]는 '~하는 데 어려움을 겪다'는 구문으로 digesting이 적절하다.

전치사 + -ing

전치사 다음에 동사가 오면 -ing가 온다

In the process / **of getting** attention, / there is one important technique.

과정에서 / 관심을 가지는 / 한 가지 중요한 기술이 있다
⋯› 관심을 가지는 과정에서 한 가지 중요한 기술이 있다.

Grammar Point

❶ 전치사 뒤에 동사가 올 경우 동명사가 와야 한다.
❷ [동사 + 명사] 뒤에도 동명사가 오기도 한다.
He imagined himself flying in the sky. 그는 하늘을 나는 상상을 했다.

다음 중 알맞은 것을 고르시오.

01 They solved it by [open / opening] a "bite-size" restaurant in Los Angeles.

02 This common interest may be an activity like [play / playing] board games.

03 About 900 people have succeeded in [climb / climbing] to the top of Mt. Everest.

04 We have gathered information and stories from them without even [realize / realizing] it.

05 Thank you for [help / helping] your fellow human beings in their time of desperate need.

06 Younger smart-phone users even have learned the art of [text / texting] one person while they are talking to another.

Words & Phrases

process 과정
attention 관심
bite-size 한입 크기의, 아주 작은
common 일반적인, 공통의
gather 모으다, 모이다
fellow 동료
desperate 필사적인
text 문자 보내다

끊어 읽으면 답이 보인다!

POINT 059

[01 - 06] 빈칸에 알맞은 말을 넣으시오.

01

전치사 + -ing

They solved it / by ________ a "bite-size" restaurant / in Los Angeles.

그들은 그것을 해결했다 / 한입 크기 식당을 개장함으로써 / LA에서

해석 그들은 LA에서 적당한 크기의 식당을 개장함으로써 그것을 해결했다.

해설 전치사 by 뒤에는 동명사가 와야 하므로 opening이 적절하다.

02

전치사 + -ing

This common interest / may be an activity / like ________ board games.

이런 공통의 흥미는 / 활동이 될 수 있다 / 보드 게임을 하는 것과 같은

해석 이런 공통의 관심은 보드 게임을 하는 것과 같은 활동일 수도 있다.

해설 전치사 like(~ 같이) 뒤에는 동명사가 와야 하므로 playing이 적절하다.

03

약, 대략 / 전치사 + -ing

About 900 people / have succeeded in ________ / to the top of Mt. Everest.

약 900명의 사람들이 / 오르는 데 성공했다 / 에베레스트의 정상에

해석 약 900명의 사람들이 에베레스트 정상에 오르는 데 성공했다.

해설 전치사 in 뒤에는 동명사가 와야 하므로 climbing이 적절하다.

04

전치사 + -ing

We have gathered information and stories / from them / without even ________ it.

우리는 정보와 이야기를 모았다 / 그들로부터 / 심지어 그것을 깨닫지 않고도

해석 우리는 심지어 그것을 깨닫지도 않은 채, 정보와 이야기를 그들로부터 모았다.

해설 전치사 without 뒤에는 동명사가 와야 하므로 realizing이 적절하다.

05

전치사 + -ing

Thank you / for ________ your fellow human beings / in their time of desperate need.

고맙다 / 당신의 인류 동료를 도와주어서 / 그들의 절박한 시기에

해석 절박한 시기에 당신의 동료들을 도와주어서 고맙다.

해설 전치사 for 뒤에는 동명사가 와야 하므로 helping이 적절하다.

06

전치사 + -ing

Younger smart-phone users / even have learned / the art of ________ one person / while they are talking to another.

어린 스마트폰 사용자들은 / 심지어 배웠다 / 한 사람에게 문자 보내는 방법을 / 그들이 다른 사람에게 말하는 동안에도

해석 어린 스마트폰 사용자들은 다른 사람에게 이야기하는 동안 다른 사람에게 문자를 보내는 기술을 배웠다.

해설 전치사 of 뒤에는 동명사가 와야 하므로 texting이 적절하다.

전치사 to + -ing

We **look forward to / seeing** you again / at the Children's Science Museum.

(look forward to → 전치사 to + -ing, seeing → to see (X))

우리는 기대한다 / 당신을 다시 보기를 / 어린이 과학박물관에서
··· 어린이 과학박물관에서 당신을 다시 만나기를 기대합니다.

Grammar Point

전치사 to + -ing

look forward to ~을 기대하다	be used[accustomed] to ~에 익숙해지다
when it comes to ~에 대하여	be devoted to ~에 헌신하다
object to ~에 반대하다	pay attention to ~에 관심을 보이다
be committed to ~에 전념하다	in addition to ~에 덧붙여, ~과 더불어
key to ~에 있어서 핵심	from A to B A에서 B까지
resistant to ~에 저항하는	be opposed to ~에 반대하다

다음 문장의 밑줄 친 부분을 해석하시오.

Words & Phrases

crop 작물
actually 사실상
social 사회적
be accustomed to ~에 익숙해지다
independence 독립
when it comes to ~에 대해서
cautious 주의하는
bone 뼈
souvenir 기념품
shelf 선반

01 This book says everything from choosing tools to [build / building] a house.

02 In addition to [grow / growing] crops, this farm actually helps the city to solve social problems.

03 Children are much more resistant to [give / giving] something to others than to helping them.

04 When children are accustomed to [use / using] a toilet and toilet paper, they can gain independence.

05 When it comes to [spending / spend] money, Ben is cautious and usually does not wish to fund risky projects.

06 If animal products such as animal bone or skin were used to [make / making] a souvenir, just leave it on the shelf.

끊어 읽으면 답이 보인다!

[01-06] **빈칸에 알맞은 말을 넣으시오.**

01

from A to B / 전치사 to + -ing

This book says everything / from choosing tools / to ________ a house.

이 책은 모든 것을 말해준다 / 도구를 선택하는 것에서부터 / 집을 짓는 것에 이르는

해석 이 책은 도구를 선택하는 것에서부터 집을 짓는 것에 이르는 모든 것을 말해준다.

해설 from A to B(A에서 B까지) 구문으로 to는 전치사이다. 따라서 뒤에 동명사 building이 적절하다.

02

in addition to -ing: ~과 더불어

In addition to ________ crops, / this farm actually helps / the city / to solve social problems. 작물을 키우는 것과 더불어 / 이 농장은 실제로 돕는다 / 도시가 / 사회 문제를 해결하도록

해석 작물을 키우는 것과 더불어, 이 농장은 도시가 사회 문제를 해결하는 데 실제 도움을 준다.

해설 in addition to -ing(~과 더불어) 구문으로 to는 전치사이다. 따라서 뒤에 동명사 growing이 적절하다.

03

resistant to -ing: ~에 저항하는

Children are much more resistant / to ________ something / to others / than to helping them. 아이들은 훨씬 더 저항적이다 / 무언가를 주는 것에 / 다른 사람들에게 / 그들을 돕기보다는

해석 아이들은 다른 사람들을 돕기보다는 무언가를 주는 데 훨씬 더 저항적이다.

해설 resistant to(~에 저항하는) 구문으로 to는 전치사이다. 따라서 뒤에 동명사 giving이 적절하다.

04

be accustomed to -ing: ~에 익숙해지다

When children are accustomed to / ________ a toilet and toilet paper, / they can gain independence. 아이들이 익숙해질 때 / 화장실과 화장지를 사용하는 것에 / 그들은 독립성을 얻을 수 있다

해석 아이들이 화장실과 화장지 사용에 익숙해질 때, 독립성을 얻을 수 있다.

해설 be accustomed to -ing(~에 익숙해지다) 구문으로 to는 전치사이다. 따라서 뒤에 동명사 using이 적절하다.

05

when it comes to -ing: ~에 대하여

When it comes to ________ money, / Ben is cautious / and usually does not wish / to fund risky projects. 돈을 쓰는 것에 있어 / 벤은 신중하며 / 그리고 보통 원하지 않는다 / 위험한 프로젝트에 돈을 대는 것을

해석 돈을 쓰는 것에 대해서는 벤은 신중하며 위험한 프로젝트에 돈을 대는 것을 보통 원하지 않는다.

해설 when it comes to -ing(~에 대하여) 구문으로 to는 전치사이다. 따라서 뒤에 동명사 spending이 적절하다.

06

S / V / be used to 동사원형: ~에 이용되다

If [animal products / such as animal bone or skin] / were used to / ________ a souvenir, / just leave it on the shelf.

만약 동물 상품이 / 동물 뼈나 가죽과 같은 / 사용되었다면 / 기념품을 만드는 데 / 그냥 그것을 선반에 남겨 놓아라

해석 만약 동물 뼈나 가죽과 같은 동물상품이 기념품을 만드는 데 사용되고 있다면, 그것을 선반에 그냥 남겨 두어라.

해설 be used to 구문으로 해석상 '~에 사용되다'이므로 뒤에는 to부정사가 온다. 따라서 make가 적절하다.
* be used to 동사원형: ~에 사용되다 ** be used to -ing: ~에 익숙하다

Point (058-060) Review

p.25

[01-10] 다음 중 알맞은 것을 고르시오.

01 At the same time, we are interested in [improve / improving] our store.

02 He is not useful when it comes to [persuade / persuading] others.

03 Amy is used to [look / looking] after a little child because she has 3 younger sisters.

04 It is confusing at first, but you can get accustomed to [use / using] this phone.

05 People no longer have to spend most of their time and energy [gathered / gathering] berries and seeds.

06 Alison continues to encourage others by [tell / telling] them never to give up hope of becoming successful.

07 A fallen elephant is likely to have difficulty [breathing / to breathe] because of its own weight, or it may overheat in the sun.

08 The new government is committed to [upgrade / upgrading] the education system.

09 Most citizens have no objection to [ban / banning] smoking in all public places including schools, bus stations, and shopping malls.

10 Companies sometimes advertise a picture of a product without [provide / providing] any specific features of the product.

Chapter 06 Review

p.26

[01-10] 다음 중 알맞은 것을 고르시오.

01 You need to get used to [study / studying] with regular books.

02 The students loved to practice [to throw / throwing] their papers into the basket.

03 In addition to [be / being] a good teacher, Jamie tried to be a good friend for her students.

04 Watching violent scenes [lead / leads] people, especially children, to become violent.

05 This system dealt with everything from choosing smart students to [educate / educating] them.

06 This game is great for [development / developing] cooperative skills among children.

07 The company had trouble [finding / to find] a replacement for Mr. Kiting.

08 Finding true friends [is / are] difficult, but if you reflect on yourself, it can be easy.

09 Parents find that books about education and nursing are worth [reading / to read].

10 [Collect / Collecting] stamps, for example, shows children cultures or historical events of a country.

Chapter

07

to부정사

POINT

061~063

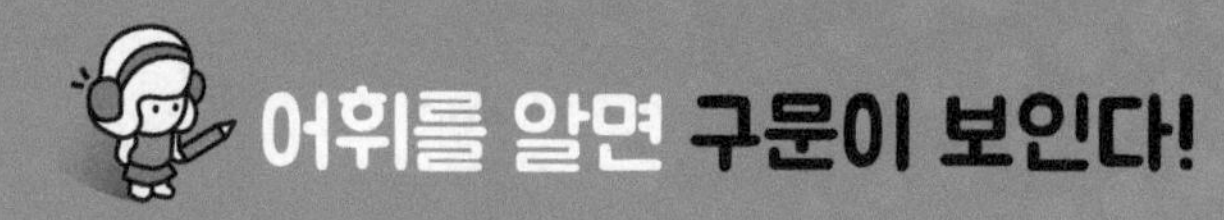

체크! Words & Phrases

POINT 061

□ spread	퍼뜨리다, 퍼지다
□ value	가치
□ combine	결합하다
□ complain	불평하다
□ boring	지루한
□ observation	관찰
□ ripe	익은
□ discourage	그만두게 하다
□ behavior	행동

POINT 062

□ blind	시각 장애의
□ luxury	사치의, 호화로운
□ amusement park	놀이공원
□ suggest	제안하다
□ reptile	파충류
□ temperature	온도, 체온
□ moisture	습도

POINT 063

□ environment	환경
□ conduct	행하다
□ treat	대우하다
□ import	수입하다
□ manpower	인력
□ reduce	줄이다
□ turn off	끄다
□ determine	결정하다
□ in common	공통된

★모르는 단어에 체크하고, 소리 내어 10번만 뜻과 함께 말해 보세요.

[01-20] 다음 빈칸에 알맞은 우리말 뜻이나 단어를 쓰시오.

01 reduce ____________
02 turn off ____________
03 determine ____________
04 combine ____________
05 complain ____________
06 suggest ____________
07 reptile ____________
08 environment ____________
09 conduct ____________
10 behavior ____________
11 대우하다 ____________
12 수입하다 ____________
13 인력 ____________
14 온도, 체온 ____________
15 퍼뜨리다, 퍼지다 ____________
16 가치 ____________
17 익은 ____________
18 시각 장애의 ____________
19 사치의, 호화로운 ____________
20 습도 ____________

명사로 사용된 to부정사

'확산하는 것이다'를 의미하며, was의 보어로 사용되고 있다.

Her aim / was **to spread** positive learning values / to all children and even their parents.

그녀의 목표는 / 긍정적인 학습의 가치를 확산시키는 것이다 / 모든 아이들과 심지어 그들의 부모들에게
⋯› 그녀의 목표는 모든 아이들과 심지어 그들의 부모에게까지 긍정적인 학습의 가치를 확산하는 것이다.

Grammar Point

❶ to부정사는 주어, 목적어, 보어로 사용될 수 있고, '~하는 것, ~하기'로 쓰인다.

❷ 주어로 쓰인 to부정사는 목적을 나타내는 〈~하기 위해서〉 용법과 구별해야 한다.
To be a doctor, you should study hard. 의사가 되기 위해서 당신은 열심히 공부해야 한다.

❸ 보어로 쓰인 to부정사는 서술적 용법으로 쓰여 〈~할 예정이다/운명이다〉 용법과 구별해야 한다.
He was to be the king in the future. 그는 미래에 왕이 될 운명이었다.

Words & Phrases

spread 퍼뜨리다, 퍼지다
value 가치
combine 결합하다
complain 불평하다
boring 지루한
observation 관찰
ripe 익은
discourage 그만두게 하다
behavior 행동

다음 문장의 밑줄 친 부분을 해석하시오.

01 The best way to do this is to combine letters and numbers.

02 She is planning to run for class president this year.

03 To solve this problem, they need to see how to change their focus.

04 He began to complain again about the cold weather and the boring life.

05 From this observation he or she learns to tell whether a fruit is ripe.

06 To look at the mirror led children to be discouraged from bad behavior.

끊어 읽으면 답이 보인다!

[01-06] 빈칸에 알맞은 말을 넣으시오.

01

S V 결합하는 것이다

[The best way / to do this] / is ____________ letters and numbers.

최선의 방법은 / 이것을 하는 / 문자와 숫자를 결합하는 것이다.

해석 이것을 하는 가장 좋은 방법은 문자와 숫자를 결합하는 것이다.

해설 '결합하는 것'이라는 의미의 to부정사 보어 to combine이 적절하다.

02

출마하는 것을

She is planning / ____________ for class president / this year.

그녀는 계획하고 있다 / 학급회장에 출마하는 것을 / 올해에

해석 그녀는 올해 학급회장에 출마하는 것을 계획 중이다.

해설 '출마하는 것'이라는 의미의 to부정사 목적어 to run이 적절하다.

03

해결하기 위해서 알아보는 것을

To solve this problem, / they need / ____________ / how to change their focus.

이 문제를 해결하기 위해서 / 그들은 필요하다 / 알아보는 것을 / 그들의 초점을 바꾸는 방법을

해석 이 문제를 해결하기 위해서 그들은 그들의 초점을 바꾸는 방법을 알아볼 필요가 있다.

해설 '알아보는 것'이라는 의미의 to부정사 목적어 to see가 적절하다.

04

불평하는 것을

He began / ____________ again / about the cold weather and the boring life.

그는 시작했다 / 다시 불평하는 것을 / 추운 날씨와 지루한 삶에 대해서

해석 그는 추운 날씨와 지루한 삶에 대해 다시 불평하기 시작했다.

해설 '불평하는 것'이라는 의미의 to부정사 목적어 to complain이 적절하다.

05

말하기를

From this observation / he or she learns / ____________ / whether a fruit is ripe.

이 관찰로부터 / 그 사람은 배운다 / 구분하는 것을 / 과일이 익었는지 여부를

해석 이러한 관찰로부터 사람은 과일이 익었는지 구분하는 것을 배운다.

해설 '구분하는 것'이라는 의미의 to부정사 목적어 to tell이 적절하다.

06

S 보는 것은 V

[____________ at the mirror] / led / children / to be discouraged / from bad behavior.

거울을 보는 것은 / 이끌었다 / 아이들이 / 단념하도록 / 나쁜 행동을

해석 거울을 보는 것은 아이들이 나쁜 행동을 단념하도록 만들었다.

해설 '보는 것'이라는 의미의 to부정사 주어 To look이 적절하다.

형용사로 사용된 to부정사

He became **the first blind person** / **to reach** the top of Mt. Everest.

앞에 있는 명사 the first blind person 수식

그는 최초의 시각 장애인이 되었다 / 에베레스트 산 정산에 오른
⋯› 그는 에베레스트 산 정상에 오른 최초의 시각 장애인이 되었다.

Grammar Point

❶ 명사 뒤에 오는 to부정사는 그 명사를 수식한다. (~하는)
❷ 명사 뒤에서 때때로 "목적(~하기 위해서)"으로 사용되기도 하므로 해석에 주의한다.
He went to the market to buy some bread. 그는 빵을 사기 위해 시장에 갔다.

다음 문장의 밑줄 친 부분을 해석하시오.

Words & Phrases

blind 시각 장애의
luxury 사치의, 호화로운
amusement park 놀이공원
suggest 제안하다
reptile 파충류
temperature 온도, 체온
moisture 습도

01 She received a catalogue of fine luxury gifts to choose from.

02 An amusement park has started selling the right to jump the line.

03 Collecting gives children opportunities to learn skills that can be used every day.

04 The woman suggested he might feel better if he had something to eat.

05 Today's reptiles use an ability to control their body temperature.

06 The bathroom medicine cabinet is not a good place to keep medicine because of the room's moisture.

끊어 읽으면 답이 보인다!

POINT 062

[01 - 06] **빈칸에 알맞은 말을 넣으시오.**

01

선택할

She received / a catalogue of fine luxury gifts / ____________ from.

그녀는 받았다 / 좋은 고급 선물 카탈로그를 / 선택할

해석 그녀는 선택할 좋은 고급 선물 카탈로그를 받았다.

해설 명사 gifts를 수식하는 to부정사 to choose가 적절하다.

02

줄에 끼어들

An amusement park / has started / selling the right / ____________ the line.

한 놀이공원은 / 시작했다 / 권리를 판매하는 것을 / 줄에 끼어들

해석 한 놀이 공원은 줄에 끼어들 권리를 판매하기 시작했다.

해설 명사 the right를 수식하는 to부정사 to jump가 적절하다.

03

기술을 배울

Collecting / gives children / opportunities / ____________ skills that can be used every day.

수집은 / 아이들에게 준다 / 기회를 / 기술을 배울 수 있는 / 매일 사용될 수 있는

해석 수집은 아이들에게 매일 사용될 수 있는 기술을 배울 기회를 준다.

해설 명사 opportunities를 수식하는 to부정사 to learn이 적절하다.

04

먹을

The woman suggested / he might feel better / if he had something / ____________.

그 여자는 제안했다 / 그가 기분이 나아질 수도 있다고 / 만약 그가 무언가를 가진다면 / 먹을

해석 그녀는 그가 먹을 무언가를 가지고 있다면 기분이 더 나아질 것이라고 제안했다.

해설 명사 something을 수식하는 to부정사 to eat이 적절하다.

05

통제하는

Today's reptiles / use an ability / ____________ their body temperature.

오늘날의 파충류는 / 능력을 사용한다 / 그들의 체온을 통제할

해석 오늘날의 파충류는 그들의 체온을 통제할 능력을 사용한다.

해설 명사 an ability를 수식하는 to부정사 to control이 적절하다.

06

약을 보관할

The bathroom medicine cabinet / is not a good place / ____________ medicine / because of the room's moisture. 욕실의 의약품 캐비닛은 / 좋은 장소는 아니다 / 약을 보관할 / 방의 습기 때문에

해석 욕실의 의약품 캐비닛은 그 방의 습기 때문에 약을 보관할 좋은 장소는 아니다.

해설 명사 a good place를 수식하는 to부정사 to keep이 적절하다.

be to 형태

주어인 we parents와 to offer가 주술관계를 성립한다.
내용상 '제공해야 한다'의 의무를 나타내고 있다.

S V

We parents **are to offer** / to our children / the environment / **in which they can learn.**

우리 부모들은 제공해야 한다 / 우리 아이들에게 / 환경을 / 그들이 배울 수 있는
··· 우리 부모들은 우리 아이들이 배울 수 있는 환경을 그들에게 제공해야 한다.

Grammar Point

※ be to 형태는 보어로서의 역할과 서술용법으로서의 역할로 나누어진다.

보어(명사적)	서술용법
주어 = to부정사 "~하는 것이다" My hobby is to collect stamps. my hobby = to collect 나의 취미는 우표 수집이다.	주어 ≠ to부정사 "~할 운명이다, ~할 예정이다, ~해야 한다" He is to collect stamps. He ≠ to collect 그는 우표를 모을 예정이다.

다음 문장의 밑줄 친 부분을 해석하시오.

01 The most important part of any experiment is to conduct it safely.

02 Medical science is so dangerous that the doctor is to be cautious to treat a patient.

03 The country is to import at least some professional manpower from other countries.

04 Another simple way to reduce the use of energy is to turn off lights when you leave a room.

05 Jasmine was to be the queen due to the ability and, especially, the love for her country.

06 The goal of the researchers was to determine what these high-achieving people had in common.

Words & Phrases

environment 환경
conduct 행하다
treat 대우하다
import 수입하다
manpower 인력
reduce 줄이다
turn off 끄다
determine 결정하다
in common 공통된

끊어 읽으면 답이 보인다!

POINT 063

[01-06] 빈칸에 알맞은 말을 넣으시오.

01

S / V ┌ 수행하는 것이다(명사)

[The most important part / of any experiment] / is ____________ it safely.

가장 중요한 부분은 / 어떤 실험에서도 / 그것을 안전하게 수행하는 것이다.

해석 어떤 실험에서든 가장 중요한 것은 그것을 안전하게 수행하는 것이다.

해설 보어로 오는 be to형태로 to conduct가 적절하다.

02

┌ so ~ that 용법 ┐ / ┌ 신중해야 한다(의무)

Medical science / is so dangerous / that the doctor is ____________ to treat a patient.

의학은 / 너무 위험해서 / 의사는 신중해야 한다 / 환자를 치료하는 데

해석 의학은 매우 위험하므로, 의사는 환자를 치료하는 데 신중해야 한다.

해설 '~해야 한다'는 뜻으로 to be cautious가 적절하다.

03

┌ 수입할 예정이다(예정)

The country / is ____________ / at least some professional manpower / from other countries.

그 나라는 / 수입할 예정이다 / 최소한의 일부 전문직들을 / 외국으로부터

해석 그 나라는 다른 나라로부터 최소한의 몇몇의 전문직 인력을 수입할 예정이다.

해설 '~할 예정이다'는 뜻으로 to import가 적절하다.

04

S / V ┌ 끄는 것이다(명사)

[Another simple way / to reduce the use of energy] / is ____________ lights / when you leave a room.

또 다른 방법은 / 에너지 사용을 줄이는 / 등을 끄는 것이다 / 당신이 방을 떠날 때

해석 에너지를 사용을 줄이는 또 다른 방법은 당신이 방을 떠날 때 불을 끄는 것이다.

해설 보어로 오는 be to형태로 to turn off가 적절하다.

05

여왕이 될 운명이었다(운명)

Jasmine was ____________ the queen / due to the ability / and, especially, / the love for her country.

자스민은 여왕이 될 운명이었다 / 능력 때문에 / 특히 / 그녀의 나라에 대한 사랑 때문에

해석 자스민은 능력과 특히 나라에 대한 사랑 때문에 여왕이 될 운명이었다.

해설 '~할 운명이다'는 뜻으로 to be가 적절하다.

06

S / V ┌ 결정하는 것이다(명사)

[The goal of the researchers] / was ____________ / what these high-achieving people had / in common. 연구원들의 목표는 / 결정하는 것이다 / 이러한 고위직의 사람들이 가지는 / 공통적으로

해석 연구원들의 목표는 이러한 고위직의 사람들이 공통으로 가지는 것을 결정하는 것이다.

해설 보어로 오는 be to형태로 to determine이 적절하다.

Point (061~063) Review

p.27

[01-10] 다음 밑줄 친 부분을 해석하시오.

01 It turns out that to sit up straight can improve how you feel about yourself.

02 The key is to keep working and take advantage of unexpected occurrences.

03 To analyze the plus and minus of the relationship can be an answer to seeing how we feel in our life.

04 Cindy decided to go ahead, approached Jessica, and introduced herself.

05 Boycotting is a positive activist tool that gives consumers power to make the most socially responsible business practices.

06 To plan a trip to a foreign destination can initially seem puzzling.

07 One easy way to do that is to geographically separate yourself from the source of your anger.

08 He suddenly found himself lost in a series of monitor control screens as he tried to get back to the main screen.

09 Arthur was to be the king of England because he had daring courage against the injustice.

10 All over the world, people are trying to develop ways to use new power sources.

POINT

064~066

체크! Words & Phrases

POINT 064

- □ explain 설명하다
- □ repeated 반복된
- □ infection 감염
- □ permanently 영구적으로
- □ nerve 신경
- □ rely on ~에 의존하다
- □ comfortable 편안한
- □ frequently 빈번히
- □ achieve 성취하다
- □ signal 신호
- □ protect 보호하다

POINT 065

- □ check 수표
- □ puppy 강아지
- □ active 활발한
- □ inform 알리다
- □ border 경계를 이루다

POINT 066

- □ teenager 십대
- □ fall asleep 잠이 들다
- □ grieve 슬퍼하다
- □ language 언어
- □ gap 차이
- □ turn on 켜다
- □ pleasing 즐거운
- □ complete 완료하다
- □ dye 염색하다
- □ blame 비난하다

★모르는 단어에 체크하고, 소리 내어 10번만 뜻과 함께 말해 보세요.

[01-20] 다음 빈칸에 알맞은 우리말 뜻이나 단어를 쓰시오.

01 achieve ______

02 repeated ______

03 grieve ______

04 comfortable ______

05 frequently ______

06 signal ______

07 protect ______

08 blame ______

09 complete ______

10 dye ______

11 감염 ______

12 영구적으로 ______

13 잠이 들다 ______

14 언어 ______

15 차이 ______

16 경계를 이루다 ______

17 활발한 ______

18 알리다 ______

19 신경 ______

20 ~에 의존하다 ______

목적을 나타내는 to부정사

'설명하기 위해서'를 의미한다.

To explain these findings, / lead researcher Linda (S) says (V) / repeated ear infections (S') / might (V') permanently damage a nerve.

이러한 결과를 설명하기 위해서 / 선임 연구원인 린다는 말한다 / 반복된 귀 감염은 / 영구적으로 신경을 손상시킬 지도 모른다.

→ 이러한 결과를 설명하기 위해서, 선임 연구원인 린다는 반복된 귀 감염은 영구적으로 신경을 손상시킬 수도 있다고 말한다.

❶ to부정사는 목적을 의미하는 "~하기 위해서"로 쓰이기도 한다.
❷ 맨 앞에 나오는 경우, 주어로 쓰인 to부정사와 목적을 나타내는 to부정사를 구분해야 한다.
❸ 명사 뒤에 나오는 경우, 형용사로 쓰인 to부정사와 목적을 나타내는 to부정사를 구분해야 한다.

Words & Phrases

- explain 설명하다
- repeated 반복된
- infection 감염
- permanently 영구적으로
- nerve 신경
- rely on ~에 의존하다
- comfortable 편안한
- frequently 빈번히
- achieve 성취하다
- signal 신호
- protect 보호하다

다음 문장의 밑줄 친 부분을 해석하시오.

01 To think more clearly and faster, eat a good breakfast.

02 You must rely on words to do both the telling and the showing.

03 I sat down to enjoy a cold drink, trying to make myself comfortable.

04 She frequently goes the extra mile to help her classmates or teammates achieve their goals.

05 He thought about the boy's problem and then designed a special helmet which used flashing lights to send players signals.

06 To protect your original songs from being stolen and copied, you can license what you have made.

끊어 읽으면 답이 보인다!

POINT 064

[01 - 06] 빈칸에 알맞은 말을 넣으시오.

01 생각하기 위해서 / V ─ 명령문

______ more clearly and faster, / eat a good breakfast.
더욱 명확하고 빠르게 생각하기 위해서 / 좋은 아침식사를 해라

해석 더욱 명확하고 빠르게 생각하기 위해서 좋은 아침식사를 해라.
해설 '생각하기 위해서'라는 뜻이 적절하므로 목적의 To think가 적절하다.

02 하기 위해서

You must rely on words / ______ / both the telling and the showing.
당신은 말에 의존해야 한다 / 하기 위해서 / 말하기와 보여주기 모두를

해석 당신은 말하기와 보여주기 모두를 하기 위해서 말에 의존해야만 한다.
해설 '하기 위해서'라는 뜻이 적절하므로 목적의 to do가 적절하다.

03 즐기기 위해서 / ─ 분사구문, 동시상황, '노력하며'

I sat down / ______ a cold drink, / trying to make myself comfortable.
나는 앉았다 / 차가운 음료를 즐기기 위해서 / 나 자신을 편안케 하려고 노력하며

해석 나는 차가운 음료를 즐기기 위해서 앉아서 나 자신을 편안케 하려고 노력했다.
해설 '즐기기 위해서'라는 뜻이 적절하므로 목적의 to enjoy가 적절하다.

04 돕기 위해서

She frequently goes the extra mile / ______ / her classmates or teammates / achieve their goals. 그녀는 종종 특별히 더 애를 쓴다 / 돕기 위해서 / 그녀의 친구나 팀동료가 / 그들의 목표를 이루도록

해석 그녀는 그녀의 친구나 동료가 그들의 목표를 이루도록 돕기 위해서 종종 특별히 더 애를 쓴다.
해설 '돕기 위해서'라는 뜻이 적절하므로 목적의 to help가 적절하다.

05 보내기 위해서

He thought / about the boy's problem / and then designed a special helmet / which used flashing lights ______ players signals.
그는 생각했다 / 그 소년의 문제에 대해서 / 그러고 나서 특별한 헬멧을 제작했다 / 플래시를 사용하는 / 선수들에게 신호를 보내기 위해서

해석 그는 그 소년의 문제에 대해서 생각했고, 선수들에게 신호를 보내기 위해서 플래시를 사용하는 특수 헬멧을 고안했다.
해설 '보내기 위해서'라는 뜻이 적절하므로 목적의 to send가 적절하다.

06 보호하기 위해서 / S V

______ your original songs / from being stolen and copied, / you can license / what you have made. 당신의 원곡을 보호하기 위해서 / 훔쳐지고 복제되는 것으로부터 / 당신은 라이선스 등록을 할 수 있다 / 당신이 만든 것을

해석 당신의 원곡이 도난되고 복제되는 것으로부터 보호하기 위해서 당신은 당신이 만든 것을 라이선스 등록할 수 있다.
해설 '보호하기 위해서'라는 뜻이 적절하므로 목적의 To protect가 적절하다.

POINT 065 기타 의미로 사용된 to부정사

'happy'라는 감정형용사 뒤에 to부정사가 왔으므로 감정의 이유를 나타낸다. "보내서 행복하다"

He told them / that he was **happy** / [**to send** each of them a check / for a hundred dollars.] → 행복한 이유

그는 그들에게 말했다 / 그는 행복하다고 / 그들 각각에게 수표를 보내서 / 100달러짜리
··· 그가 그들에게 그들 각각에게 100달러짜리 수표를 보내서 행복하다고 말했다.

Grammar Point

❶ 감정의 이유: 감정형용사+to부정사(...해서 ~하다)
❷ 결과(그래서 ~하다): only to부정사, grow to부정사(자라서 ...가 되다)
He grew to be the king of England. 그는 커서 잉글랜드의 왕이 되었다.
❸ 가정(~한다면, = if): to부정사 ~, would/could ~
To get the magic lamp, I could be rich. 마법의 램프만 얻는다면, 부자가 될 수 있을 텐데.

밑줄 친 부분을 해석하시오.

01 Your puppy is always happy to see you.

02 All of the children grew up to be active game players.

03 To get up early, you would not be late to the meeting again.

04 We're sorry to inform you that there'll be a change in the event.

05 Jane woke up to be the star in her school because of her kindness.

06 He was shocked to see that it was a map of the Pyrenees Mountains that border Spain and France, not the Swiss Alps.

Words & Phrases

check 수표
puppy 강아지
active 활발한
inform 알리다
border 경계를 이루다

끊어 읽으면 답이 보인다!

POINT 065

[01-06] **빈칸에 알맞은 말을 넣으시오.**

01

당신을 봐서(happy의 이유)

Your puppy is always happy / __________ you.

당신의 강아지는 항상 기쁘다 / 당신을 봐서

해석 당신의 강아지는 당신을 봐서 항상 기쁘다.

해설 형용사 happy 다음에 이에 대한 이유로 to see가 적절하다.

02

자라서 결국 되었다(결과)

All of the children / grew up / __________ active game players.

아이들 모두는 / 자라서 / 활동적인 게임 선수가 되었다

해석 아이들 모두는 자라서 결국 활동적인 게임 선수들이 되었다.

해설 '자라서 ~이 되었다'는 뜻이므로 to be가 적절하다.

03

일찍 일어난다면(가정)

__________ early, / you would not be late / to the meeting again.

일찍 일어난다면 / 당신은 늦지 않을 텐데 / 회의에 다시는

해석 일찍 일어난다면 다시는 회의에 늦지 않을 텐데.

해설 '일찍 일어난다면'이라는 가정을 뜻하므로 To get up이 적절하다.

04

알리게 되어서(sorry의 이유)

We're sorry / __________ you / that there'll be a change / in the event.

유감이다 / 당신에게 알리게 되어 / 변화가 있을 것이다 / 행사에

해석 당신에게 행사에 변화가 있을 것이라는 것을 알리게 되어 유감이다.

해설 형용사 sorry 다음에 이에 대한 이유로 to inform이 적절하다.

05

일어났더니 스타가 되었다(결과)

Jane woke up / __________ the star / in her school / because of her kindness.

제인은 일어났더니 / 스타가 되었다 / 학교에서 / 그녀의 친절함 덕분에

해석 그녀의 친절함 덕분에 제인은 일어났더니 학교에서 스타가 되었다.

해설 '~가 되었다'는 결과를 뜻하므로 to be가 적절하다.

06

알게 되어서(shocked의 이유)

He was shocked / __________ / that it was a map of the Pyrenees Mountains / that border Spain and France, / not the Swiss Alps.

그는 충격을 받았다 / 알게 되어서 / 그것은 피레네 산맥의 지도였다는 것을 / 스페인과 프랑스의 경계를 이루는 / 스위스의 알프스가 아닌

해석 그는 그것이 스위스의 알프스가 아닌 스페인과 프랑스의 경계를 이루는 피레네 산맥의 지도였다는 것을 알게 되어 충격을 받았다.

해설 형용사 shocked의 이유로 to see가 적절하다.

to부정사의 의미상의 주어

가주어 / 의미상의 주어 / 진주어

It is difficult / **for teenagers** / **to fall** asleep / before midnight.

to fall의 의미상 주어 역할을 하고 있다.

어렵다 / 십대들이 / 잠에 드는 것은 / 자정이 되기 전에
···› 십대들은 자정이 되기 전에 잠이 드는 것은 어렵다.

Grammar Point

to부정사의 행동의 주어를 표현하고 싶을 때 '의미상의 주어'를 사용한다.

for	of (사람의 성격)
easy, difficult, hard, natural, necessary, important, possible, dangerous, pleasant	kind, smart, polite, stupid, foolish, clever, wise, considerate, careful, careless

Words & Phrases

teenager 십대
fall asleep 잠이 들다
grieve 슬퍼하다
language 언어
gap 차이
turn on 켜다
pleasing 즐거운
complete 완료하다
dye 염색하다
blame 비난하다

다음 중 알맞은 것을 고르시오.

01 It is very nice [of / for] you to show me around the country.

02 It's natural [of / for] us to grieve over things we've lost.

03 A language gap is a great opportunity [of / for] good manners to shine.

04 It is hard [of him / for him] to turn on lights, open doors, or pick up things.

05 It was pleasing [for / of] you to complete the mission before the sun set.

06 It might be wise [of you / for you] to dye your hair rather than to blame your gray hair.

끊어 읽으면 답이 보인다!

POINT 066

[01-06] 빈칸에 알맞은 말을 넣으시오.

01

사람의 성질 / to show의 의미상의 주어

It is very nice / __________ you / to show me / around the country.

너무 친절하다 / 당신이 / 나에게 보여준 것이 / 나라 주변을

해석 나라 주변을 나에게 보여준 당신은 매우 친절하다.

해설 의미상의 주어 앞에 있는 형용사가 사람의 성질(nice)을 의미하므로 의미상의 주어는 of를 사용한다.

02

사람의 성질 X / to grieve의 의미상의 주어

It's natural / __________ us / to grieve over things / we've lost.

자연스럽다 / 우리가 / 물건 때문에 한탄하는 것은 / 우리가 잃어버린

해석 우리가 잃어버린 물건 때문에 한탄하는 것은 자연스럽다.

해설 to grieve의 의미상의 주어가 필요하고 natural이 사람의 성질이 아니므로 for가 적절하다.

03

to shine의 의미상의 주어

A language gap / is a great opportunity / __________ good manners / to shine.

언어 차이는 / 엄청난 기회이다 / 좋은 매너가 / 빛을 발할

해석 언어 차이는 좋은 매너가 빛을 발할 좋은 기회이다.

해설 to shine의 의미상의 주어가 필요하므로 for가 적절하다.

04

사람의 성질 X / to turn의 의미상의 주어

It is hard / __________ / to turn on lights, / open doors, / or pick up things.

어렵다 / 그가 / 불을 키고 / 문을 열고 / 또는 물건을 줍는 것은

해석 그가 불을 켜고, 문을 열고, 또는 물건을 줍는 것은 어렵다.

해설 to turn의 의미상의 주어가 필요하고 hard가 사람의 성질이 아니므로 for him이 적절하다.

05

사람의 성질 X / to complete의 의미상의 주어

It was pleasing / __________ you / to complete the mission / before the sun set.

즐거운 일이다 / 당신이 / 임무를 완수하는 것은 / 해가 지기 전에

해석 해가 지기 전에 당신이 임무를 완수하는 것은 즐거운 일이었다.

해설 to complete의 의미상의 주어가 필요하고 pleasing(기분 좋게 해주는)은 사람의 성질이 아니므로 for가 적절하다.

06

사람의 성질 / to dye의 의미상의 주어

It might be wise / __________ / to dye your hair / rather than to blame your gray hair.

현명할 수도 있다 / 당신이 / 머리카락을 염색하는 것은 / 당신의 흰 머리카락을 탓하는 것보다

해석 당신이 흰 머리카락을 탓하기 보다는 머리카락을 염색하는 것은 현명한 것일 수도 있다.

해설 to dye의 의미상의 주어가 필요하고 wise가 사람의 성질이므로 of you가 적절하다.

Point (064~066) Review

p.29

[01-10] 다음 중 알맞은 것을 고르시오.

01 It is easy [of / for] him to pass the test for being a doctor.

02 The boss was sorry [seeing / to see] his good worker go and asked if he could build just one more house as a personal favor.

03 It would be foolish [for you / of you] to buy a cow if you lived in an apartment.

04 An Indian puts his ear to the ground in order [detecting / to detect] distant footsteps.

05 [Score / To score] good points, a man needs to respond the same way a woman would, by giving details.

06 It is very important [of children / for children] to learn how to be polite and kind.

07 He was a good pianist and people came just [by hearing / to hear] him play.

08 [By being the winner / To be the winner] you should do your best and exercise and train every day.

09 She went to his room only [finding / to find] that his room was empty.

10 It is pleasant [of you / for you] to send a good message to them.

POINT

067~069

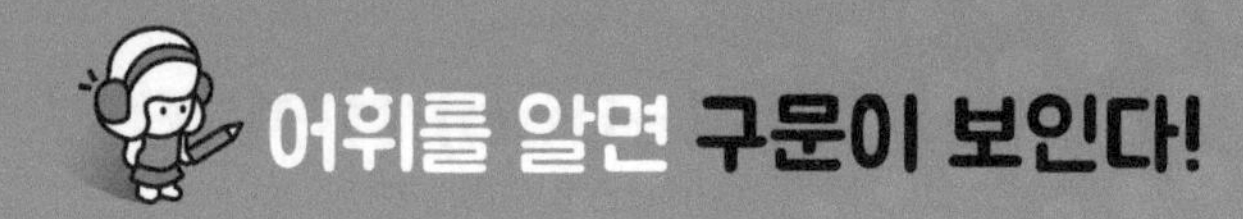

체크! Words & Phrases

POINT 067

- ☐ arrest 체포
- ☐ luggage 짐
- ☐ disappear 사라지다
- ☐ confuse 혼동하다
- ☐ effective 효과적인
- ☐ cliché 상투적 표현
- ☐ founding 기초
- ☐ ancestor 조상
- ☐ layer 층
- ☐ bend 굽히다, 휘다

POINT 068

- ☐ shelter 안식처, 집
- ☐ nurse 키우다, 양육하다
- ☐ suburb 교외지역
- ☐ support 부양하다, 지원하다
- ☐ food chain 먹이사슬

POINT 069

- ☐ witness 목격
- ☐ settle 해결하다
- ☐ criminal 범죄자
- ☐ sticky 끈적한
- ☐ constantly 지속적으로
- ☐ punishment 처벌
- ☐ compassionately 열정적으로
- ☐ needs 욕구
- ☐ skepticism 회의적 태도
- ☐ long-standing 오래된
- ☐ assumption 추정, 가정

★모르는 단어에 체크하고, 소리 내어 10번만 뜻과 함께 말해 보세요.

[01-20] 다음 빈칸에 알맞은 우리말 뜻이나 단어를 쓰시오.

01 criminal ______________

02 shelter ______________

03 confuse ______________

04 layer ______________

05 skepticism ______________

06 witness ______________

07 settle ______________

08 nurse ______________

09 luggage ______________

10 disappear ______________

11 먹이사슬 ______________

12 효과적인 ______________

13 굽히다, 휘다 ______________

14 처벌 ______________

15 지속적으로 ______________

16 교외지역 ______________

17 부양하다, 지원하다 ______________

18 끈적한 ______________

19 조상 ______________

20 추정, 가정 ______________

to부정사의 부정/시제/수동태

Because of her arrest, / many black people got angry, /and decided / **not to use** the city buses.

S V1 V2

→ to부정사의 부정은 부정어를 to 앞에 둔다. to not use (X)

그녀의 체포 때문에 / 많은 흑인들은 화가 났다 / 그리고 결정했다 / 도시 버스를 이용하지 않기로

→ 그녀의 체포로 인해서 많은 흑인들은 화가 났고, 도시 버스를 이용하지 않기로 결정했다.

Grammar Point

❶ to부정사의 부정은 to 앞에 부정어(not, no, never)를 둔다.
❷ 먼저 발생한 사건의 경우 to have p.p.의 완료형을 사용한다.
❸ 수동태를 나타낼 경우 to be p.p.를 사용한다.

다음 중 알맞은 것을 고르시오.

Words & Phrases

arrest 체포
luggage 짐
disappear 사라지다
confuse 혼동하다
effective 효과적인
cliché 상투적 표현
founding 기초
ancestor 조상
layer 층
bend 굽히다, 휘다

01 Because his luggage seems [to disappear / to have disappeared] yesterday, he is calling the office.

02 It is important [to not confuse / not to confuse] the word in several sentences.

03 I'm sorry [to be / to have been] late for the last meeting, so I promise I won't be late again.

04 If you want your writing to be stronger and more effective, try [to not use / not to use] clichés.

05 The founding population of our direct ancestors is not thought [to be / to have been] much larger than 2,000 individuals.

06 Cold air is thicker than hot air, and this causes light passing through the layers [to bend / to be bent].

끊어 읽으면 답이 보인다!

POINT 067

[01-06] **빈칸에 알맞은 말을 넣으시오.**

01

과거에 벌어진 일

Because his luggage seems ______________ yesterday, he is calling the office.
그의 짐이 어제 사라진 것 같기에, 그는 사무실에 전화를 하고 있다.

해석 그의 짐이 어제 사라진 것 같아서, 그는 사무실에 전화하고 있다.

해설 동사는 현재지만, 사건이 벌어진 것은 과거라서 시제가 다르다. 따라서 to부정사는 과거임을 알려주기 위해서 to have disappeared를 써야 한다.

02

부정어 + to부정사

It is important / ______________ the word / in several sentences.
중요하다 / 그 단어를 혼동하지 않는 것이 / 몇 개의 문장에서

해석 몇 개의 문장에서 그 단어를 혼동하지 않는 것이 중요하다.

해설 to부정사의 부정은 부정어를 to부정사 앞에 두므로 not to confuse가 적절하다.

03

현재 / 과거에 늦었음

I'm sorry / ______________ for the last meeting, / so I promise / I won't be late again.
미안하다 / 지난번 회의에 늦어서 / 그래서 나는 약속한다 / 다시는 늦지 않을 것이라고

해석 지난번 회의에 늦어서 미안하다. 그래서 다시는 늦지 않을 거라고 약속한다.

해설 동사는 현재지만, 사건이 벌어진 것은 과거라서 시제가 다르다. 따라서 to부정사는 과거임을 알려주기 위해서 to have been을 써야 한다.

04

명령문 — V / 부정어 + to부정사

If you want / your writing / to be stronger and more effective, / try ______________ clichés.
당신이 원한다면 / 당신의 글이 / 더 강하고 더 효과적이 되기를 / 클리셰를 사용하지 않도록 해라

해석 당신 글이 더 강력하고 더 효과적이 되기를 원한다면, 클리셰(진부한 표현)을 쓰지 않도록 노력해라.

해설 to부정사의 부정은 부정어를 to부정사 앞에 둔다. 따라서 not to use가 적절하다.

05

과거의 현상임

[The founding population / of our direct ancestors] / is not thought / ______________ much larger / than 2,000 individuals. 초기 집단의 인구는 / 우리 직계 조상의 / 생각되지 않는다 / 훨씬 많았을 거라고 / 2천 명보다

해석 우리 직계 조상의 초기 집단은 2천 명이 넘지 않았을 거라고 생각된다.

해설 동사는 현재지만, 사건이 벌어진 것은 과거라서 시제가 다르다. 따라서 to부정사는 과거임을 알려주기 위해서 to have been을 써야 한다.

06

Cold air is thicker / than hot air, / and this causes / light / passing through the layers / ______________. 차가운 공기는 더 두껍다 / 뜨거운 공기보다 / 그리고 이것은 유발한다 / 빛이 / 그 층을 통과하는 / 굴절되도록

해석 차가운 공기는 뜨거운 공기보다 더 두껍고, 이것은 그 층을 통과하는 빛이 굴절되도록 한다.

해설 light와 bend(구부리다)의 관계는 수동 관계이므로 to be bent가 적절하다.

enough to vs. too ~ to

'충분히 운이 좋아서 멈출 수 있다'
enough lucky (X), too lucky to stop (운이 너무 좋아서 멈출 수가 없다)

They are **lucky enough / to stop** by our town / and join us.

그들은 충분히 운이 좋다 / 우리 마을에 들러서 / 우리와 함께할 정도로
⋯› 그들은 우리 마을에 들러서 우리와 함께할 정도로 충분히 운이 좋다.

Grammar Point

❶ too ~ to ⋯ : 너무 ~해서 ⋯할 수 없다 (= so ~ that S cannot ⋯)

❷ ~ enough to ⋯: ⋯하기에 충분히 ~하다 (= so ~ that S can ⋯)
* 형용사/부사+enough (어순 주의)

❸ 부정어가 붙을 때에는 해석에 주의한다.
He is not too old to learn it. 그는 그것을 배울 수 없을 만큼 나이가 들지는 않았다.

다음 밑줄 친 부분을 해석하시오.

01 Charlie was born at an animal shelter, but his mom was too sick to nurse him.

02 Because the suburbs are spread out, it's too far to walk to the office or run to the store.

03 It's not too cold to swim. Let's take the chance and go.

04 It was fine enough to do anything, so that they went to the park for a picnic.

05 They were too small to support the creatures at the top of the food chain such as pumas and eagles.

06 The roadrunner is famous for its speed because it is fast enough to catch and eat even a rattlesnake.

Words & Phrases

- **be born** 태어나다
- **shelter** 안식처, 집
- **nurse** 키우다, 양육하다
- **suburb** 교외지역
- **support** 부양하다, 지원하다
- **food chain** 먹이사슬
- **rattlesnake** 방울뱀

끊어 읽으면 답이 보인다!

POINT 068

[01-06] 빈칸에 알맞은 말을 넣으시오.

01

too ~ to 동사원형: 너무 ~해서 ~할 수 없다

Charlie was born / at an animal shelter, / but his mom was too sick / ______________ him.

찰리는 태어났다 / 동물 보호소에서 / 하지만, 그의 어머니는 너무 아파서 / 그를 돌볼 수가 없었다

해석 찰리는 동물 보호소에서 태어났지만, 그의 엄마가 너무 아파서 그를 돌볼 수가 없었다.

해설 앞에 too sick이 왔으므로 to nurse가 적절하다.

02

too ~ to 동사원형: 너무 ~해서 ~할 수 없다

Because the suburbs are spread out, / it's too far / ______________ to the office / or run to the store. 교외 지역들이 퍼져나가기 때문에 / 너무 멀어서 / 사무실까지 걸을 수 없다 / 아니면 가게까지 뛸 수 없다

해석 교외 지역이 확장되기 때문에 너무 멀어서 사무실까지 걸을 수 없고 가게까지 뛰어갈 수도 없다.

해설 앞에 too far가 왔으므로 to walk가 적절하다.

03

not too ~ to 동사원형: ~못 할 정도로 너무 ~한 것은 아니다

It's not too cold / ______________. / Let's take the chance / and go.

너무 추운 건 아니다 / 수영을 못 할 정도로 / 기회를 보고 / 가자

해석 수영을 못 할 정도로 춥지는 않다. 기회를 봐서 가자.

해설 앞에 too cold가 있으므로 to swim이 적절하다.

04

형용사 + enough to do: ~하기에 충분히 ~하다

It was fine enough / ______________ anything, / so that they went to the park / for a picnic.

날씨가 매우 좋았다 / 무엇이든 하기에 / 그래서 그들은 공원에 갔다 / 소풍을 위해

해석 무엇이든 하기에 날씨가 매우 좋았고, 그래서 그들은 공원으로 소풍을 갔다.

해설 앞에 〈형용사 + enough〉가 있으므로 to do가 적절하다.

05

too ~ to 동사원형: 너무 ~해서 ~할 수 없다

They were too small / ______________ the creatures / at the top of the food chain / such as pumas and eagles. 그들은 너무 작아서 / 그 동물을 도와줄 수 없었다 / 먹이사슬의 맨 위에 있는 / 퓨마나 독수리 같은

해석 그들은 너무 작아서 퓨마나 독수리 같은 먹이사슬이 맨 위에 있는 동물들을 도와줄 수는 없었다.

해설 앞에 too small이 있으므로 to support가 적절하다.

06

형용사 enough to 동사원형: ~할 정도로 충분히 ~하다

The roadrunner is famous / for its speed / because it is fast enough / ______________ and eat even a rattlesnake. 로드러너는 유명하다 / 그 속도로 / 왜냐하면 그것은 충분히 빠르다 / 심지어 방울뱀을 잡아먹을 정도로

해석 로드러너는 심지어 방울뱀을 잡아먹을 정도로 충분히 빠르기 때문에 속도로 유명하다.

해설 앞에 fast enough가 있으므로 to catch가 적절하다.

가목적어 it

목적어가 to부정사이므로 뒤로 보내고 가목적어 it을 쓴다.
made easy to settle (X)

Rin's witness / [made it easy / to settle this case], / and finally we arrested the real criminal.

가목적어 / 진목적어

린의 목격은 / 쉽게 만들었다 / 이 사건을 해결하는 것을 / 그리고 마침내 우리는 진짜 범죄자를 체포했다

→ 린의 목격은 이 사건의 해결을 쉽게 만들었고, 결국 우리는 진짜 범죄자를 체포했다.

Grammar Point

❶ 5형식 문장에서 목적어가 to부정사나 명사절(that, what, 의문사절)이 사용될 경우 가목적어 it을 쓰고 진목적어는 목적보어 뒤로 보낸다.

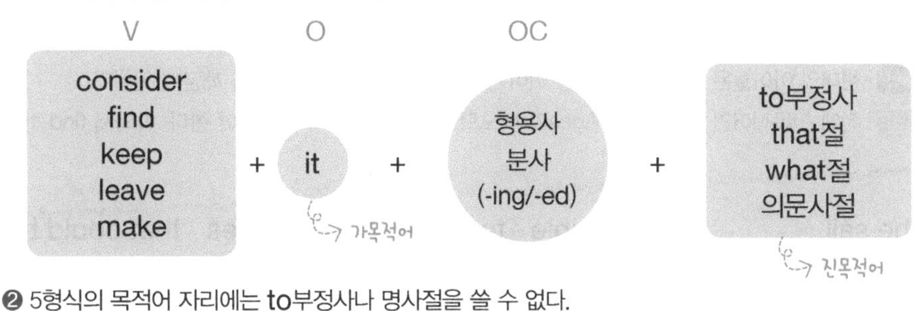

❷ 5형식의 목적어 자리에는 to부정사나 명사절을 쓸 수 없다.

(X) He made to win the game possible. → (O) He made it possible to win the game.

Words & Phrases

- witness 목격
- settle 해결하다
- criminal 범죄자
- sticky 끈적한
- the Middle Ages 중세시대
- constantly 지속적으로
- punishment 처벌
- compassionately 열정적으로
- needs 욕구
- skepticism 회의적 태도
- long-standing 오래된
- assumption 추정, 가정

다음 중 알맞은 것을 고르시오.

01 Birds became covered in the sticky oil, making [it / them] difficult for them to stay warm and dry.

02 Modern children do not [find / find it] very difficult to read the hero story from the Middle Ages.

03 The sail [made possible / made it possible] to trade with countries that could be reached only by sea.

04 If we constantly use punishment, it will [make harder / make it harder] for others to respond compassionately to our needs.

05 His habit of skepticism made [him / it] easy to question many long-standing scientific assumptions.

끊어 읽으면 답이 보인다!

POINT 069

[01－05] **빈칸에 알맞은 말을 넣으시오.**

01

분사구문, '그리고 그것은' / it: 가목적어 / 의미상의 주어 / 진목적어

Birds became covered / in the sticky oil, / making ________ difficult / for them / to stay warm and dry.

새들은 덮였다 / 끈적한 기름으로 / 이는 어렵게 만들었다 / 그들이 / 따뜻함과 건조함을 유지하는 걸

해석 새들은 끈적한 기름에 덮였고, 이는 새들이 따뜻함과 건조함을 유지하기 어렵게 만들었다.

해설 뒤에 진목적어인 to stay warm and dry가 나오므로 가목적어인 it이 쓰여야 한다.

02

it: 가목적어 / 진목적어

Modern children / do not ________ very difficult / to read the hero story / from the Middle Ages.

현대의 아이들은 / 매우 어렵다는 것을 깨닫지 못한다 / 영웅 이야기를 읽는 것을 / 중세시대의

해석 현대의 아이들은 중세시대의 영웅 이야기를 읽는 것이 어렵다는 것을 깨닫지 못한다.

해설 뒤에 진목적어인 to read ~ Ages가 나오므로 가목적어인 it이 쓰여야 한다. 따라서 find it이 적절하다.

03

it: 가목적어 / 진목적어

The sail / ________ possible / to trade with countries / that could be reached only by sea.

항해는 / 가능하게 만들었다 / 나라들과의 거래를 / 오직 바다로만 닿을 수 있는

해석 항해는 오직 바다로만 닿을 수 있는 나라들과의 거래를 가능하게 만들었다.

해설 뒤에 진목적어인 to trade~countries가 나오므로 가목적어인 it이 쓰여야 한다. 따라서 made it이 적절하다.

04

it:가목적어 / 의미상의 주어 / 진목적어

If we constantly use punishment, / it will ________ harder / for others / to respond compassionately to our needs.

우리가 지속적으로 체벌을 사용한다면 / 그것은 더 어렵게 만들 것이다 / 다른 사람들이 / 동정적으로 우리의 욕구에 반응하는 것을

해석 우리가 계속해서 체벌을 사용한다면, 이는 다른 사람들이 우리 욕구에 동정적으로 반응하는 것을 더 어렵게 만들 것이다.

해설 뒤에 진목적어인 to respond ~ needs가 나오므로 가목적어인 it이 쓰여야 한다. 따라서 make it이 적절하다.

05

it: 가목적어 / 진목적어

His habit of skepticism / made ________ easy / to question many long-standing scientific assumptions.

회의주의적인 그의 습관은 / 쉽게 만들었다 / 오래 가는 과학적 가정에 대해서 질문을 하는 것을

해석 그의 의심하는 (회의적인) 습관은 많은 오랜 과학적인 가정들을 쉽게 의심하도록 만들었다.

해설 뒤에 진목적어인 to question ~ assumptions가 나오므로 가목적어인 it이 쓰여야 한다.

Point (067~069) Review

p.30

[01-10] 다음 중 알맞은 것을 고르시오.

01 In order [to not be / not to be] wasteful, the teacher didn't award trophies to other participants.

02 One main decision [to make / to be made] tomorrow by our team will affect your suggestion for preserving this forest.

03 You can [make / make it] easier for the next person to use the machine.

04 All of a sudden they are too close to a waterfall, and they realize it's [late enough / too late] to change course.

05 Many counselors [found / found it] difficult to cure the trauma by recalling problems.

06 People are cautioned [to not look / not to look] at the Sun at the time of a solar eclipse.

07 I think our regular staff will be [too smart / smart enough] to operate all the events.

08 We expected you [to complete / to have completed] your university studies with a doctoral degree in economics last year.

09 If a developed country gives food to a poor country, its local farmers will [find difficult / find it difficult] to sell food they produce.

10 You begin [to not care / not to care] about consistency within a given habitat, because such consistency isn't an option.

POINT

070~072

어휘를 알면 구문이 보인다!

체크! Words & Phrases

POINT 070

□ serious	심각한
□ quicken	빠르게 하다
□ publisher	출판업자
□ material	자료, 재료
□ contain	포함하다
□ deadline	마감일
□ private	사적인
□ refuse	거절하다
□ treatment	치료
□ afford	~할 여유가 있다

POINT 071

□ lock	잠그다
□ over and over	반복해서
□ inform	알리다
□ eliminate	제거하다
□ pick up	태우다
□ passenger	승객
□ essential	본질적인
□ interaction	상호작용

POINT 072

□ enable	가능하게 하다
□ generator	발전기
□ point of view	관점, 견해
□ force	강요하다
□ including	~을 포함하여
□ heighten	강조하다
□ defensive	방어적인
□ purpose	목적

★모르는 단어에 체크하고, 소리 내어 10번만 뜻과 함께 말해 보세요.

[01-20] 다음 빈칸에 알맞은 우리말 뜻이나 단어를 쓰시오.

01 private ______________

02 treatment ______________

03 serious ______________

04 eliminate ______________

05 over and over ______________

06 force ______________

07 deadline ______________

08 generator ______________

09 enable ______________

10 point of view ______________

11 빠르게 하다 ______________

12 출판업자 ______________

13 자료, 재료 ______________

14 포함하다 ______________

15 본질적인 ______________

16 상호작용 ______________

17 목적 ______________

18 강조하다 ______________

19 방어적인 ______________

20 거절하다 ______________

to부정사를 목적어로 취하는 동사

By the time / he returned to Athens / in 388 B.C., /

decide는 to부정사를 목적어로 가진다. decided becoming (X)

Plato had **decided / to become** a teacher.

그때가 되었을 때 / 그는 아테네로 돌아왔다 / 기원전 388년에 / 플라톤은 결심한 상태였다 / 선생님이 되기로

⋯→ 그가 기원전 388년에 아테네로 돌아왔을 때, 플라톤은 선생님이 되기로 결심한 상태였다.

Grammar Point

❶ 다음의 동사들은 to부정사를 목적어로 취한다.

decide, hope, wish, afford, choose, learn, promise, plan, want, seek, tend, happen, fail, refuse ✚ to부정사

❷ practice, consider, cannot help는 뒤에 동명사가 온다.

Words & Phrases

- **serious** 심각한
- **quicken** 빠르게 하다
- **publisher** 출판업자
- **material** 자료, 재료
- **contain** 포함하다
- **deadline** 마감일
- **private** 사적인
- **refuse** 거절하다
- **treatment** 치료
- **afford** ~할 여유가 있다

다음 중 알맞은 것을 고르시오.

01 The current law is likely to fail [solving / to solve] this serious problem.

02 I quickened my legs pushing the pedals, hoping [riding / to ride] faster.

03 Most publishers will not want [wasting / to waste] time with writers whose material contains too many errors.

04 Some consider [to move / moving] to another job, and others are worried about deadlines.

05 I asked a private hospital for help, but they refused [providing / to provide] treatment for his mother.

06 Many of his patients were poor farmers, and they could not afford [paying / to pay] Dr. Ross's small fee.

끊어 읽으면 답이 보인다!

POINT 070

[01-06] **빈칸에 알맞은 말을 넣으시오.**

01

fail + to부정사

The current law / is likely / to fail ________ this serious problem.

현행법은 / 가능성이 있다 / 이 심각한 문제를 해결하는데 실패할

해석 현행법은 이 심각한 문제를 해결하는 데 실패할 가능성이 있다.

해설 fail은 to부정사를 목적어로 가지는 동사이다. 따라서 to solve가 적절하다.

02

분사구문, '희망하며'　hope + to부정사

I quickened / my legs / pushing the pedals, / hoping ________ faster.

나는 빠르게 했다 / 내 발을 / 페달을 누르는 것을 / 더 빠르게 가는 걸 희망하며

해석 나는 더 빠르게 갈 것을 희망하며, 페달을 더 빨리 밟았다.

해설 hope는 to부정사를 목적어로 가지는 동사이다. 따라서 to ride가 적절하다.

03

want + to부정사

Most publishers will not want / ________ time / with writers / whose material contains too many errors.

대부분의 출판업자들은 원하지 않을 것이다 / 시간을 낭비하는 것을 / 작가들과 / 작가들의 작품이 너무 많은 오류를 포함한다

해석 대부분의 출판업자들은 너무 많은 오류를 포함하는 작품의 작가들과 시간을 허비하기를 원하지 않을 것이다.

해설 want는 to부정사를 목적어로 가지는 동사이다. 따라서 to waste가 적절하다.

04

consider + -ing

Some consider / ________ to another job, / and others are worried about deadlines.

일부는 고려한다 / 다른 일로 이동하는 것을 / 그리고 다른 이들은 마감일에 대해서 걱정한다

해석 일부는 다른 일로 넘어가는 것을 고려하고, 다른 이들은 마감일을 걱정한다.

해설 consider는 to부정사를 쓸 것 같지만, 동명사를 목적어로 가지는 동사이다. 따라서 moving이 적절하다.

05

refuse + to부정사

I asked a private hospital / for help, / but they refused / ________ treatment / for his mother. 나는 개인 병원에 요구했다 / 도움을 / 하지만 그들은 거절했다 / 치료를 제공하기를 / 그의 어머니에게

해석 그는 개인 병원에게 도움을 요청했지만, 그들은 그의 어머니를 치료하기를 거절했다.

해설 refuse는 to부정사를 목적어로 가지는 동사이다. 따라서 to provide가 적절하다.

06

can afford + to부정사

Many of his patients / were poor farmers, / and they could not afford / ________ Dr. Ross's small fee. 그의 환자 중 많은 사람들은 / 가난한 농부들이었다 / 그리고 그들은 여유가 없었다 / 닥터 로스의 적은 비용을 지불하는 것에

해석 그의 환자 중 많은 이들이 가난한 농부들이었고, 그들은 닥터 로스의 적은 비용을 지불할 여유가 없었다.

해설 afford는 to부정사를 목적어로 가지는 동사이다. 따라서 to pay가 적절하다.

to부정사와 동명사가 올 때 의미가 다른 동사

Jack was blamed / for having lost the design / because he **forgot** / **to lock** the office door / yesterday.

→ 문을 잠그는 것을 잊었으므로 아직 안 한 행위이다. 따라서 to lock이 와야 한다.

잭은 비난을 받았다 / 디자인을 잃어버려서 / 왜냐하면 그는 잊었기 때문에 / 사무실의 문을 잠그는 것을 / 어제

··· 잭은 어제 사무실 문을 잠그는 것을 잊었기 때문에 디자인을 잃어버린 것에 대해 비난받고 있다.

Grammar Point

※ 다음의 동사들은 to부정사와 동명사에 따라 의미가 달라진다.

	to부정사	동명사 (-ing)
regret	~을 유감스러워하다	~을 후회하다
try	~을 노력하다	~을 시도하다(한번 해보다)
mean	~을 의도하다	~을 의미하다
stop	~하기 위해 멈추다(아직 안 함)	~하는 것을 멈추다(했음)
remember	~하는 걸 기억하다 (아직 안 함)	~했던 걸 기억하다(했음)
forget	~하는 걸 잊다(아직 안 함)	~했던 걸 잊다(했음)

Words & Phrases

be blamed
비난받다

lock
잠그다

over and over
반복해서

inform
알리다

eliminate
제거하다

park
주차하다

pick up
태우다

passenger
승객

essential
본질적인

interaction
상호작용

다음 중 알맞은 것을 고르시오.

01 This vacation was very nice. I will never forget [visiting / to visit] here.

02 Your plan will fail if you forget [checking / to check] it over and over.

03 We regret [informing / to inform] you that your position has been eliminated.

04 That means we cannot park there, but we can stop [picking / to pick] up passengers.

05 It's really easy to forget [taking / to take] the time to say "Thank You," and yet, it's an essential part of interaction with others.

끊어 읽으면 답이 보인다!

POINT 071

[01-05] **빈칸에 알맞은 말을 넣으시오.**

01

forget + ing: 이미 한 일을 잊음

This vacation was very nice. / I will never forget / __________ here.

이번 휴가는 매우 좋았다 / 나는 결코 잊지 않을 것이다 / 여기를 방문한 것을

해석 이번 휴가는 너무 좋았다. 나는 여기를 방문한 것을 잊지 않을 것이다.

해설 과거의 방문을 잊지 않는다는 내용이므로 동명사가 와야 한다. 따라서 visiting이 적절하다.

02

forget + to부정사: (앞으로) ~할 것을 잊다

Your plan will fail / if you forget / __________ it / over and over.

└ the plan

당신의 계획은 실패할 것이다 / 만약 당신이 잊는다면 / 그것을 확인 하는 것을 / 반복해서

해석 만약 당신이 반복해서 그것을 확인하는 것을 잊는다면 당신의 계획은 실패할 것이다.

해설 아직 하지 않은 일(확인해야 함)을 잊는다는 내용이므로 to부정사가 와야 한다. 따라서 to check이 적절하다.

03

regret + to부정사: ~해서 유감이다

We regret / __________ you / that your position has been eliminated.

우리는 유감이다 / 당신에게 알리게 되어 / 당신의 자리가 없어졌음을

해석 우리는 당신에게 당신의 자리가 없어졌음을 알리게 되어 유감입니다.

해설 '~을 해서 유감이다'라는 의미이므로 to부정사가 와야 한다. 따라서 to inform이 적절하다.

04

stop + to부정사: ~하기 위해 멈추다

That means / we cannot park there, / but we can stop / __________ up passengers.

그것은 의미한다 / 우리는 거기에 주차할 수 없다 / 하지만 우리는 멈출 수는 있다 / 승객을 태우기 위해서

해석 그건 우리가 거기에 주차할 수 없음을 의미하다. 하지만 우리는 승객을 태우기 위해서 멈출 수는 있다.

해설 내용상 '승객을 태우기 위해서 멈추다'의 의미이므로 to부정사가 온다. 따라서 to pick이 적절하다.

05

forget + to부정사: ~할 것을 잊다

It's really easy / to forget __________ the time / to say "Thank You," and yet, it's an essential part / of interaction with others.

정말로 쉽다 / 시간을 쓰는 걸 잊는 것은 / 고맙다고 말하는데 / 하지만 그건 본질적인 부분이다 / 다른 사람과의 상호작용에 있어

해석 고맙다고 말하는 시간을 쓰는 것을 잊는 것은 정말로 쉽다. 하지만 그건 다른 사람과의 상호작용의 본질적인 부분이다.

해설 고맙다고 말하는 걸 잊는 것을 비판하는 내용이므로 하지 않은, 즉 해야 할 일을 안 한 to부정사가 적절하다. 따라서 to take가 적절하다.

to부정사를 목적보어로 취하는 동사

S / cause A to R

In his last championship game, / his mistake **caused** / his team **to lose**.

목적보어로 to부정사를 취하는 동사이다.

그의 마지막 결승전 게임에서 / 그의 실수는 유발했다 / 그의 팀이 게임에 지도록
⋯› 그는 자신의 마지막 결승전 경기에서 실수를 저질러서 팀이 경기에서 지게 되었다.

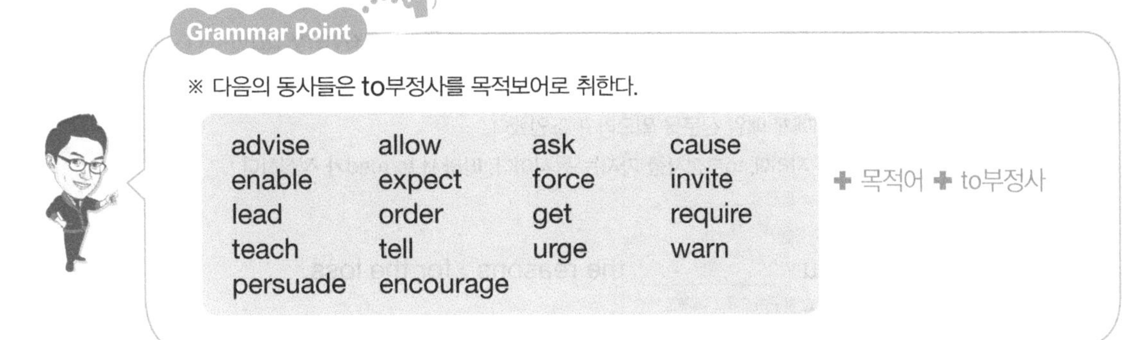

Grammar Point

※ 다음의 동사들은 to부정사를 목적보어로 취한다.

advise	allow	ask	cause
enable	expect	force	invite
lead	order	get	require
teach	tell	urge	warn
persuade	encourage		

➕ 목적어 ➕ to부정사

다음 중 알맞은 것을 고르시오.

01 The wind enables electrical generators [working / to work].

02 He only advised Jimmy [read / to read] the newspaper every day.

03 Losing invites you [exploring / to explore] the reasons for the loss.

04 Collecting stamps will teach them [seeing / to see] the world from different points of view.

05 I thanked him, and also asked him [thanking / to thank] his mother for doing a wonderful job.

06 He forced citizens [doing / to do] hard work, including heightening the city walls for defensive purposes.

Words & Phrases

- **enable** 가능하게 하다
- **generator** 발전기
- **point of view** 관점, 견해
- **force** 강요하다
- **including** ~을 포함하여
- **heighten** 강조하다
- **defensive** 방어적인
- **purpose** 목적

끊어 읽으면 답이 보인다! POINT 072

[01-06] 빈칸에 알맞은 말을 넣으시오.

01

enable A to부정사

The wind enables / electrical generators / __________.

바람은 가능하게 한다 / 전기 발전기가 / 작동하게

해석 바람은 전기발전기가 작동하게 한다.

해설 enable은 목적보어 자리에 to부정사를 가지는 동사이다. 따라서 to work가 적절하다.

02

advise A to부정사

He only advised / Jimmy / __________ the newspaper every day.

그는 유일하게 조언했다 / 지미에게 / 매일 신문을 읽으라고

해석 그는 유일하게 지미에게 매일 신문을 읽으라고 조언했다.

해설 advise은 목적보어 자리에 to부정사를 가지는 동사이다. 따라서 to read가 적절하다.

03

invite A to부정사

Losing invites / you / __________ the reasons / for the loss.

패배는 유도한다 / 당신이 / 이유들을 탐구하도록 / 패배에 대한

해석 패배는 당신이 패배에 대한 이유들을 탐구하도록 유도한다.

해설 invite는 목적보어 자리에 to부정사를 가지는 동사이다. 이때 '유도하다'의 의미를 가진다. 따라서 to explore가 적절하다.

04

teach A to부정사

Collecting stamps / will teach / them / __________ the world / from different points of view. 우표를 모으는 것은 / 가르칠 것이다 / 그들이 / 세상을 보도록 / 다른 관점으로

해석 우표 수집은 그들이 다른 관점으로 세상을 보도록 가르칠 것이다.

해설 teach는 목적보어 자리에 to부정사를 가지는 동사이다. 따라서 to see가 적절하다.

05

ask A to부정사

I thanked him, / and also asked / him / __________ his mother / for doing a wonderful job. 나는 그에게 감사 인사를 전했고 / 그리고 마찬가지로 요구했다 / 그가 / 그의 어머니에게 고마워하기를 / 대단한 일을 한 것에 대해서

해석 나는 그에게 감사 인사를 전했고, 마찬가지로 그가 대단한 일을 한 것에 대해서 그의 어머니에게 고마워하라고 요구했다.

해설 ask는 목적보어 자리에 to부정사를 가지는 동사이다. 따라서 to thank가 적절하다.

06

force A to부정사

He forced / citizens / __________ hard work, / including heightening the city walls / for defensive purposes. 그는 강제했다 / 시민들이 / 열심히 일하도록 / 도시의 벽을 높이는 것을 포함하여 / 방어적인 목적으로

해석 그는 시민들이 방어적 목적으로 도시의 벽을 올리는 것을 포함하여 열심히 일하도록 강제했다.

해설 force는 목적보어 자리에 to부정사를 가지는 동사이다. 따라서 to do가 적절하다.

Point (070~072) Review

p.31

[01-10] 다음 중 알맞은 것을 고르시오.

01 The president refused [taking / to take] part in their plan.

02 Although he saved her life, he wished [leaving / to leave] this country.

03 I have always wanted [going / to go] to an art school since I saw the painting.

04 After much thought, they planned [adopting / to adopt] four special-needs international children.

05 Her physical disabilities caused her [spending / to spend] the first 17 years of her life in a hospital.

06 Counselors often advise clients [getting / to get] some emotional distance from whatever is bothering them.

07 The contests allowed his students [having / to have] fun while they practiced math.

08 This essay failed [focusing / to focus] on a particular point about its subject.

09 You may want to stop [talking / to talk] with him and break away to start a conversation with that other person.

10 The manager forgot [to give / giving] her his business card and gave it to her again.

p.32

[01-10] 다음 중 알맞은 것을 고르시오.

01 When he was about to start your homework, I decided [stopping / to stop] him.

02 Don't forget [to make / making] the mistake before, or you may do it again.

03 Give children options and allow them [making / to make] their own decisions.

04 Jasmine is used to [look / looking] after a little child because she has two younger brothers.

05 It was very kind [of / for] you to help me complete this form.

06 All of the products need to [inspect / be inspected] before putting them on the market.

07 He hopes this course will help him stop [smoking / to smoke].

08 A woman claims to [see / have seen] a spaceship flying when the show was televised nationwide.

09 I remember [to see / seeing] Omar Sharif in *Doctor Zhivago* and *Lawrence of Arabia*.

10 People who live near birds quickly learn [to not grow / not to grow] blue flowers or use blue things outside of their houses.

MEMO

MEMO

자르는 선

구문독해로 4주 안에 1등급 만드는 생존 필살기

구사일생

- 구문을 알면 독해가 저절로!
- 한 달 완성 구문독해 BASIC
- 절대평가 1등급을 위한 기본 다지기
- 핵심 구문을 통한 직독직해 완전정복

구문독해 BASIC

SENTENCE STRUCTURE & READING

www.nexusbook.com | 도서 문의는 넥서스 홈페이지 고객센터 > 온라인 문의 게시판을 이용하세요.

구 문독해로
4 주 안에
1 등급 만드는
생 존 필살기

구사
일생

김상근 지음

Book 1

Saved by the bell
Where are we?
I can survive!
START

정답 및 해설

NEXUS Edu

구문독해로 4주 안에 1등급 만드는 생존 필살기

Book 1

정답 및 해설

NEXUS Edu

Chapter

01 주어

어휘를 알면 구문이 보인다 (001~003) P. 010

01 평균	02 열리다, 개최되다	03 특징
04 교육하다	05 ~을 먹고 살다	06 결론을 내리다
07 ~가 필요하다	08 실수하다	09 상처 입은
10 갈망하다, 열망하다	11 complete	12 influence
13 standard	14 etiquette	15 decade
16 infection	17 indicate	18 annual
19 satisfactory	20 suggestion	

Point (001~003) Review P. 017

01 The number of	02 is	03 are	04 is	05 is
06 The number of	07 was	08 reveals	09 has	10 is

01 본동사가 단수 동사인 has increased이므로 주어는 단수이어야 한다. 따라서 A number of가 아닌 The number of가 적절하다.

[The number (S) of employees / hoping for early retirement] has increased (V) / these days.

직원들의 수는 / 조기 퇴직을 희망하는 / 증가하고 있다 / 요즘
··· 조기 퇴직을 희망하는 직원들의 수는 요즘 증가하고 있다.

02 주어는 시간을 나타내는 Ten months이다. 복수형이지만, 단수 취급하므로 단수 동사 is가 적절하다.

Ten months (S) / is (V) too long a time / to stay in the hospital.

10개월이라는 시간은 / 너무 긴 시간이라서 / 병원에서 머물 수는 없다
··· 10개월이라는 시간은 병원에 머물기에는 너무 긴 시간이다.

03 주어는 An increasing number of의 수식을 받는 young teachers이다. 복수 주어이므로 동사는 복수 동사인 are가 적절하다.

[An increasing number of young teachers (S)] / are (V) likely to change / their lecture style.

점차 늘어나는 많은 젊은 교사들은 / 바꾸려는 것 같다 / 그들의 강의 스타일을
··· 점차 늘어나는 많은 수의 젊은 교사들은 그들의 교수 스타일을 바꾸려는 것 같다.

04 돈을 나타내는 One hundred dollars가 주어이다. 복수형이지만, 단수 취급하므로 단수 동사 is가 적절하다.

[One hundred dollars (S) a day] / is (V) spent / curing the girl / suffering from this disease.
(spend 시간/돈 -ing)

하루에 100달러라는 돈이 / 쓰이고 있다 / 소녀를 치료하는 데 / 이 질병으로 고통받는
··· 이 질병으로 고통받는 소녀를 치료하는 데 하루에 100달러라는 돈이 쓰이고 있다.

05 One ~ older가 주어부이지만, 실제 주어는 One이므로 단수 동사 is가 적절하다.

[One (S) of the greatest benefits / of getting older] / is (V) the accumulation of experience.

가장 위대한 이점 중 하나는 / 나이가 드는 / 경험의 축적이다
··· 나이가 드는 가장 위대한 이점 중 하나는 경험의 축적이다.

06 본동사가 is이므로 주어는 단수여야 한다. 따라서 주어는 The number (of)가 되어야 한다.

[The number (S) of married couples / working together] / is (V) increasing more and more.

결혼한 커플의 수는 / 함께 일하는 / 점점 더 늘어나고 있다
··· 함께 일하는 결혼한 커플의 수는 점점 더 늘어나고 있다.

07 주어는 동사 앞에 있는 questions가 아닌 One이므로 본동사는 단수 동사인 was가 적절하다.

[One (S) of the most interesting questions] / was (V) "Where did the moon come from?"

가장 흥미로운 질문 중 하나는 / "어디서 달이 왔을까?"였다
··· 가장 흥미로운 질문 중 하나는 "달은 어디에서 왔을까?"였다.

08 시간을 나타내는 주어는 단수 취급하므로 복수형이라도 단수 동사인 reveals가 정답이다.

Thirty years (S) / reveals (V) / how much she loved you.

30년은 / 드러냈다 / 얼마나 그녀가 너를 사랑했는지를
··· 30년이라는 세월은 그녀가 얼마나 너를 사랑했는지를 드러냈다.

09 The number of ~ who exercise까지가 주어부이다. 실제 주어는 The number이므로 단수 동사인 has가 정답이다.

[The number (S) of people / at the park / who exercise] / has decreased (V) / because of the smog.

사람들의 수는 / 공원에 있는 / 운동하려고 / 감소해 왔다 / 스모그 때문에
··· 운동하려고 공원에 있는 사람의 수는 스모그 때문에 감소하고 있다.

10 One ~ culture가 주어부이다. 실제 주어는 One이므로 동사는 단수 동사인 is가 정답이다.

[One (S) of the primary tensions / in American culture] /

V　　　　tension'을 받음
is the one / between freedom and prohibition.

주요한 갈등 중 하나는 / 미국 문화에서 / 갈등이다 / 자유와 금지 사이에
⋯› 미국 문화에서 주된 갈등 중 하나는 자유와 금지 사이의 갈등이다.

어휘를 알면 구문이 보인다 (004~006) P. 018

01 친구, 또래	02 재방문하다	03 먹이를 주다
04 주의	05 정치학	06 정체성
07 격려하다	08 흥미로운	09 위험한
10 발생하다	11 ineffective	12 properly
13 helpful	14 gift	15 explore
16 cause	17 material	18 store
19 medication	20 make friends	

Point (004~006) Review P. 025

01 performs	02 controls	03 has	04 is
05 comes	06 deals	07 prevents	08 shows
09 helps	10 has		

01 동사 앞에 있는 us는 주어가 아니다. Each가 주어이며, 단수 취급하므로 동사는 단수인 performs가 적절하다.

[Each of us] (S) / performs (V) feats / of intuitive expertise / many times each day.

우리 각각은 / 위업을 수행한다 / 직관적인 전문지식의 / 매일 여러 번
⋯› 우리 각자는 매일 여러 번 직관적인 전문지식의 위업을 수행한다.

02 동사 앞의 products는 주어가 아니다. Using ~ products가 주어부이며, 실제 주어는 동명사인 Using이므로 동사는 단수인 controls가 적절하다.

[Using these medical products] (S) / controls (V) infection and disease / properly.

이러한 의학 제품을 사용하는 것은 / 감염과 질병을 통제한다 / 적절히
⋯› 이러한 의학 제품을 사용하는 것은 감염과 질병을 적절히 통제한다.

03 Electronics에 -s가 붙지만, 복수형이 아니다. 단수 취급하므로 동사는 단수인 has가 적절하다.

[Korean Electronics] (S) / has (V) experienced the new problems / worsening their financial health.

Korean Electronics는 / 새로운 문제를 경험하고 있다 / 그들의 재정 상태를 악화시키는
⋯› Korean Electronics는 그들의 재정 상태를 악화시키는 새로운 문제를 경험하고 있다.

04 To locate ~ the fish가 주어부이며, 실제 주어는 To locate이다. to부정사는 단수 취급하므로 동사는 단수인 is가 적절하다.

[To locate the best place / to find the fish] (S) / is (V) the first strategic role / of the fishermen.

최고의 장소를 찾는 것은 / 물고기를 발견하기 위한 / 첫 번째 전략적 역할이다 / 어부의
⋯› 물고기를 잡을 수 있는 최고의 장소를 찾는 것은 어부의 첫 번째 전략적 역할이다.

05 evidence는 단수 취급하며, most는 of 뒤에 오는 명사의 수를 따르므로 동사는 단수인 comes가 온다.

[Most of the evidence] (S) / comes (V) from the findings / he found.

대부분의 증거는 / 결과물들에서 나온다 / 그가 발견한
⋯› 대부분의 증거는 그가 찾은 연구 결과물들에서 나온다.

06 Much는 단수 취급하므로 동사는 단수인 deals가 적절하다.

[Much of James's work] (S) / deals (V) with the contrast / in values of Americans and Europeans.

제임스의 일 상당수가 / 차이점을 다룬다 / 미국인과 유럽인의 가치에서의
⋯› 제임스의 일 상당수는 미국인과 유럽인들이 가진 가치관에서의 차이점을 다루고 있다.

07 Focusing ~ goals가 주어부이며, 동사 앞에 있는 goals는 주어가 아니다. 실제 주어는 동명사 Focusing이므로, 단수 동사인 prevents가 적절하다.

[Focusing too much / on the goals] (S) / prevents (V) / you from achieving the thing / you want.

너무 많이 집중하는 것은 / 목표들에 / 막고 있다 / 당신이 그 일을 성취하는 것을 / 당신이 원하는
⋯› 목표들에 너무 많이 집중하는 것은 당신이 원하는 것을 성취하지 못하도록 한다.

08 information은 불가산명사이므로 a lot of가 붙어도 단수이다. 따라서 단수 동사인 shows가 적절하다.

[A lot of information] (S) / shows (V) / that it (가주어) is hard / to (진주어) make money.

많은 정보들이 / 보여준다 / 어렵다고 / 돈을 버는 것이
⋯› 많은 정보들은 돈을 버는 것이 어렵다는 것을 보여준다.

09 Trying ~ answers가 주어부이며, 동사 앞에 있는 answers는 주어가 아니다. 실제 주어는 동명사인 Trying이다. 따라서 동사는 단수인 helps가 적절하다.

[Trying hard / to find the answers] (S) / helps (V) / students understand the process, / not just the solution.

열심히 노력하는 것은 / 답을 찾기 위해서 / 돕는다 / 학생들이 그 과정을 이해하는 것을 / 단지 해답뿐만 아니라
⋯› 답을 찾기 위해서 열심히 노력하는 것은 학생들이 단순히 해답만이 아니라 그 과정을 이해하도록 돕는다.

10 To have ~ the office가 주어부이며 실제 주어는 to부정사인 To have이다. 따라서 단수 취급하므로 단수 동사인 has가 적절하다.

[To have a dog / in the house and the office] / has a positive effect / on the general atmosphere, / relieving stress.

(S: To have a dog ~ office, V: has; relieving: 동시상황 분사구문)

개를 가지는 것은 / 집과 사무실에서 / 긍정적인 효과가 있다 / 일반적인 분위기에서 / 이는 스트레스는 완화시킨다

⋯→ 집과 사무실에서 개를 키우는 것은 일반적인 환경에 긍정적인 영향을 미치며, 이는 스트레스를 완화시켜 준다.

어휘를 알면 구문이 보인다 (007~009) P. 026

01 역사적인	02 비현실적인	03 발견하다
04 배우자	05 우선	06 영향을 주다
07 유산	08 세대	09 귀중한 시간
10 설명하다	11 alien	12 captain
13 expect	14 sincere	15 attempt
16 equal	17 practically	18 inherit
19 matter	20 mystery	

Point (007~009) Review P. 033

01 is	02 is	03 was	04 is	05 depends
06 is	07 was	08 is	09 is	10 is

01 Where ~ died의 의문사절 주어이므로 단수 동사인 is가 적절하다.

[Where James was born / and died] / is recorded / in this book.

(S: Where James was born / and died, V: is)

제임스가 어디에서 태어나고 / 죽었는지는 / 기록되어 있다 / 이 책에

⋯→ 제임스가 어디서 태어나고 죽었는지는 이 책에 기록되어 있다.

02 Who ~ are의 의문사절이 문장의 주어이므로 단수 동사인 is가 적절하다.

[Who / we believe / we are] / is a result of the choices / we make.

(S: Who / we believe / we are, V: is)

누구냐 / 우리가 믿는 게 / 우리가 / 선택의 결과이다 / 우리가 하는

⋯→ 우리가 누구인지 믿는 것은 우리가 하는 선택의 결과이다.

03 What ~ store의 what절이 문장의 주어이다. 단수 취급하므로 단수 동사인 was가 적절하다.

[What we bought in the store] / was a stylish dress.

(S: What we bought in the store, V: was)

우리가 가게에서 구매한 것은 / 멋진 드레스였다

⋯→ 우리가 가게에서 구매한 것은 멋진 드레스였다.

04 That ~ read의 that절이 문장의 주어로 쓰이고 있다. 따라서 필요한 것은 문장의 본동사(단수)이므로 is가 정답이다.

[That kids can't find anything / to read] / is the biggest complaint / of their parents.

(S: That kids can't find anything / to read, V: is)

이이들이 어떠한 것도 찾을 수 없다 / 읽을 / 가장 큰 불평이다 / 그들의 부모들의

⋯→ 아이들이 읽을 만한 그 어떠한 것도 찾을 수 없다라는 사실은 그 아이들의 부모들이 가진 가장 큰 불만이다.

05 Whether ~ worse의 의문사절이 문장의 주어이다. 따라서 단수 동사인 depends가 정답이다.

[Whether a life is better or worse] / depends / not on the job / but on the mind.

(S: Whether a life is better or worse, V: depends)

인생이 더 좋으냐 더 나쁘냐라는 것은 / 달려 있다 / 직업이 아니라 / 마음에

⋯→ 인생이 더 좋으냐 더 나쁘냐 하는 것은 직업이 아니라 마음에 달려 있다.

06 That ~ uneducated의 that절이 문장의 주어이다. the uneducated(the+형용사는 복수 취급)는 함정이다. 따라서 단수 동사인 is가 정답이다.

[That the educated are happier / than the uneducated] / is not evident.

(S: That the educated are happier / than the uneducated, V: is)

교육받은 사람들이 더 행복하다는 것은 / 배우지 못한 사람들보다 / 명확하지 않다

⋯→ 교육받은 사람들이 그렇지 않은 사람들보다 더 행복하다는 것은 명확하지 않다.

07 What ~ do의 what절이 문장의 주어이다. 단수 취급하므로 단수 동사인 was가 적절하다.

[What she wanted to do] / was to create a learning epidemic / to fight poverty and illiteracy.

(S: What she wanted to do, V: was)

그녀가 하고 싶어하는 것은 / 학습 전염병을 만드는 것이었다 / 빈곤과 문맹과 싸우기 위한

⋯→ 그녀가 하고 싶은 것은 빈곤과 문맹과 맞서 싸우는 학습이라는 전염병을 만드는 것이다.

08 That ~ society의 that절이 문장의 주어이다. 단수 취급하므로 단수 동사인 is가 적절하다.

[That we consider ourselves / members of a single society] / is significantly difficult.

(S: That we consider ourselves / members of a single society, V: is)

우리가 우리 자신을 생각하는 것은 / 단일 사회의 구성원으로 / 상당히 어렵다

⋯→ 우리가 우리 자신을 단 하나의 사회 구성원으로 간주하기란 상당히 어렵다.

09 What ~ understand의 what절이 문장의 주어이다. 따라서 뒤에 오는 것은 문장의 본동사인 is가 적절하다.

[What most beginning investors don't understand] / is that investing itself is a risk.

(S: What most beginning investors don't understand, V: is)

대부분의 초보 투자자들이 이해하지 못하는 것은 / 투자 그 자체가 위험이라는 것이다.

⋯➝ 대부분의 초보 투자자들이 이해하지 못하는 것은 투자 그 자체가 위험이라는 것이다.

10 that절 안의 how ~ spent가 주어이므로 that절 안의 본동사가 필요하다. 따라서 본동사인 is가 정답이다.

We(S) wanted(V) to show / [that how money(S') is spent] / is(V') as important / as how much is earned.

우리는 보여주기를 원했다 / 어떻게 돈이 쓰이느냐가 / 중요하다는 것을 / 얼마나 버느냐만큼

⋯➝ 우리는 돈이 어떻게 쓰이느냐가 얼마를 버느냐 만큼 중요하다는 것을 보여주고 싶었다.

어휘를 알면 구문이 보인다 (010~012) P. 034

01 흡수하다	02 ~할 가능성이 크다	03 실직한
04 기능	05 대학생, 학부생	06 지속적인
07 절차	08 의사소통하다	09 ~의 나머지
10 행하다	11 similar	12 complex
13 be aware of	14 go wrong	15 endure
16 arrest	17 criminal	18 component
19 painful	20 exposure	

Point (010-012) Review P. 041

01 It	02 were	03 suffer	04 were	05 It
06 is	07 have	08 comes	09 It	10 gives

01 뒤에 진주어에 해당하는 to control의 to부정사구가 나오므로 가주어가 필요하다. 따라서 가주어 It이 적절하다.

It(가주어) is essential / to control(진주어) the amount of food / we eat / for our health.

중요하다 / 음식의 양을 통제하는 것이 / 우리가 먹는 / 우리의 건강을 위해서

⋯➝ 우리의 건강을 위해서 먹는 음식의 양을 조절하는 것이 중요하다.

02 cattle은 복수 취급하는 군집 명사이므로 복수 동사 were가 적절하다.

There is(V) no evidence(S) / that imported cattle(S') were(V') the cause of the disease.

증거는 없다 / 수입된 소가 그 질병의 원인이라는

⋯➝ 수입소가 그 질병을 일으킨다는 증거는 없다.

03 [the + 형용사]가 사람을 의미할 경우 복수 취급한다. 따라서 동사는 복수 동사인 suffer가 적절하다.
the elderly = elder people

The elderly(S) / suffer(V) from a trauma / such as surgery.

노인들은 / 트라우마로 고통을 받는다 / 수술과 같은

⋯➝ 노인들은 수술과 같은 트라우마로 고통을 받는다.

04 half는 단/복수를 알 수 없다. of 뒤에 나온 the books의 수를 따라야 하므로 복수 동사인 were가 적절하다.

[Half of the books(S) / on my bookshelf] / were(V) thrown away.

책 중 절반이 / 내 책장에 있는 / 버려졌다

⋯➝ 내 책장에 있는 책 중 절반이 버려졌다.

05 의문사절 how ~ nonsense가 진주어로 쓰이고 있으므로, 가주어인 It이 적절하다.

It(가주어) is surprising / how often(진주어) / people depend on / this kind of nonsense.

놀랍다 / 얼마나 자주 / 사람들이 의존하는지 / 이러한 종류의 비상식에

⋯➝ 얼마나 자주 사람들이 이러한 종류의 비상식에 의존하는지는 놀랍다.

06 분수인 one-tenth는 단/복수를 알 수가 없고, of 뒤에 나오는 the total surface area의 수를 따르므로 단수 동사인 is가 적절하다.

When the eyes are open, / [one-tenth of the total(S) surface area] / is(V) exposed / to the atmosphere.

눈이 떠질 때 / 전체 표면적의 1/10 정도가 / 노출된다 / 대기 중에

⋯➝ 눈이 떠질 때, 전체 표면적의 1/10 정도가 대기에 노출된다.

07 [the + 형용사]가 사람을 의미할 경우 복수 취급하므로 복수 동사인 have가 적절하다. the rich = rich people

Some think / that the rich(S) / have(V) to pay more taxes / to help the poor.

일부는 생각한다 / 부자들은 / 더 많은 세금을 지불해야 한다고 / 가난한 사람을 돕기 위해서

⋯➝ 일부는 부자들이 가난한 사람들을 돕는 데 더 많은 세금을 지불해야 한다고 생각한다.

08 분수인 2/3로는 단/복수를 알 수가 없다. of 뒤에 나오는 all e-mail은 all이 있지만, e-mail이 불가산명사이므로 단수 취급한다. 따라서 동사는 단수 동사인 comes가 적절하다.

[About two-thirds(S) of all e-mail] / comes(V) from the U.S. and China.

약 2/3 정도가 / 전체 이메일 중 / 미국과 중국에서 온다

⋯➝ 전체 이메일의 2/3 가량이 미국과 중국에서 온다.

09 뒤에 진주어인 to praise ~ asked가 나오므로 가주어인 It이 적절하다.

It(가주어) is also a good idea / to praise(진주어) employees / who bring food in / without being asked.

역시 좋은 생각이다 / 직원을 칭찬하는 것은 / 음식을 가져오는 / 요청받지 않고도

⋯→ 요청받지 않고도 음식을 가져오는 직원을 칭찬하는 것은 마찬가지로 좋은 생각이다.

10 most로는 단/복수를 알 수 없다. of 뒤에 나오는 information은 불가산명사이므로 단수 취급한다. 따라서 동사는 단수 동사인 gives가 적절하다.

[Most of the information (S) / from the tribes] / gives (V) us / a lot of help.

정보의 대다수는 / 부족으로부터의 / 우리에게 준다 / 많은 도움을

⋯→ 부족에서의 정보의 대다수는 우리에게 많은 도움을 준다.

Chapter 01 Review

P. 042

01 is	02 is	03 has	04 It	05 was
06 are	07 is	08 teaches	09 is	10 was

01 giving ~ this가 주어부이다. 동명사 giving이 실제 주어이므로 단수 취급한다. 따라서 단수 동사인 is가 적절하다.

However, [giving (S) up privacy / like this] / is (V) just one consequence.

하지만 사생활을 포기하는 것은 / 이와 같은 / 단지 하나의 결과이다

⋯→ 하지만 이처럼 사생활을 포기하는 것은 단순한 하나의 결과일 뿐이다.

02 동사 앞에 있는 pastimes는 주어가 아니다. 주어는 맨 앞에 있는 One이므로 단수 동사인 is가 적절하다.

[One (S) of her pastimes] / is (V) telling us / a lot of legends and ghost stories.

그녀의 여가 생활 중 하나는 / 우리에게 말하는 것이다 / 많은 전설과 유령 이야기를

⋯→ 그녀의 여가 생활 중 하나는 많은 전설과 유령 이야기를 우리에게 하는 것이다.

03 Whether ~ human beings의 의문사절이 주어로 쓰이고 있다. whether 절은 단수 취급하므로 동사는 단수 동사인 has가 적절하다.

[Whether artificial seasonings are harmful / to human beings (S)] / has (V) been a controversy.

인공 조미료가 위험한지 여부는 / 인간들에게 / 논란거리가 되어왔다

⋯→ 인공 조미료가 인간에게 유해한지 여부는 논란거리가 되어왔다.

04 뒤에 to deal ~ problem까지의 to부정사구가 진주어로 쓰이고 있으므로 가주어인 it이 와야 한다.

It (가주어) can become very difficult / to deal with a simple problem (진주어) / if we let our personal desires / influence it.

매우 어려울 수 있다 / 간단한 문제를 처리하는 것이 / 만약 우리가 우리 개인적 욕망이 / 그것에 영향을 주도록 한다면

⋯→ 우리가 우리 개인적 욕망이 문제에 영향을 주도록 한다면, 간단한 문제를 처리하는 것은 매우 어려울 수 있다.

05 how ~ eaten의 의문사절이 주어로 쓰이고 있다. 의문사절은 단수 취급하므로 단수 동사인 was가 적절하다.

After the movie, / [how much popcorn had been eaten (S)] / was (V) checked.

영화가 끝난 후에 / 얼마만큼의 팝콘을 먹었는지가 / 확인되었다

⋯→ 영화가 끝난 후에 얼마만큼의 팝콘을 먹었는지가 확인되었다.

06 An increasing number of의 수식을 받는 young people이 주어이므로 동사는 복수 동사인 are가 적절하다.

[An increasing number of young people (S)] / are (V) likely to / set up their shops / in Seoul.

점차 늘어나는 많은 수의 젊은 사람들은 / 경향이 있다 / 그들의 섬포를 내는 / 서울에

⋯→ 점차 늘어나는 많은 수의 젊은 사람들은 서울에 그들의 점포를 내는 경향이 있다.

07 news는 -s가 붙지만, 단수 취급하는 명사이므로 동사는 단수 동사인 is가 적절하다.

[More positive news (S) / for the current economy] / is (V) that the number of new jobs / is increasing.

보다 긍정적인 뉴스는 / 현재 경제에 대한 / 새로운 일자리의 수가 / 늘어나고 있다는 것이다.

⋯→ 현재 경제에 대한 보다 긍정적인 뉴스는 새로운 일자리의 수가 늘어나고 있다는 점이다.

08 economics는 -s가 붙지만, 단수 취급한다. 따라서 단수 동사인 teaches가 적절하다.

Economics (S) teaches (V) us / that it (가주어) is difficult / to make (진주어) money.

경제는 우리를 가르친다 / 어렵다고 / 돈을 버는 것이

⋯→ 경제는 우리가 돈을 버는 것이 어렵다고 가르쳐 준다.

09 How ~ people의 의문사절이 문장의 주어이다. 동사 앞에 있는 people은 함정으로, 단수 동사인 is가 적절하다.

[How you can help / to save your people (S)] / is (V) the primary issue.

어떻게 당신이 도울 수 있느냐 / 당신의 사람들을 구하기 위해서 / 주된 이슈이다

⋯→ 여러분의 사람들을 구하는 데 어떻게 도울 수 있느냐가 주된 이슈이다.

10 To check ~ the members의 to부정사구가 문장의 주어로 쓰이고 있다. 동사 앞에 있는 members는 함정이다. 따라서 동사는 단수 동사인 was가 적절하다.

[To check academic records / of the members (S)] / was (V) one of his tasks.

학업 성적을 확인하는 것은 / 구성원들의 / 그의 일들 중 하나였다

⋯→ 구성원들의 학업 성적을 확인하는 것은 그의 일들 중 하나였다.

Chapter

02 대명사

어휘를 알면 구문이 보인다 (013~015) P. 044

01 보호하다	02 분자	03 열대우림
04 물을 주다	05 등	06 공유하다
07 표현하다	08 거대한	09 대하다
10 동등하게	11 late fee	12 shout
13 shave	14 out of business	15 complain
16 happening	17 necessary	18 neighbor
19 have ~ over	20 upside down	

Point (013~015) Review P. 051

01 there	02 themselves	03 them	04 their
05 them	06 them	07 him	08 yourself
09 yourself	10 its		

01 내용상 '문제가 있을 것이다'를 의미하므로 there가 적절하다.

'~이 있을 것이다'

In negotiation, / there often will be issues / that you do not care about.

협상에서 / 종종 이슈가 일을 것이다 / 여러분이 신경 쓰지 않을

…› 협상할 때, 여러분이 신경 쓰지 않을 문제가 종종 있을 것이다.

02 주어와 목적어가 동일하므로 재귀대명사를 사용한 themselves가 적절하다.

Others reject a chance / to study abroad / because they don't consider / themselves adventurous.

다른 사람들은 기회를 거절한다 / 해외에서 공부할 / 왜냐하면 그들은 간주하지 않으니까 / 자기 자신이 모험적이라고

…› 다른 사람들은 자기 자신을 모험적이라고 생각하지 않기 때문에 해외에서 공부할 기회를 거부한다.

03 목적어 자리에는 Most people을 지칭하는 대명사가 와야 하므로 목적격 대명사 them이 적절하다.

Most people accept / that lawyers can charge them / $400 an hour.

most people

대부분의 사람들은 받아들인다 / 변호사가 그들에게 청구할 수 있다고 / 시간당 400달러를

…› 대부분의 사람들은 변호사가 시간당 400달러의 돈을 그들에게 청구할 수 있다는 것을 받아들인다.

04 Patients를 지칭하므로 소유격 대명사인 their가 적절하다.

Patients'

Patients might also feel less pain / because their muscles are more relaxed.

환자들은 또한 덜 고통을 느낄 수도 있다 / 왜냐하면 그들의 근육이 좀 더 편안해져서

…› 환자들은 근육이 좀 더 편안해져서 고통을 덜 느낄 수도 있다.

05 any costumes를 지칭하므로 복수형이자 목적격 대명사인 them이 적절하다.

명령문 V any costumes

If you have any costumes / that can be used / for the characters in Peter Pan, please bring them / to the Art Room.

당신이 만약 어떤 의상을 가지고 있다면 / 사용될 수 있는 / 피터팬에서의 배역들을 위한 / 제발 그것들을 가지고 와주세요 / 미술실로

…› 여러분이 만약 피터팬의 배역들을 위해 쓰일 수 있는 어떤 의상이든지 가지고 있다면, 미술실로 가지고 오세요.

06 내용상 customers를 지칭하므로 복수형 목적격 대명사 them이 적절하다.

분사구문, = If they didn't know ~

Not knowing / that the product exists, / customers would probably not buy it / even if the product may have worked / for them.

customers

알지 못한다면/ 제품이 존재한다는 것을 / 고객들은 아마도 그것을 사지 않을 것이다 / 비록 그 제품이 효과가 있었을지라도 / 그들에게

…› 고객들이 제품이 존재한다는 것을 알지 못한다면, 그 제품이 고객들에게 효과가 있었을지라도 그것을 구매하지 않을지도 모른다.

07 주어와 목적어가 동일하지 않으므로 목적격 대명사 him이 적절하다.

강조구문

People told him / that it was his thinking / that was depressing him.

사람들은 그에게 말했다 / 그의 생각이라고 / 그를 낙담시킨 것

…› 사람들은 그를 낙담시킨 게 그의 생각이라고 그에게 말했다.

08 명령문의 주어는 you이므로 주어와 목적어가 동일하다. 따라서 재귀대명사 yourself가 적절하다.

명령문 명령문의 주어는 you

Show / yourself leaping down the steps / four at a time, / shouting in the wind, / "Hurray, I did it!"

분사구문, 동시상황

보여 주세요 / 당신 자신이 계단을 뛰어 내려가는 것을 / 한 번에 4개씩 / 바람 속에서 소리치며 / 만세, 내가 해냈어

…› "만세! 내가 해냈어!" 라고 소리치면서 계단을 한 번에 4개씩 뛰어내리는 그 모습으로 행복한 모습을 표현하십시오.

09 목적어가 걸려 있는 talking의 의미상의 주어는 you이므로 주어와 목적어가 동일하다. 따라서 재귀대명사 yourself가 적절하다.

talking의 의미상의 주어는 you

By asking these questions / rather than talking about yourself, / you are showing / that you are interested in the other person.

이러한 질문을 물음으로써 / 스스로에 대해서 말하기 보다는 / 당신은 보여주고 있다 / 당신이 상대방에게 관심이 있다는 것을

⋯→ 당신 자신에 대해서 말하기 보다는 이러한 질문을 함으로써, 당신은 상대방에게 관심이 있다는 것을 보여주고 있다.

10 내용상 a product를 지칭하므로 단수형이자 소유격 대명사인 its가 적절하다.

Advertisements can promote a favorable comparison / with similar products / or differentiate a product / from its competitors. (its: a product)

광고는 유리한 비교를 홍보할 수 있다 / 비슷한 상품과의 / 아니면 제품을 차별화할 수 있다 / 경쟁자와

⋯→ 광고는 자기에게 유리하게 유사한 제품과 비교하는 것을 홍보하거나 제품을 그것의 경쟁 제품과 차별화할 수 있다.

어휘를 알면 구문이 보인다 (016~018)

P. 052

01 줄이다	02 회의, 학기, 수업	03 이익, 혜택
04 리모컨	05 사진을 찍다	06 놀라운
07 교체하다	08 에너지 절약의	09 끄다
10 미술관	11 select	12 crowded
13 adventure	14 wallet	15 exchange
16 philosopher	17 decide	18 later
19 on display	20 attend	

Point (016~018) Review

P. 059

01 the one	02 the other	03 either	04 other
05 Both	06 neither	07 one	08 either
09 one	10 the other		

01 앞에 있는 불특정 명사 newspaper를 받으므로 the one이 적절하다.

You lift up the top newspaper / and pull out the one / directly / underneath it. (the one: 단순히 newspaper를 받고 있음; it: 맨 위에 있는 신문)

당신은 맨 위에 있는 신문을 올린다 / 그리고 하나를 잡아당긴다 / 바로 / 그 아래 있는

⋯→ 당신은 맨 위에 있는 신문을 들어 올리고, 그 아래 있는 신문을 바로 잡아당긴다.

02 두 활동 중 한 활동은 전경에서, 나머지 다른 활동은 후경에서 이루어지고 있다는 의미가 적절하므로 the other가 되어야 한다.

For both activities, / one is happening / in the foreground / and / the other / in the background.

두 활동 중 / 하나는 일어나고 있다 / 전경에서 / 그리고 / 다른 하나는 / 후방에서

⋯→ 두 개의 활동 중 하나는 전경에서, 다른 하나는 후경에서 일어나고 있다.

03 뒤에 오는 명사가 단수 명사이므로 either가 적절하다.

Dutch eyeglass maker Hans / gets credit for / putting two lenses / on either end of a tube / in 1608. (either + 단수 명사)

네덜란드의 안경 제작자인 한스는 / 인정받는다 / 두 개의 렌즈를 놓은 것에 / 튜브 양쪽 끝에 / 1608년에

⋯→ 네덜란드의 안경 제작자인 한스는 1608년 관의 양쪽 끝에 두 개의 렌즈를 붙인 것에 대해 인정을 받는다.

04 뒤에 복수 명사가 오므로 other가 와야 한다.

Students in class / should show proper respect / for other opinions. (other + 복수 명사)

수업을 받는 학생들은 / 적절한 존중을 보여주어야 한다 / 다른 의견에 대한

⋯→ 수업을 받는 학생들은 다른 의견에 대한 적절한 존중을 보여주어야 한다.

05 뒤에 and가 나오므로 Both가 적절하다.

Both Tom and Jane tried to see the singer, / but they failed.

톰과 제인 모두 그 가수를 보려고 노력했다 / 하지만 실패했다.

⋯→ 톰과 제인은 그 가수를 보려고 했지만, 실패했다.

06 뒤에 nor가 나오므로 neither가 적절하다.

Unlike most members, / Kevin was neither a scholar nor an expert.

대부분의 구성원들과는 달리 / 케빈은 학자도 전문가도 아니다.

⋯→ 대부분의 구성원들과는 달리 케빈은 학자도 전문가도 아니다.

07 앞에 있는 명사 gift를 받고 있으므로 one이 적절하다.

I already knew / that a big gift was not necessarily the best one. (one: 앞에 나오는 불특정 단수 명사 gift를 의미)

나는 이미 알고 있다 / 큰 선물이 꼭 최고의 선물은 아니라는 것을

⋯→ 나는 큰 선물이 최고의 선물인 것만은 아니라는 사실을 벌써 알고 있었다.

08 뒤에 단수 명사 side가 오므로 either가 적절하다.

A violation of this rule / by either side / brought human and divine anger. (either + 단수 명사)

이 규칙의 위반은 / 양쪽 모두에 의한 / 인간과 신의 분노를 야기했다.

⋯→ 양쪽 모두에 의한 이 규칙의 위반은 인간과 신의 분노를 야기했다.

09 앞에 있는 명사 situation을 받으므로 one이 적절하다.

Their disappointment / passes quite quickly / when the situation develops into a different one. (one: 불특정 명사 situation을 의미)

그들의 실망은 / 아주 빠르게 지나간다 / 상황이 다른 상황으로 발전할 때

⋯→ 그들의 실망은 상황이 다른 상황으로 발전할 때 아주 빠르게 지나간다.

10 두 그룹 중 나머지 한 그룹을 의미하므로 the other가 적절하다.

The two groups studied an unknown alphabet / in two different ways. One group was asked / to write by hand, / while the other used a keyboard.

(두 그룹 중 나머지 한 그룹: the other)

두 그룹은 알려지지 않은 알파벳을 공부했다 / 두 개의 다른 방식으로 / 한 그룹은 요청을 받았다 / 손으로 쓰라고 / 반면 다른 그룹은 키보드를 사용했다

→ 두 그룹은 두 가지 다른 방식으로 알려지지 않은 알파벳을 공부했다. 한 그룹은 손으로 써보라는 요청을 받은 반면, 다른 그룹은 키보드를 사용했다.

Chapter 02 Review

P. 060

01 them	02 yourself	03 Both	04 them
05 the other	06 It	07 it	08 or
09 both	10 the other		

01 앞에 나오는 people을 지칭하므로 복수 대명사 them이 적절하다.

People would probably not use the facility / even if it may have been useful / for them.

(them: people)

사람들은 그 시설을 사용하지 않을 것이다 / 비록 그것이 유용했을 수도 있더라도 / 그들에게

→ 사람들은 그것이 그들에게 유용했을지라도 그 시설을 이용하지 않을지도 모른다.

02 목적어가 주어 You와 동일 인물이므로 yourself가 적절하다.

You find / yourself coming out of a shop / with the product / in your hand.

(You = yourself)

당신은 발견할 것이다 / 당신 자신이 가게에서 나오는 것을 / 그 상품을 가지고 / 당신의 손에

→ 당신은 당신 자신이 그 상품을 당신의 손에 들고 나오는 것을 발견할 것이다.

03 뒤에 복수 명사가 나오니 Both가 적절하다.

Both parents practiced their profession / and retired in good health.

(both + 복수 명사)

부모 모두 그들의 전문 직업에 종사했고 / 건강한 상태에서 은퇴했다

→ 부모 모두 그들의 전문 직업에 종사했고 건강한 상태에서 은퇴했다.

04 거미가 자신들을 죽이는 것이 아니라 앞에 나온 people을 죽이는 것이므로 them이 적절하다.

People think / that the spiders can kill them / with their poison / dangerous to humans.

(the spiders ≠ them; them: people)

사람들은 생각한다 / 거미들은 그들을 죽일 수 있다 / 그들의 독을 가지고 / 인간들에게 위험한

→ 사람들은 거미들이 인간들에게 위험한 독으로 그들을 죽일 수 있다고 생각한다.

05 쌍둥이 중 나머지 한 쪽을 의미하므로 the other가 적절하다.

If one of the twins / bite his or her nails, / the other is likely to do so.

(the other: 쌍둥이 중 나머지 한 쪽)

쌍둥이 중 한 명이 / 자신의 손톱을 깨물면 / 다른 사람도 그러는 경향이 있다

→ 쌍둥이 중 한 명이 손톱을 깨물면, 다른 한쪽도 그럴 가능성이 있다.

06 온도를 나타내므로 비인칭 주어 It이 적절하다.

It was five degrees below zero / this morning.

(It: 비인칭 주어)

영하 5도였다 / 오늘 아침은

→ 오늘 아침은 영하 5도였다.

07 앞에 나온 '그가 읽은 책'을 의미하므로 대명사 it이 적절하다.

He has already read the book, / but Jane hasn't read it yet.

그는 벌써 그 책을 읽었다 / 하지만 제인은 그것을 아직 읽지 않았다

→ 그는 벌써 그 책을 읽었다. 하지만 제인은 그것을 아직 읽지 않았다.

08 앞에 either가 있으므로 or가 적절하다.

She's either ❶ going to say something / I don't like / or ❷ try to make / me feel inferior.

그녀는 무언가를 말할 것이다 / 내가 싫어하는 / 아니면 만들려고 노력할 것이다 / 내가 열등감을 느끼도록

→ 그녀는 내가 싫어하는 무언가를 말하거나 아니면 내가 열등감을 느끼도록 만들려고 노력할 것이다.

09 뒤에 and가 나오므로 both가 적절하다.

Most of people were suffering / from both mental and physical illness.

대부분의 사람들은 고통을 받고 있다 / 정신병으로부터 그리고 신체적 질병에서

→ 대부분의 사람들은 정신병과 신체적인 질병 모두에게서 고통을 받고 있다.

10 쌍둥이 중 나머지 쌍둥이를 의미하므로 the other가 적절하다.

Some researchers found / 50 sets of twins / in which one twin was a nonsmoker / and the other was a lifelong smoker.

일부 연구원들은 발견했다 / 50건의 쌍둥이 사례를 / 한 쌍둥이는 비흡연자이고 / 나머지 쌍둥이는 평생에 걸친 흡연자였다

→ 일부 연구원들은 한 쌍둥이는 비흡연자이고, 나머지 쌍둥이는 평생에 걸친 흡연자인 50건의 쌍둥이 사례를 발견했다.

Chapter

03 동사

어휘를 알면 구문이 보인다 (019~021) P. 062

01 자외선의	02 시민	03 빈
04 살충제	05 결과	06 흘러들어 오다
07 변화시키다	08 환경	09 건축의
10 부정적인	11 wetland	12 mass
13 get away	14 depend on	15 definition
16 operation	17 industrial	18 observe
19 salmon	20 prey	

Point (019~021) Review P. 069

01 rose	02 sweet	03 insignificant	04 lying
05 raise	06 lies	07 stable	08 peaceful
09 laying	10 laid		

01 뒤에 목적어가 나오지 않았으므로 자동사인 rose가 적절하다.

S / V / 목적어 아님

[The number of the girls / who were on a diet] rose from 6% to 8%.

소녀들의 수는 / 다이어트 중인 / 6%에서 8%로 올랐다

⋯→ 다이어트 중인 소녀들의 수는 6%에서 8%로 올랐다.

02 taste는 2형식 동사로 뒤에는 형용사가 온다. 따라서 sweet가 적절하다.

S / V / taste + 형: ~ 맛이 나다

[Using dried strawberries] makes a pie / taste sweet.

건조된 딸기를 사용하는 것은 / 파이를 만든다 / 단맛이 나도록

⋯→ 건조된 딸기를 사용하는 것은 파이가 단맛이 나게 만든다.

03 seem은 2형식 동사이기 때문에 뒤에 형용사가 온다. 따라서 insignificant가 적절하다.

seem + 형

Your problems and challenges / suddenly seem insignificant.

당신의 문제와 어려움은 / 갑자기 사소해지는 것 같다

⋯→ 당신의 문제와 어려움은 갑자기 사소해 보인다.

04 뒤에 목적어가 아닌 장소 전치사구가 오므로 자동사 lie의 현재분사형인 lying이 적절하다.

lie + 장소 → 자동사

He could not believe his eyes and ears! Three dead chickens were lying / on the floor.

그는 그의 눈과 귀를 믿을 수 없었다 / 세 마리의 죽은 닭이 놓여 있었다 / 바닥에

⋯→ 그는 그의 눈과 귀를 믿을 수 없었다. 세 마리의 죽은 닭이 바닥에 있었다.

05 뒤에 목적어(her hopes)가 나오므로 타동사인 raise가 적절하다.

S / V / raise + 목적어

[That he may come back] can raise her hopes.

그가 돌아올 수도 있다는 것은 / 그녀의 희망을 키울 수 있다

⋯→ 그가 돌아올 수도 있다는 것은 그녀의 희망을 키울 수도 있다.

06 뒤에 목적어가 아닌 장소 전치사구가 오므로 자동사 lies가 적절하다.

lie + 장소

Such information / lies in the tag / we have chosen to use.

그런 정보는 / 태그에 있다 / 우리가 사용하기 위해 선택한

⋯→ 그런 정보는 우리가 사용하려고 선택한 태그에 있다.

07 remain이 "~으로 유지되다"로 사용될 경우 뒤에 형용사가 온다. 따라서 stable이 적절하다.

remain + 형: ~으로 유지되다

If we are playing / with sound effect, / our vocabulary is likely to / remain stable.

만약 우리가 놀이를 한다면 / 음향 효과를 가지고 / 우리의 어휘는 경향이 있다 / 안정적으로 유지될

⋯→ 만약 우리가 음향 효과를 가지고 놀이를 한다면 우리의 어휘력은 안정적으로 유지될 가능성이 있다.

08 become은 2형식 동사이므로 뒤에 부사는 올 수가 없다. 따라서 형용사 peaceful이 적절하다.

S / V / become + 형

[The important reason / for their success] / was that the country became more peaceful.

중요한 이유는 / 그들의 성공에 대한 / 그 나라가 매우 평화로워졌다는 것이다

⋯→ 그들의 성공의 중요한 이유는 그 나라가 평화로워졌다는 것이다.

09 뒤에 목적어인 a towel이 나오므로 타동사인 laying이 적절하다.

lay + 목적어

Her friend is laying a towel / on the grass / beside her.

그녀의 친구가 수건을 내려 놓고 있다 / 잔디에 / 그녀 옆에 있는

⋯→ 그녀의 친구가 수건을 그녀 옆의 잔디에 놓고 있다.

10 수동태는 타동사만 가능하므로 타동사 lay의 과거분사인 laid가 적절하다.

수동태는 타동사만 가능

The cornerstone of the building / was laid / and construction began in 1365.

건물의 초석이 / 놓여졌고 / 건축은 1365년에 시작되었다.

⋯→ 건물의 초석이 놓였고, 건축은 1365년에 시작되었다.

어휘를 알면 구문이 보인다 (022~024) P. 070

01 지속적인	02 발견하다	03 놀라운
04 재빠르게	05 표현	06 조언
07 상	08 씻다	09 속도
10 쌓다	11 skilled	12 signal
13 praise	14 care	15 firewood
16 tiny	17 imagination	18 oncoming
19 specific	20 forehead	

Point (022-024) Review P. 077

01 to repair	02 wash	03 visit	04 to produce
05 spend	06 raised	07 fixed	08 to move
09 known	10 feel		

01 목적어 a mechanic과 목적보어 repair의 관계는 기계공이 수리할 수 있으므로 능동 관계이다. 따라서 to repair가 적절하다.

능동 관계
At last, / they got / a mechanic / to repair the elevator.

마침내 / 그들은 ~하게 했다 / 기계공들이 / 엘리베이터를 수리하도록
⋯→ 마침내 그들은 기계공들이 엘리베이터를 수리하도록 했다.

02 had는 사역동사로 쓰이고 있다. 목적어 her son and daughter와 목적보어 wash의 관계는 아들과 딸이 손을 씻을 수 있으므로 능동 관계이다. 능동일 때 동사원형이 오므로 wash가 적절하다.

능동 관계
The woman had / her son and daughter / wash their hands.

그 여자는 하게 했다 / 그녀의 아들과 딸이 / 손을 씻도록
⋯→ 그 여자는 그녀의 아들과 딸이 손을 씻도록 했다.

03 let은 사역 동사이다. 목적어 you와 목적보어 visit는 당신이 방문할 수 있으므로 서로 능동 관계이다. 따라서 동사원형 visit가 적절하다.

능동 관계
You can buy a ticket / that lets / you / visit all the museums / more cheaply.

당신은 표를 살 수 있다 / 하게 하는 / 당신이 / 모든 박물관을 방문하도록 / 더욱 값싸게
⋯→ 당신은 좀 더 싸게 모든 박물관을 방문하게 해주는 표를 구매할 수 있다.

04 목적어 others와 목적보어 produce는 다른 사람들이 만들 수 있으므로 서로 능동 관계이다. 따라서 to produce가 적절하다.

능동 관계
Leaders could get / others / to produce their food and necessities.

리더들은 하게 할 수 있다 / 다른 사람들이 / 그들의 식량과 필수품들을 만들도록
⋯→ 리더들은 다른 사람들이 식량과 필수품들을 만들도록 할 수 있다.

05 make는 사역동사로 쓰이고 있다. 목적어 customers와 목적보어 spend는 고객들이 소비할 수 있으므로 서로 능동 관계이다. 따라서 동사원형 spend가 적절하다.

능동 관계
The use of natural light / makes / customers / spend more money / in stores.

자연광 사용은 / 만든다 / 고객들이 / 더 많은 돈을 쓰도록 / 가게에서
⋯→ 자연광 사용은 고객들이 가게에서 더 많은 돈을 쓰도록 만든다.

06 had는 사역동사로 쓰이고 있다. 목적어 their self-esteem과 목적보어 raise는 자신감은 올려지는 관계이므로 서로 수동 관계이다. 따라서 과거분사인 raised가 적절하다.

S / 수동 관계
[The men / who had / their self-esteem / raised /]
V
were more likely to want / to be tested / for it.

그 남자들은 / 하게 한 / 그들의 자신감이 / 올라가도록 / 더욱 원하는 경향이 있다 / 시험되도록 / 그것을 위해서
⋯→ 자신들의 자신감이 올라가도록 한 사람들은 그것(자신감)을 위해 더욱 테스트 받으려고 한다.

07 목적어 her washing machine과 목적보어 fix는 세탁기는 수리되는 관계이므로 서로 수동 관계이다. 따라서 과거분사 fixed가 적절하다.

수동 관계
She got / her washing machine / fixed / to help her mom.

그녀는 하게 했다 / 그녀의 세탁기를 / 수리하도록 / 그녀의 어머니를 돕기 위해
⋯→ 그녀는 그녀의 어머니를 돕기 위해 그녀의 세탁기를 수리했다.

08 목적어인 people과 목적보어인 move는 사람들은 움직일 수 있으므로 서로 능동 관계이다. 따라서 to move가 적절하다.

능동 관계
Some sports get / people / to move at high speeds / without any power-producing device.

일부 스포츠는 하게 했다 / 사람들이 / 빠른 속도록 움직이도록 / 어떤 동력을 만드는 기계 없이도
⋯→ 일부 스포츠는 사람들이 동력 기계의 이용 없이도 빠른 속도록 움직이도록 하게 한다.

09 make는 사역동사로 쓰이고 있다. 목적어인 your feelings와 목적보어 know의 관계는 감정은 알려지는 관계이므로 서로 수동 관계이다. 따라서 과거분사 known이 적절하다.

If you want to stand out / from the group, / you have
수동 관계
to make / your feelings / known to others.

당신이 두드러지길 원한다면 / 그룹으로부터 / 당신은 만들어야만 한다 / 당신의 감정을 / 다른 사람들에게 알려지게
⋯→ 여러분이 한 단체에서 두드러지길 원한다면 당신의 감정을 남들이 알도록 해야 한다.

10 made는 사역동사로 쓰이고 있다. 목적어 you와 목적보어 feel은 당신이 느낄 수 있으므로 능동 관계이다. 따라서 동사원형 feel이 적절하다.

Think about times / when you have been chosen / by somebody / who made / you feel special.
(관계부사: when / 능동 관계: you feel)

시간들을 생각해라 / 당신이 선택된 / 누군가에 의해서 / 만들었던 / 당신이 특별하다고 느끼도록

→ 당신이 특별하도록 느끼도록 만들어준 누군가에 의해서 선택된 때를 생각해라.

어휘를 알면 구문이 보인다 (025~027) P. 078

01 서서히 사라지다	02 책꽂이	03 발생하다
04 (조직의)인원, 인사과	05 근로자, 직원	06 통과하다, 끝내다
07 쇼의 한 파트	08 ~와 닮다	09 외양
10 관찰하다	11 gardening	12 prepare
13 social	14 immediately	15 routine
16 untrained	17 aquarium	18 decline
19 proposal	20 sunshine	

Point (025~027) Review P. 085

01 come	02 attend to	03 protect	04 carrying
05 marry	06 to make	07 play	08 donating
09 know	10 entering		

01 지각동사 saw(see의 과거)가 있고 목적어 an anxious expression과 목적보어 come의 관계가 능동 관계이므로 동사원형 come이 적절하다.

She saw / an anxious expression / suddenly come over the driver's face.
(지각동사: saw / 능동 관계: an anxious expression ~ come / 자동사: come)

그녀는 보았다 / 불안해하는 표정이 / 갑자기 운전사의 얼굴에 나타나다

→ 그녀는 갑자기 운전기사의 얼굴에 떠오른 불안해하는 표정을 보았다.

02 attend가 '~에 참석하다'로 사용되면 전치사를 쓸 수 없지만, 다른 의미로 사용되면 가능하다. 여기서는 '~을 신경쓰다'로 사용되고 있으므로 attend to가 가능하다.

He's too busy now / to attend to anything else / but my work.
('~을 신경쓰다': attend to)

그는 지금 너무 바쁘다 / 다른 것을 신경쓸 수 없다 / 내 일을 제외한

→ 그는 지금 너무 바빠서 내 일을 제외한 다른 일에 신경을 쓸 수가 없다.

03 help는 목적어로 동사가 올 때 동사원형 또는 to부정사가 올 수 있으므로 protect가 적절하다.

A helmet can help protect / your brain from injury / if you have an accident.
(help + 동사원형)

헬멧은 보호하는 것을 도와줄 수 있다 / 부상으로부터 당신의 두뇌를 / 만약 사고가 난다면

→ 여러분이 사고가 난다면 헬멧은 부상으로부터 여러분의 두뇌를 보호하도록 도와줄 수 있다.

04 지각동사 saw가 있다. 목적어인 two men과 목적보어인 carry의 관계가 능동 관계이므로 현재분사 carrying이 적절하다.

A driver saw / two men / carrying heavy bags / on a lonely country road.
(지각동사: saw / 능동 관계: two men ~ carrying)

운전자는 보았다 / 두 명의 남자가 / 무거운 가방을 운반하는 것을 / 황량한 시골길에서

→ 운전자는 두 명의 남자가 황량한 시골길에서 무거운 가방들을 운반하고 있는 것을 보았다.

05 동사 marry는 전치사 with를 사용할 수 없다. get married with인 경우는 허용된다.

She will dream of the man / she is going to marry.
(marry with (X))

그녀는 그 남자를 꿈꿀 것이다 / 그녀가 결혼하게 될

→ 그녀는 결혼하게 될 그 남자를 꿈꿀 것이다.

06 help는 목적어로 동사가 올 때 동사원형 또는 to부정사가 올 수 있으므로 to make가 적절하다.

The elaborate scoring rules / help to make / evaluation / more objective.
(help + to부정사)

정교한 채점 방식은 / 만드는 데 도와준다 / 평가를 / 더욱 객관적인

→ 정교한 채점 방식은 평가를 더욱 객관적으로 만드는 데 도와준다.

07 지각동사 listen to가 있고 목적어인 her와 목적보어인 play의 관계가 능동 관계이므로 동사원형 play가 적절하다.

I can listen to / her / play the piano any time, / and so can my relatives / in Seoul.
(지각동사: listen to / 능동 관계: her ~ play / so 도치 ← V: can, S: my relatives)

나는 들을 수 있다 / 그녀가 / 항상 피아노 치는 것을 / 그리고 내 친척들도 그럴 수 있다 / 서울에 있는

→ 나는 항상 그녀가 피아노를 연주하는 것을 들을 수 있고, 서울에 있는 내 친척들도 그럴 수 있다.

08 지각동사 watched가 있고 목적어인 you 와 목적보어인 donate의 관계가 능동 관계이므로 현재분사 donating이 적절하다.

I watched / you / donating canned goods, warm clothes, blankets, and money / to the poor.
(지각동사: watched / 능동 관계: you ~ donating / the + 형용사: ~하는 사람들)

나는 보았다 / 당신이 / 캔으로 된 제품과 따뜻한 옷, 담요 그리고 돈을 기부하는 것을 / 가난한 사람들에게

→ 나는 당신이 캔 제품과 따뜻한 옷, 담요, 그리고 돈을 가난한 사람들에게 기부하는 것을 보았다.

09 help는 목적보어로 동사원형 또는 to부정사가 올 수 있으므로 동사원형 know가 적절하다.

S V
[Paying attention to / your own feelings] / can help / you / know the right thing / to do.
help+O+동사원형

관심을 가지는 것은 / 여러분 자신의 감정에 / 도울 수 있다 / 여러분이 / 올바른 것을 알 수 있도록 / 해야 할

··· 여러분 자신의 감정에 관심을 가지는 것은 여러분이 해야 할 올바른 일을 알 수 있도록 도와줄 수 있다.

10 enter가 '~에 들어가다'로 사용될 경우 전치사를 사용하지 않는다.

West Africans believe / that one must leave / a pair of shoes / at the door / to prevent a ghost / from entering the house.
entering to the house (X)

서부 아프리카 사람들은 믿는다 / 사람들은 남겨 놓아야 한다고 / 한 쌍의 신발을 / 문에 / 유령을 막기 위해서 / 집으로 들어오는 것을

··· 서부 아프리카인들은 유령이 집으로 들어오는 것을 막기 위해서 문에 한 쌍의 신발을 남겨 두어야 한다고 믿는다.

Chapter 03 Review

P. 086

01 laying	02 discuss	03 appear	04 photographed
05 declare	06 evident	07 support	08 done
09 to make	10 try		

01 뒤에 목적어인 eggs가 오므로 '알을 낳다'를 의미하는 타동사 laying이 적절하다.

There is a good reason / why birds reproduce / by laying eggs.
lay + 목적어, '알을 낳다'

합당한 이유가 있다 / 왜 새들이 번식하는지 / 알을 낳음으로써

··· 왜 새들이 알을 낳아서 번식하는지 합당한 이유가 있다.

02 discuss는 전치사 about을 쓰지 않는다. '~와 토론하다'의 경우 discuss with는 허용된다.

It's not fair / to discuss her case / when she's not present.
가주어-진주어 / discuss about her case (X)

공정하지 않다 / 그녀의 사건을 논하는 것이 / 그녀가 없을 때

··· 그녀가 없을 때 그녀의 사건을 논하는 것은 공정하지 않다.

03 사역동사 make가 있고, 목적어 themselves와 목적보어 appear의 관계가 능동 관계이므로 동사원형 appear가 적절하다.

Women are using / all kinds of methods / to make / themselves / appear more beautiful.
사역동사 / 능동 관계

여자들은 사용하고 있다 / 모든 종류의 방법을 / 만들기 위해서 / 자기 자신들을 / 더욱 아름답게 보이도록

··· 여자들은 자신들을 더욱 아름답게 보이게 하기 위해서 모든 종류의 방법을 사용하고 있다.

04 사역동사 have가 있고, 목적어 the left side of their face와 목적보어 photograph의 관계가 사진은 찍혀지는 수동 관계이므로 과거분사 photographed가 적절하다.

Movie stars / prefer to have / the left side of their face / photographed.
사역동사 / 수동 관계

영화배우들은 / 하도록 하는 걸 선호한다 / 그들의 얼굴 왼쪽 면이 / 사진 찍히도록 하는 걸

··· 영화배우들은 자신의 왼쪽 얼굴을 사진찍는 걸 선호한다.

05 지각동사 heard(hear의 과거)가 있고, 목적어 him과 목적보어 declare의 관계가 능동 관계이므로 동사원형 declare가 적절하다.

I heard / him / declare / that his only interest / in life / was playing bridge.
지각동사 / 능동 관계

나는 들었다 / 그가 / 단언하는 것을 / 그의 유일한 관심은 / 일생에서 / 브리지 게임을 하는 것이었다.

··· 나는 인생에서 그의 유일한 관심이 브리지 게임을 하는 것이라고 그가 단언하는 것을 들었다.

06 동사 become은 2형식 동사이므로 뒤에는 주어를 설명해 주는 주격보어로 형용사 evident가 적절하다.

It soon became evident / that their knowledge was limited / and of no practical value.
가주어-진주어 / become+형용사

곧 명백해졌다 / 그들의 지식은 한계가 있고 / 실용적 가치가 없을 것이다라는 것이

··· 그들의 지식은 한계가 있고 실용적이지 못하다는 것이 곧 명백해졌다.

07 help는 목적어로 동사원형 또는 to부정사가 올 수 있으므로 support가 적절하다.

You're helping / support the formation of future leaders / in the profession.
help + 동사원형

당신은 돕고 있다 / 미래 리더의 형성을 지원하는 것을 / 그 직업에서의

··· 당신은 그 직업에서 미래의 리더의 형성을 지원하는 것을 돕고 있다.

08 동사 get이 사역동사로 쓰이고 있다. 목적어 tasks와 목적보어 do의 관계가 일은 이루어져야 하는 것이므로 수동 관계이다. 따라서 과거분사 done이 적절하다.

He told / how the managers were to get / tasks / done / in the organization.
사역동사 / 수동 관계

그는 말했다 / 어떻게 경영진들이 하게 해야 하는지 / 일을 / 이루어지게 / 조직 내에서

··· 그는 경영진들이 조직 내에서 일을 어떻게 해야 하는지 말했다.

09 allow는 목적보어로 to부정사를 쓰는 동사이다. 따라서 to make가 적절하다.

Give children options / and allow / them / to make their own decisions.
❶ 명령문 / ❷ allow + O + to부정사

아이들에게 선택권을 주어라/ 그리고 허용해라 / 그들이 / 자신의 결정을 하도록

⋯→ 아이들에게 선택권을 주고, 자신의 결정을 하도록 허용해라.

10 watch는 지각동사로 목적어 a man과 목적보어 try의 관계가 능동 관계이므로 동사원형 try가 적절하다.

지각동사 / 능동 관계

I watched / a man on the Metro / try to get off the train / and fail.

나는 보았다 / 지하철의 한 남자가 / 기차에서 내리려고 노력하는 것을 / 그리고 실패한

⋯→ 나는 지하철의 한 남자가 기차에서 내리려고 노력했지만, 실패한 것을 보았다.

Chapter

04 시제

어휘를 알면 구문이 보인다 (028~030) P. 088

01 국제의	02 수도	03 흑사병
04 관심	05 사라지다	06 활성화하다
07 기재, 매커니즘	08 예측하다	09 장군
10 독립	11 reduce	12 heritage
13 attraction	14 establish	15 enemy
16 tool	17 out of focus	18 take in
19 flow	20 determine	

Point (028~030) Review P. 095

01 finish	02 called	03 will be	04 knew
05 ask	06 leave	07 discovered	08 rises
09 is installed		10 is	

01 미래 사건이지만, 시간의 부사절이므로 현재시제인 finish가 적절하다.

시간의 부사절 / 현재시제

When the students finish the group project, / the teacher will review it / immediately.

학생들이 그룹 프로젝트를 끝냈을 때 / 선생님은 그것을 검토할 것이다 / 즉시

⋯→ 학생들이 그룹 프로젝트를 끝냈을 때, 선생님은 즉시 그것을 검토할 것이다.

02 과거 부사구 last night가 있으므로 과거시제가 적절하다.

과거시제 / 과거 부사구

I called Kevin / at nine last night, / but he wasn't home.

나는 케빈에게 전화를 했다 / 지난밤 9시에 / 그런데 그는 집에 없었다.

⋯→ 나는 지난밤 9시에 케빈에게 전화를 했지만, 그는 집에 없었다.

03 when은 의문사로 사용되므로 미래 사건은 미래시제를 사용한다.

의문사 when / 미래시제

I cannot say exactly / when the project will be completed / tomorrow.

나는 정확하게 말할 수 없다 / 언제 그 프로젝트가 끝나는지 / 내일

⋯→ 나는 프로젝트가 내일 언제 끝나는지 정확하게 말할 수 없다.

04 가정법 과거이므로 if 안의 시제는 과거시제를 사용한다.

가정법 과거

If you knew me well, / you would know / that I am not cowardly.

당신이 나를 잘 안다면 / 당신은 알지도 모른다 / 내가 겁쟁이가 아니라는 것을

⋯→ 당신이 나를 잘 안다면, 내가 겁쟁이가 아니라는 것을 알지도 모른다.

05 미래 사건이지만 시간의 부사절이므로 현재시제 ask가 적절하다.

시간의 부사절

When you ask basic questions, / you will more than likely be perceived / by others / to be smarter.

기본 질문을 할 때 / 여겨질 것이다 / 다른 사람들에게 / 더 똑똑하다고

⋯→ 기본 질문을 할 때 당신은 다른 사람들에게 더 똑똑하다고 여겨질 것이다.

06 시간의 부사절이므로 비록 사건이 앞으로 벌어질 미래 사건이지만, 현재시제를 사용한다.

시간의 부사절

Please complete / and return the form / before you leave the room.

제발 끝내세요 / 그리고 그 양식을 돌려주세요 / 당신이 그 방을 나가기 전에

⋯→ 당신이 방을 나가기 전에 그 양식을 끝내고 돌려주세요.

07 콜럼버스가 아메리카를 발견한 것은 내가 배운 시점보다 앞선 사건이지만, 역사적 사실이므로 과거시제를 사용한다.

역사적 사실

I was taught / that Columbus discovered America in 1492.

나는 배웠다 / 콜럼버스가 아메리카를 발견했다고 / 1492년에

⋯→ 나는 콜럼버스가 1492년에 아메리카를 발견했다고 배웠다.

08 불변의 진리이므로 현재시제를 사용한다.

불변의 진리

If the sun sets in the west, / it always rises / again the next morning / in the east.

태양이 서쪽에서 진다면 / 항상 뜬다 / 다음 날 아침에 다시 / 동쪽에서

⋯→ 태양이 서쪽에서 진다면 다음 날 아침에 항상 동쪽에서 다시 떠오른다.

09 미래 사건이지만, 시간의 부사절이므로 현재시제를 사용한다.

시간의 부사절

As soon as the new program is installed, / all staff will begin to learn / how to use it.

새로운 프로그램이 설치되자마자 / 모든 직원들은 배우기 시작할 것이다 / 그것을 사용하는 방법을

⋯→ 새로운 프로그램이 설치되자마자, 모든 직원들은 그것을 사용하는 방법을 배우기 시작할 것이다.

10 미래 사건이지만, 조건절이므로 현재시제를 사용한다.

조건절
If the weather is good, / he will arrive in the island / on August 15.

날씨가 좋다면 / 그는 섬에 도착할 것이다 / 8월 15일에
··· 날씨가 좋다면, 그는 8월 15일에 섬에 도착할 것이다.

어휘를 알면 구문이 보인다 (031~033) P. 096

01 깨닫다	02 끔찍한	03 수입된
04 사치의, 호화로운	05 십년	06 회사
07 다국적의	08 수행하다	09 책임자
10 자원봉사자	11 Arctic	12 melt
13 unfortunately	14 include	15 ensure
16 employee	17 detailed	18 insight
19 regret	20 dramatically	

Point (031~033) Review P. 103

01 had	02 has taken	03 have been
04 had	05 waited	06 had met
07 had rained	08 had not gotten	09 has been
10 lived		

01 과거보다 이전의 사건을 설명하므로 과거완료가 적절하다.

과거완료 / 과거
The exam had already started / when I entered the classroom.

시험은 이미 시작되었다 / 내가 교실에 들어왔을 때
··· 내가 교실에 들어왔을 때 시험은 이미 시작되었다.

02 recent라는 것은 현재를 포함하므로 현재완료가 적절하다.

In recent weeks, / my wife's health / has taken a dramatic turn / for the worse.

최근 들어 / 부인의 건강이 / 엄청난 전환점을 맞았다 / 더 악화된 상황으로
··· 최근 들어 부인의 건강이 악화되는 엄청난 전환점을 맞았다.

03 과거 사건이 있지만, since 이후에 나오며 지금까지의 상황이므로 현재완료가 적절하다.

since + 과거 시점
Since you started / in the mail room in 1979, / your contributions to this company / have been invaluable.

당신이 시작한 이후로 / 메일룸에서 1979년 / 당신의 이 회사에 대한 기여는 / 매우 소중했다
··· 당신이 1979년 메일룸에서 일을 시작한 이후로 당신의 회사에 대한 기여는 가치를 매길 수 없었다.

04 과거보다 이전의 상황이므로 과거완료가 적절하다.

S / V
A piano player / who had never sung / in public before / sang / for the very first time.

피아노 연주자는 / 결코 노래해 본 적이 없었던 / 그전에 대중들 앞에서 / 노래했다 / 처음으로
··· 그 전에 대중들 앞에서 노래를 부른 적이 없었던 피아노 연주자는 처음으로 노래를 했다.

05 when ~ street라는 과거 사건이 있으므로 현재완료는 쓸 수 없다.

과거 시제 / 과거 사건
I waited in a car / at a red light / when there was a lot of traffic / on the street / and none on the cross street.

나는 차안에서 기다렸다 / 빨간 불일 때 / 많은 차량이 있을 때 / 길에 / 그리고 교차로에는 아무도 없었다
··· 차도에는 차량이 많고 교차로에는 아무도 없었으며, 나는 빨간 불일 때 차안에서 기다렸다.

06 과거 상황을 가정하는 가정법 과거완료 구문이다.

가정법 과거완료
If you had met her / 10 years ago, / you could have married her / then.

만약 당신이 그녀를 만났더라면 / 10년 전에 / 당신은 그녀와 결혼할 수도 있었다 / 그때
··· 당신이 10년 전에 그녀를 만났더라면 그 당시 그녀와 결혼할 수도 있었다.

07 과거보다 먼저 발생한 사건이므로 과거완료를 사용한다.

과거완료
It had rained / earlier that week / and then / the river was brown and swollen.

비가 내렸다 / 그 주 초반에 / 그리고 그때 / 강은 흙탕물이고 범람했다
··· 그 주 초에 비가 내렸고 그때 강은 흙탕물이었고 범람했다.

08 과거의 상황을 가정하는 가정법 과거완료 구문이다.

가정법 과거완료
If he had not gotten the chance, / he would have lived / the rest of his life / as a no-name piano player.

그가 그 기회를 잡지 못했더라면 / 그는 살아왔을 것이다 / 여생을 / 이름 없는 피아노 연주자로
··· 그가 그 기회를 잡지 못했더라면 그는 여생을 이름 없는 피아노 연주자로 살아왔을 것이다.

09 until now로 봐서 현재와 과거가 연결된 현재완료형이 적절하다.

S / V
Immortality, / which means living forever, / has been an unreachable ambition / for many people / until now.

불멸 / 영원히 사는 것을 의미하는 / 닿을 수 없는 야망이었다 / 많은 사람들에게 / 지금까지
··· 영원히 사는 것을 의미하는 불멸은 지금까지 많은 사람들에게 닿을 수 없는 야망이었다.

10 in 2012라는 과거부사구가 있으므로 과거시제가 적절하다.

Tom and Jamie / lived together / in New York in 2012.

(과거시제: lived / 과거 부사구: in 2012)

톰과 제이미는 / 함께 살았다 / 2012년에 뉴욕에서
··· 톰과 제이미는 2012년에 뉴욕에서 같이 살았다.

어휘를 알면 구문이 보인다 (034~036) P. 104

01 치솟다	02 반복적으로	03 임대 계약
04 주주	05 감염	06 증거
07 보여주다	08 전략	09 기관, 분야
10 자발적으로	11 detective	12 suspect
13 portion	14 laundry	15 merger
16 stock	17 irritated	18 prepare for
19 resign	20 resistance	

Point (034~036) Review P. 111

01 would	02 do not	03 hurts	04 be dealt with
05 rest	06 rains	07 be	08 not separate
09 gets	10 resisted		

01 주절의 시제가 과거이므로 종속절의 시제는 보통 과거로 일치시켜 준다.

Jackson promised / that he would send service manuals / to us.

(주절이 과거: promised / 과거: would)

잭슨은 약속했다 / 그가 서비스 매뉴얼을 보낼 것이라고 / 우리에게
··· 잭슨은 서비스 매뉴얼을 우리에게 보낼 것이라고 약속했다.

02 미래 상황이나 조건절이므로 현재시제를 사용한다.

You will not succeed/ in your project / if you do not do your best.

(조건절: if you do not do your best)

당신은 성공하지 않을 것이다 / 당신의 프로젝트에서 / 당신이 최선을 다하지 않는다면
··· 당신은 최선을 다하지 않으면 프로젝트에서 성공하지 않을 것이다.

03 주절의 시제는 과거이나, that절의 내용이 과학적 사실을 다루고 있으므로 현재시제를 사용한다.

The program reported / that acid rain / hurts wild animals and plants / in the forest.

(과거: reported / 과학적 사실 → 현재시제: acid rain / hurts wild animals and plants / in the forest)

그 프로그램은 보고했다 / 산성비는 / 야생동물과 식물을 다치게 한다고 / 숲속의
··· 그 프로그램은 산성비가 숲속의 야생동물과 식물들을 다치게 할 것이라고 보고했다.

04 insist라는 주장 동사가 앞에 있고 that절의 내용이 당위성을 가지므로 that절의 동사는 동사원형이 와야 한다.

The group insisted / that the crime be dealt with / more strictly.

(주장 동사: insisted ... be)

그 단체는 주장했다 / 범죄는 다뤄져야 한다고 / 좀 더 엄격하게
··· 그 단체는 범죄는 좀 더 엄격하게 다뤄져야 한다고 주장했다.

05 recommend라는 권고 동사가 앞에 있으므로 that절의 동사는 동사원형이 와야 한다.

The doctor recommended / that he rest for a week.

(권고 동사: recommended ... rest)

의사는 권고했다 / 그는 쉬어야 한다고 / 1주일 동안
··· 의사는 그가 1주일은 쉬어야 한다고 권고했다.

06 미래의 상황이나 조건절이므로 현재시제를 사용한다.

If it rains tomorrow, / we will postpone our monthly picnic.

(조건절: If it rains tomorrow)

내일 비가 온다면 / 우리는 월간 소풍을 연기할 것이다.
··· 내일 비가 온다면, 우리는 월간 소풍을 연기할 것이다.

07 demand라는 요구 동사가 앞에 있으므로 that절의 동사는 동사원형이 와야 한다.

The committee demanded / that the industrialized countries / be liable for global warming.

(요구 동사: demanded ... be)

위원회는 요구했다 / 산업화된 국가들이 / 지구 온난화에 책임을 져야 한다고
··· 위원회는 산업화된 국가들이 지구 온난화에 책임이 있다고 요구했다.

08 recommend라는 권고 동사가 앞에 있으므로 that절의 동사는 동사원형이나 ⟨should + 동사원형⟩이 와야 한다. should가 생략되었으니 not separate가 적절하다.

The psychologist recommended / that the teachers not separate poor students / from good ones.

(권고 동사: recommended / (should) not separate)

심리학자는 권고했다 / 교사들은 못하는 학생들을 분리해서 안 된다고 / 잘하는 학생들로부터
··· 심리학자들은 교사들이 못하는 학생들을 잘하는 학생들과 분리해서는 안 된다고 권고했다.

09 미래 상황이나 시간의 부사절이므로 현재시제를 사용한다.

Tom will call you / when he gets an e-mail / from Jane.

(시간 부사절: when he gets an e-mail / from Jane)

톰이 너에게 전화할 것이다 / 그가 이메일을 받을 때 / 제인으로부터
··· 톰이 제인에게서 이메일을 받을 때, 너에게 전화할 것이다.

10 주장동사 insist의 that절이 나오지만, that절의 내용이 당위성(~해야 한다)이 아닌 단순한 사실 전달이므로 수/시제 일치를 해 주어야 한다. 따라서 과거 사건이므로 과거시제를 사용한다.

The police insisted / that two men resisted arrest, / but it was not true.

(당위성 없음: two men resisted arrest)

경찰은 주장했다 / 두 사람이 체포에 저항했다고 / 하지만 그것은 사실이 아니었다

⋯› 경찰은 두 사람이 체포에 저항했다고 주장했지만, 그것은 사실이 아니었다.

Chapter 04 Review

P. 112

01 had	02 broke	03 would	04 respond
05 was	06 have	07 had	08 had
09 travels	10 is		

01 과거보다 앞선 사실을 나타내므로 과거완료(had p.p.)를 사용한다.

과거 이전(대과거) / 과거

The movie / had already started / when I entered the theater.

그 영화는 / 이미 시작되었다 / 내가 그 극장에 들어갔을 때

⋯› 내가 극장에 들어갔을 때 그 영화는 이미 시작되었다.

02 과거보다 이전의 사건이나 역사적 사실이므로 과거시제를 사용한다.

역사적 사실

The teacher said / that the Civil-War broke out / in 1861.

선생님은 말했다 / 남북전쟁은 발발했다고 / 1861년에

⋯› 선생님은 남북전쟁이 1861년에 발발했다고 말했다.

03 주절의 시제가 과거이므로 종속절의 시제도 과거를 사용한다.

시제 일치

Some students said / that they would help / me / to finish the work, / but they didn't.

여러 학생들은 말했다 / 그들은 도울 것이다라고 / 내가 / 그 일을 끝내는 것을 / 하지만 그들은 그렇지 않았다.

⋯› 일부 학생들은 내가 그 일을 끝내도록 도와주겠다고 말했지만, 그렇게 하지 않았다.

04 미래 사건이지만, 조건절이므로 현재시제를 사용한다.

조건절

If you respond to my request, / I will give you a chance / to participate in the audition.

당신이 내 요구를 받아들인다면 / 나는 당신에게 기회를 줄 겁니다 / 오디션에 참여할

⋯› 당신이 내 요구를 받아들인다면, 나는 당신에게 오디션에 참가할 기회를 줄 겁니다.

05 과거 부사구 5 years ago가 있으므로 현재완료는 쓸 수 없다.

과거 부사구

She is much better / than she was 5 years ago.

그녀는 더 낫다 / 5년 전의 그녀보다

⋯› 그녀는 5년 전보다 더 낫다.

06 since로 인해서 그때부터 지금까지 보지 못했다라는 표현이므로 현재완료가 적절하다.

현재완료

I met Rosa / in Seoul in 2015, / and I have not seen her / since then.

나는 로사를 만났다 / 2015년 서울에서 / 그리고 나는 그녀를 보지 못했다 / 그때 이후로

⋯› 나는 2015년에 서울에서 로사를 만났고, 그 이후로 그녀를 본 적이 없다.

07 '~하자마자'라는 뜻의 Hardly had S + p.p. ~ when 표현이다.

Hardly had S + p.p. ~ when: ~하자마자

Hardly had the meeting started / when many people began complaining / about the topic.

회의가 시작되자마자 / 많은 사람들이 불평하기 시작했다 / 그 주제에 대해서

⋯› 회의가 시작되자마자 그 주제에 대해서 많은 사람들이 불평하기 시작했다.

08 그녀가 잃어버린 사건보다 그녀의 오빠가 태블릿을 산 것이 먼저 발생한 사건이므로 과거완료를 쓴다.

과거 / 이전 과거(대과거)

She lost the tablet / that her brother had bought / the day before.

그녀는 태블릿을 잃어버렸다 / 그녀의 오빠가 샀던 / 그 전날에

⋯› 그녀는 그 전날 오빠가 산 태블릿을 잃어버렸다.

09 주절이 과거이나 종속절의 내용이 과학적 사실이므로 현재시제를 사용한다.

과학적 사실

In science class, / the children learned / that light travels faster / than sound.

과학 수업에서 / 아이들은 배웠다 / 빛이 더 빠르다고 / 소리보다

⋯› 과학 수업에서 아이들은 빛이 소리보다 더 빠르다고 배웠다.

10 제안동사 suggest와 상관 없이 that절의 내용이 과학적 사실이므로 현재시제를 사용한다.

과학적 사실

Copernicus changed everything / by suggesting / that the sun is at the center of the solar system.

코페르니쿠스는 모든 것을 바꾸었다 / 제안함으로써 / 태양이 태양계의 중심이라는 것을

⋯› 코페르니쿠스는 태양이 태양계의 중심이라고 제안함으로써 모든 것을 바꾸었다.

Chapter

05 형용사 · 부사 비교급

어휘를 알면 구문이 보인다 (037~039) P. 114

01 제공하다	02 의존하는	03 유선형으로 하다
04 쌍둥이	05 먼지	06 붓다
07 입양된	08 무례한	09 제국
10 안정적인	11 doubtful	12 definite
13 disagreement	14 conversation	15 strange
16 stand in line	17 please	18 tourist
19 insignificant	20 identical	

Point (037~039) Review P. 121

01 exactly	02 firmly	03 neat	04 increasingly
05 beneficial	06 diverse	07 nervous	08 fully
09 extremely	10 satisfactory		

01 be동사 뒤에 나오지만, the same을 수식하고 있으므로 부사가 와야 한다.

(the same 수식)
A sandwich in the cafeteria / isn't exactly the same thing / as a hot meal at home.

카페테리아의 샌드위치는 / 정확하게 같은 것이 아니다 / 집에서 만든 따뜻한 음식과 같은

⋯➝ 카페테리아에서의 샌드위치는 집에서 만든 따뜻한 음식과 정확하게 같은 것은 아니다.

02 여기서 remain은 2형식 동사가 아니라 1형식 동사로 '~에 남겨져 있다'는 의미로 쓰인다. 내용상 firmly가 remain on the earth를 수식하고 있으므로 부사가 와야 한다.

(remain on the earth 수식)
Our feet remain firmly / on the earth / even though our planet is spinning.

우리의 발은 꼿꼿하게 붙어 있다 / 땅에 / 비록 우리 행성이 돌고 있지만

⋯➝ 지구가 축을 중심으로 돌고 있는데도 불구하고 우리는 지구 위에 서 있다.

03 '말끔히'라고 해석이 되지만 목적어인 our rooms에 대한 보어가 필요하므로 형용사가 와야 한다.

As we grew older, / my mother made sure / we did our part / by keeping(V) our rooms(O) neat(OC).

우리가 나이가 들어감에 따라 / 나의 어머니는 확실히 조치를 취하셨다 / 우리가 우리의 역할을 하도록 / 우리 방을 말끔히 정리함으로써

⋯➝ 우리가 나이를 먹어감에 따라, 엄마는 우리가 우리의 방을 말끔히 치우는 것을 통해 제 역할을 다하도록 확실히 조치를 취하셨다.

04 2형식 동사 become 뒤에 나오지만, 보어로 쓰이고 있는 형용사 tough를 수식하므로 부사가 적절하다.

There are many sports jobs altogether, / but the competition becomes increasingly tough.

많은 스포츠 직업들이 함께 있다 / 하지만 경쟁은 점점 심해진다

⋯➝ 많은 스포츠 관련 직업이 함께 하지만 경쟁은 점차 심해지고 있다.

05 find의 목적보어 자리로 사용되므로 형용사가 적절하다. 목적어 자리에 있는 it은 가목적어로 실제 목적어는 뒤에 나오는 to help the country 이다.

More and more people / find(V) it(O, 가목적어) / very beneficial(OC) / to help the country(진목적어).

점점 더 많은 사람들은 / 깨닫는다 / 더 유익하다고 / 그 나라를 돕는 것이

⋯➝ 점점 더 많은 사람들은 그 나라를 돕는 것이 매우 유익하다고 깨닫는다.

06 앞에 있는 명사 cultures를 수식하므로 형용사가 적절하다.

[Cultures(S) / as diverse as / the Japanese and the Guatemalan Maya] / practice(V) parent-infant co-sleeping.

문화는 / ~만큼 다양한 / 일본과 과테말라 / 부모와 아기가 함께 잔다

⋯➝ 일본이나 과테말라처럼 다양한 문화는 부모와 아기가 함께 잔다.

07 '긴장하게'로 해석이 되지만, 5형식 동사 make의 목적보어로 사용되고 있으므로 형용사인 nervous가 적절하다.

Some people / avoid the opportunity / to make a public presentation / because it makes(V) / them(O) / nervous(OC).

일부 사람들은 / 그 기회를 회피한다 / 발표를 하는 / 왜냐하면 그것은 만드니까 / 자신들을 / 긴장하게

⋯➝ 일부 사람들은 자신들을 긴장하게 만들기 때문에 발표를 하는 기회를 피한다.

08 앞에 있는 동사 describe를 수식하므로 부사가 적절하다.

(describe (the film) 수식)
Students were asked / to describe the film / as fully as possible / to others.

학생들은 요구받았다 / 영화를 설명해보라는 / 가능한 한 완벽히 / 다른 사람들에게

⋯➝ 학생들은 다른 사람들에게 가능한 한 완벽하게 영화를 설명해보라는 요구를 받았다.

09 2형식 동사 look 뒤에 나오지만, 보어는 serious이다. 이 형용사 보어를 수식하고 있으므로 부사가 적절하다.

Look at the photos / from the late 19th century / and you will see / that every person in them / looks(V) extremely serious(C).

사진을 보아라 / 19세기 말에서 온 / 그러면 당신은 알 것이다 / 그들(사진) 안의 모든 사람들은 / 극단적으로 진지해 보인다는 것을
··· 19세기 말의 사진을 봐라. 그러면 당신은 그 안에 있는 모든 사람들이 극단적으로 진지해 보인다는 것을 알 것이다.

10 be동사의 보어 자리이므로 형용사가 적절하다.

┌ 2형식 동사
They believe / that the product should be / at least as satisfactory / as their last purchase.

그들은 믿는다 / 그 상품은 ~이어야 한다고 / 최소한 만족스러워야 / 그들의 마지막 구매만큼은
··· 그들은 그 상품이 그들의 마지막 구매만큼 최소한 만족스러워야 한다고 믿는다.

어휘를 알면 구문이 보인다 (040~042) P. 122

01 조미료, 풍미	02 다양한	03 제공하다
04 현저히, 상당히	05 문화의	06 이론
07 느긋한	08 역할을 하다	09 인공적인
10 증명하다	11 nuclear weapon	12 manage
13 form	14 judgement	15 escape
16 manner	17 weapon	18 estimate
19 blame	20 boost	

Point (040~042) Review P. 129

01 highly	02 friendly	03 little	04 near	05 less
06 deadly	07 kind	08 few	09 likely	10 many

01 '(키, 높이가) 높은(high)'보다는 '매우(highly)'가 내용상 적절하다.

매우
Harry Potter / was a highly unusual boy / in many ways / in the movie.

해리포터는 / 매우 비범한 아이였다 / 많은 면에서 / 영화에서
··· 해리포터는 영화에서 많은 면에서 매우 비범한 아이였다.

02 friendly는 형용사로 '친근한'을 의미한다.

친근한 분위기
Our hotel offers / a friendly atmosphere and personal service / to you.

우리 호텔은 제공한다 / 친근한 분위기와 개인적인 서비스를 / 여러분에게
··· 우리 호텔은 여러분에게 친근한 분위기와 개인적인 서비스를 제공한다.

03 money는 불가산 명사이므로 little이 적절하다.

so ~ that 용법
There were so many children / that her family had
┌ little + 불가산 명사
little money / for movies and activities.

너무나도 많은 아이들이 있었다 / 그래서 그녀의 가족은 거의 돈이 없었다 / 영화와 활동을 위한
··· 너무나도 많은 아이들이 있어서 그녀의 가족은 영화와 활동을 위한 돈이 거의 없었다.

04 내용상 '강 가까이(near)'가 적절하다.

가까이
Because the site is located / near the river, / people don't need a well.

그 지역은 위치해 있기 때문에 / 강 가까이에 / 사람들은 우물이 필요하지 않다
··· 그 지역은 강 가까이에 위치해 있기 때문에 사람들은 우물이 필요하지 않다.

05 뒤에 오는 information은 불가산명사이므로 less가 적절하다.

less (little의 비교급) + 불가산 명사
We generally have less information / than we would like.

우리는 일반적으로 거의 정보가 없다 / 우리가 원하는 것보다
··· 우리는 보통 우리가 원하는 것보다 더 적은 정보를 가지고 있다.

06 '죽은(dead)' 질병보다는 '치명적인(deadly)' 질병이 더 자연스럽다.

치명적인 질병
Nick has been fighting / a deadly disease / for 2 years.

닉은 싸우고 있다 / 치명적인 질병과 / 2년 동안
··· 닉은 2년 동안 치명적인 질병과 싸우고 있다.

07 lovely는 -ly가 붙지만, '사랑스러운'을 의미하는 형용사이다.

사랑스럽고 친절하게
The symbol "♥"/ might make / people / more lovely and kind.

"♥"라는 상징은 / 만들지도 모른다 / 사람들을 / 더욱 사랑스럽고 친절하게
··· "♥"라는 상징은 사람들을 더욱 사랑스럽고 친절하게 만들지도 모른다.

08 뒤에 복수 명사가 나오므로 few가 적절하다.

few + 복수 명사
[The extra few dollars / earned at midnight] / weren't worth it / when we looked at our work.

아주 적은 여분의 돈은 / 한밤에 벌은 / 그것의 가치가 없다 / 우리가 우리 일을 볼 때
··· 한밤에 번 아주 적은 여분의 돈은 우리 일을 감안할 때 가치가 없다.

09 be likely to(~할 가능성이 있다) 구문이므로 likely가 적절하다.

S
[A child / who regularly sleeps / in her parents'
V ┌ ~할 가능성이 있다
room] is likely to / become dependent / on them.

아이는 / 정기적으로 자는 / 그녀의 부모 방에서 / 가능성이 있다 / 의존적이게 될 / 그들에게
··· 부모의 방에서 정기적으로 자는 아이는 그들에게 의존하게 될 가능성이 있다.

10 뒤에 오는 30,000 people이 복수 명사이므로 many가 적절하다.
All three inventions / made the cities / of Mesopotamia / powerful trading centers / with as
┌ 3만 명의 사람은 셀 수 있음
many as 30,000 people each.

세 개의 발명품 모두 / 도시를 만들었다 / 메소포타미아의 / 강력한 무역 중심지로 / 3만 명만큼이나 많은 사람을 갖춘

⋯→ 세 개의 발명품 모두 메소포타미아의 도시들을 3만 명의 사람을 갖춘 강력한 무역 중심지로 만들었다.

어휘를 알면 구문이 보인다 (043~045) P. 130

01 노력	02 노예	03 조력자
04 우유부단한	05 쓸모없는	06 조사하다
07 가뭄	08 독성의	09 도움이 되다
10 전염되는, 전염성의	11 similar	12 volunteer
13 identical twins	14 exactly	15 weakness
16 pretty	17 approach	18 affect
19 enthusiasm	20 improve	

Point (043~045) Review P. 137

01 something new	02 such	03 as quiet a place
04 sleeping	05 like	06 Something powerful
07 alike	08 as normal a life	
09 so	10 nothing unhealthy	

01 -thing으로 끝나는 말은 형용사가 뒤에서 수식하므로 something new가 적절하다.

We can always learn / something new (something + 형용사) / every time / we observe a robin.

우리는 항상 배울 수 있다 / 무언가 새로운 것을 / ~할 때마다 / 로빈을 보다

⋯→ 우리는 로빈을 볼 때마다 새로운 무언가를 항상 배울 수 있다.

02 뒤에 형용사 없이 명사만 오므로 such가 적절하다.

Karl Popper, (S) / who ironically was a professor of scientific method, / denied (V) / that there was such a thing / as a scientific method.

칼 포퍼 / 역설적이게도 과학론 교수인 / 부인했다 / 그런 것이 있다는 것을 / 과학적 방법 같은

⋯→ 역설적이게도 과학론 교수인 칼 포퍼는 과학적 방법과 같은 그런 것이 있다는 것을 부인했다.

03 [as + 형용사 + a(n) + 명사]의 어순을 가진다.

This park is not / as quiet a place (as + 형용사 + a(n) + 명사) as / it used to be.

이 공원은 아니다 / 조용한 장소가 / 전에 그랬던 것처럼

⋯→ 이 공원은 전에 그랬던 것만큼 조용한 장소가 아니다.

04 asleep은 명사 앞에서 수식할 수 없다.

Cover this sleeping child (명사 수식) / with your coat / or he may catch a cold.

이 잠자는 아이를 덮어 주어라 / 당신의 코트로 / 아니면 그는 감기에 걸릴 수 있다

⋯→ 이 잠자는 아이를 당신의 코트로 덮어 주세요. 그렇지 않으면 감기에 걸릴 수 있습니다.

05 뒤에 명사가 오므로 전치사 like가 적절하다.

In reality, / fire comes in many forms / like candle flame, (like(전치사)+명사 : ~처럼) charcoal fire, and torch light.

사실 / 불은 여러 형태로 온다 / 촛불이나 숯불, 그리고 횃불과 같은

⋯→ 사실, 불은 촛불이나 숯불, 그리고 횃불 같은 많은 형태로 온다.

06 -thing으로 끝나는 말은 형용사가 뒤에서 수식하므로 Something powerful이 적절하다.

Something powerful (something + 형용사) happens / inside most people / when they are listened to.

강력한 무언가가 발생한다 / 대부분의 사람 안에서 / 그들이 들어지고 있을 때

⋯→ 그들의 말을 듣고 있을 때, 대부분의 사람들 안에서 강력한 무언가가 일어난다.

07 내용상 '한결같은(alike)'이 어울린다. like는 '~와 같은'의 전치사이다.

Many of the technological advances / have sparked a reaction / among bakers and consumers alike (한결같이, 똑같이).

기술적 발전 중 많은 것들이 / 반응을 일으킨다 / 제빵사와 소비자들 모두에서

⋯→ 기술적 발전 중 많은 것들이 제빵사와 소비자 모두에게 반응을 일으킨다.

08 [as + 형용사 + a(n) + 명사]의 어순을 가진다.

Despite her disability, / she tried to lead / as normal a life (as + 형용사 + a(n) + 명사) / as possible.

그녀의 장애에도 불구하고 / 그녀는 이끌려고 노력했다 / 평범한 삶을 / 가능한 한

⋯→ 그녀의 장애에도 불구하고, 그녀는 가능한 한 평범한 삶을 이끌려고 노력했다.

09 뒤에 부사만 오므로 so가 적절하다.

She came into the room / so quickly (so + 형용사/부사) / that we didn't see her coming.

그녀는 방으로 들어왔다 / 너무 빨리 / 그래서 우리는 그녀가 오는 것을 보지 못했다

⋯→ 그녀는 너무 빨리 방으로 들어와서 우리는 그녀가 오는 것을 보지 못했다.

10 -thing으로 끝나는 말은 형용사가 뒤에서 수식하므로 nothing unhealthy가 적절하다.

There is nothing unhealthy (nothing + 형용사) / with this diet.

건강하지 못한 것이 없다 / 이 식단에는

⋯→ 이 식단에는 건강하지 못한 것은 없다.

어휘를 알면 구문이 보인다 (046~048) P. 138

01 받아들이다	02 비판적인	03 책임
04 직원	05 관리 가능한	06 실내
07 끌어들이다	08 참가자	09 놀이동산
10 빈번히	11 science fiction	12 involve
13 when it comes to	14 innovation	15 skip
16 lose weight	17 chase	18 commercial
19 conversation	20 seek	

Point (046~048) Review P. 145

01 as	02 to	03 even	04 more	05 far
06 to	07 than	08 good	09 much	10 than

01 앞에 as가 있으며 동급 비교이므로 as가 적절하다.

as 형용사 as

I advised / him / to research / **as much** about the case / **as** possible.

나는 조언했다 / 그가 / 연구하라고 / 그 사건에 대해서 많이 / 가능한 한

⋯ 나는 그에게 가능한 한 사건에 대해서 많이 연구하라고 조언했다.

02 inferior는 뒤에 than이 아닌 to를 사용한다.

inferior to

I don't understand / why our team is **inferior** / **to** others.

나는 이해하지 못한다 / 왜 우리 팀이 열등한지 / 다른 팀보다

⋯ 나는 왜 우리 팀이 다른 팀보다 못한지 이해하지 못한다.

03 비교급 강조는 far, even, still, a lot, much가 담당한다.

even + 비교급

Some toy animals / stayed at sea / **even longer**.

일부 장난감 동물들은 / 바다에 머물렀다 / 훨씬 더 오랫동안

⋯ 일부 장난감 동물들은 훨씬 더 오랫동안 바다에 머물렀다.

04 뒤에 than이 나오므로 비교급 more가 적절하다.

You might have found / your child / playing **more** / with the box / **than** the toy.

당신은 깨달았을 수도 있다 / 당신이 아이가 / 더 많이 노는 것을 / 상자를 가지고 / 장난감보다

⋯ 당신은 아이가 장난감보다는 상자를 가지고 더 많이 놀고 있다는 것을 깨달았을지도 모른다.

05 far는 비교급을 강조할 수 있다.

S

[A personal note / **written by your own hand**] /

V far + 비교급

matters **far more** / than a few lines of typing.

개인 노트는 / 당신의 손으로 쓴 / 훨씬 더 중요하다 / 타이핑한 몇 줄보다

⋯ 여러분이 쓴 개인 노트는 타이핑한 몇 줄보다 훨씬 더 중요하다.

06 prefer는 than 대신 to를 사용한다.

prefer + to

Why do you **prefer** / the typewriter / **to** the computer?

왜 당신은 선호하는가 / 타자기를 / 컴퓨터보다

⋯ 당신은 왜 타자기를 컴퓨터보다 더 좋아하는가?

07 앞에 비교급 faster and stronger가 있으므로 than이 와야 한다.

비교급 + than

The same amount of water / flows **faster and stronger** / through a narrow strait / **than** across the open sea.

같은 양의 물은 / 더 빠르고 힘차게 흐른다 / 좁은 해협을 통과하여 / 바다로 흘러 들어가는 것보다

⋯ 같은 양의 물은 바다로 흘러 들어가는 것보다 좁은 해협을 통과하는 것이 더 빠르고 힘차게 흐른다.

08 as ~ as의 동급 비교 구문이므로 형용사 원급 good이 적절하다.

as 원급 as

This cafe is almost **as good** / **as** the one / **we went to yesterday**.

이 카페는 거의 좋다 / 카페만큼 / 우리가 어제 갔던

⋯ 이 카페는 우리가 어제 갔던 카페만큼 좋다.

09 비교급 강조는 far, even, still, a lot, much가 담당한다.

much + 비교급

The existing set of conditions / is **much less satisfactory** / and a new set of conditions / would be desirable.

기존의 조건 형태는 / 훨씬 덜 만족스러우며 / 새로운 조건은 / 바람직할지도 모른다.

⋯ 기존의 조항은 훨씬 덜 만족스럽고, 새로운 조항들이 바람직할지도 모른다.

10 앞에 비교급 more popularity가 있으므로 than이 온다.

비교급 + than

Soccer is gaining **more popularity** / **than** other sports / including baseball, basketball, and ice hockey.

축구는 더 많은 인기를 얻고 있다 / 다른 스포츠보다도 / 야구와 농구, 아이스하키를 포함해서

⋯ 축구는 야구, 농구, 아이스하키를 포함한 다른 스포츠보다 더 많은 인기를 얻고 있다.

어휘를 알면 구문이 보인다 (049~051) P. 146

01 통찰력	02 시각적인	03 널리
04 미신	05 작업일지	06 통로
07 낮잠	08 식사	09 향상시키다
10 공연	11 experienced	12 break time
13 intuitive	14 marvelous	15 generation
16 knowledge	17 inform	18 narrow
19 striking	20 loser	

Point (049~051) Review

P. 153

01 more	02 the most	03 most	04 the richer
05 almost	06 deeper	07 almost	08 the stronger
09 most	10 the greater		

01 뒤에 the more confusion이 나오므로 'the 비교급 ~, the 비교급 ~' 구문이다.

the 비교급 ~, the 비교급 ~

The more knowledge / we gain, / the more confusion / we obtain / to go along with it.

더 많은 지식을 / 우리가 얻을수록 / 더 많은 혼란을 / 우리는 얻는다 / 그에 따라

⋯› 우리가 더 많은 지식을 얻으면 얻을수록 우리는 그에 따라 더 혼란해진다.

02 해석상 almost(거의)보다는 the most(가장)가 더 자연스럽다.

가장 효과적인 방법

In my opinion, / however, / the most effective way / is to practice.

내 의견으로는 / 하지만 / 가장 효과적인 방법은 / 연습하는 것이다

⋯› 하지만 내 의견으로는 가장 효과적인 방법은 연습하는 것이다.

03 해석상 almost(거의)보다는 most(대부분)가 더 자연스럽다.

상금의 대부분

They used / most of the prize money / for the end-of-the-year field trip.

그들은 사용했다 / 상금의 대부분을 / 연말 야유회로

⋯› 그들은 상금의 대부분을 연말 야유회로 썼다.

04 앞에 the more cattle이 있으므로 'the 비교급 ~, the 비교급 ~' 구문이다.

the 비교급 ~, the 비교급 ~

The more cattle / a man owns, / the richer / he is considered to be.

소가 더 많으면 많을수록 / 사람이 소유하는 / 더 부유하다 / 그가 간주되어진다

⋯› 사람이 더 많은 소를 소유하면 할수록, 그는 부유하다고 간주된다.

05 most(가장)보다는 almost(거의)가 더 자연스럽다. 그리고 almost 뒤에 100%를 나타내는 always(항상)가 나온다.

거의 항상

Some students / are almost always / less satisfied / with their results.

일부 학생들은 / 거의 항상 / 덜 만족한다 / 그들의 결과에

⋯› 일부 학생들은 거의 항상 그들의 결과에 덜 만족한다.

06 앞에 the more가 있으므로 'the 비교급 ~, the 비교급 ~' 구문이다.

the 비교급 ~, the 비교급 ~

In quicksand, / the more / you struggle, / the deeper / you'll sink.

유사(流沙)에서 / 더 많이 / 당신이 발버둥치면 / 더 깊이 / 당신은 가라앉을 것이다

⋯› 유사(流沙)에서 당신이 더 발버둥칠수록 당신은 더욱 깊이 빠질 것이다.

07 most(대부분)보다는 almost(거의)가 더 자연스럽다. 그리고 almost 뒤에 100%를 나타내는 everyone(모든 사람)이 나온다.

거의 모든 사람들

These days, / almost everyone keeps / at least one pet / at home.

요즘 / 거의 모든 사람들은 키운다 / 최소한 한 마리의 애완동물을 / 집에서

⋯› 요즘은 거의 모든 사람이 집에서 최소한 한 마리의 애완동물을 키운다.

08 앞에 the more mass가 있으므로 'the 비교급 ~, the 비교급 ~' 구문이다.

the 비교급 ~, the 비교급 ~

The more mass, / or amount of material, / an object has, / the stronger / its gravitational force.

더 많이 무거울수록 / 아니면 물질의 양이 / 물질이 가지는 / 더 강해진다 / 그것의 중력이

⋯› 물체가 더 무거운 질량, 아니면 물질의 양을, 가지면 가질수록 그 중력은 더 강해진다.

09 앞에 the가 왔으므로 내용상 최상급을 표현하는 most가 가장 자연스럽다.

They're doing / the most important thing regularly / and, as a result, / everything else is easier.

그들은 하고 있다 / 가장 중요한 것을 규칙적으로 / 그리고 결과적으로 / 다른 모든 것은 더 쉬워진다

⋯› 그들은 규칙적으로 가장 중요한 일을 하고 있고, 결과적으로 다른 모든 것이 더 쉽다.

10 앞에 the more knowledge and experience가 있으므로 'the 비교급 ~, the 비교급 ~' 구문이다.

the 비교급 ~, the 비교급 ~

The more knowledge and experience / a decision-maker has, / the greater / the chance for a good decision.

더 많은 지식과 경험일수록 / 의사결정권자가 가지는 / 더 커진다 / 좋은 결정을 위한 기회가

⋯› 의사결정권자가 더 많은 지식과 경험을 가지면 가질수록, 좋은 결정의 기회는 더 커진다.

Chapter 05 Review

P. 154

01 little	02 almost	03 like	04 happily
05 quickly	06 continually	07 easy	08 beautiful
09 properly	10 much		

01 뒤에 불가산 단수 명사(snowfall)가 오므로 little이 적절하다.
* few+복수 명사

little + 불가산/단수 명사

In some valleys, / there's little snowfall / and strong winds do not allow / snow / to build up.

어떤 계곡에서는 / 거의 눈이 없고 / 그리고 강한 바람은 허락하지 않는다 / 눈이 / 쌓이는 것을

⋯ 어떤 계곡에는 눈이 거의 없고, 강한 바람은 눈이 쌓이지 않도록 한다.

02 most(대부분)'보다는 almost(거의)가 더 자연스럽다. 그리고 almost 뒤에 0%를 나타내는 impossible(불가능한)이 나온다.

가주어 - 진주어 구문
It's **almost impossible** / to get the project / and revive the company.
거의 불가능한

거의 불가능하다 / 프로젝트를 따내고 / 회사를 되살리는 것이
⋯ 프로젝트를 따내고, 회사를 되살리는 것이 거의 불가능하다.

03 뒤에 목적어가 오며, 해석상 '~처럼'이 자연스럽다.

S 대부분의 다른 부모들처럼 V
My mother, / **like most other parents,** / did not get / me / to realize the benefits / for myself.

어머니는 / 대부분의 다른 부모들처럼 / 하게 하지 않았다 / 내가 / 그 혜택을 깨닫도록 / 스스로
⋯ 대부분의 다른 부모들처럼 어머니는 내가 스스로 그 혜택을 깨닫게 하지시 않았다.

04 뒤에 나오는 분사 playing을 수식하므로 부사가 적절하다.

The dogs / were already **happily playing** / with a towel / they had discovered / under the sofa.

개들은 / 벌써 행복하게 놀고 있었다 / 수건을 가지고 / 그들이 발견했던 / 소파 아래에서
⋯ 개들은 소파 아래에서 발견한 수건을 가지고 벌써 행복하게 놀고 있었다.

05 get through (the limitation)를 수식하고 있으므로 부사가 적절하다.

Consider the motivation / to **get through the limitation** / as **quickly** as possible.

동기를 고려해 봐라 / 한계를 넘으려는 / 가능한 한 빨리
⋯ 가능한 한 빨리 한계를 넘으려는 동기를 고려해 봐라.

06 trying을 수식하므로 부사가 적절하다.

The Masai are a people / who are **continually trying** to / preserve their own culture.

마사이족은 사람들이다 / 계속해서 노력하는 / 그들의 문화를 보존하려고
⋯ 마사이족은 그들의 문화를 보존하려고 계속해서 노력하는 사람들이다.

07 made의 목적보어 자리이므로 형용사 easy가 적절하다.

Castles declined / in importance /
because firearms **made** / **them** / **easy** to attack.
(V / O / OC)

성은 감소했다 / 중요도가 / 왜냐하면 총기가 만들어서 / 그것들을(성) / 공격하기 쉽게
⋯ 총기가 성을 공격하기 쉽게 만들었기에 성은 중요도가 감소했다.

08 make의 목적보어 자리이므로 형용사 beautiful 이 적절하다.

Challenge can **make** / **your drawback** / **beautiful**.
(V / O / OC)

도전은 만들 수 있다 / 당신의 단점을 / 아름답게
⋯ 도전은 당신의 단점을 아름답게 만들 수 있다.

09 동사 monitor을 수식하므로 부사 properly가 적절하다.

Only two of the sensors / need to be functioning / in order to **properly monitor** the fuel levels.

오직 센서 중 두 개만이 / 작동할 필요가 있다 / 제대로 연료 수준을 관찰하기 위해서
⋯ 센서 중 오직 두 개만이 연료 수준을 제대로 관찰하기 위해서 작동할 필요가 있다.

10 뒤에 불가산 단수 명사(attention)가 오므로 much가 적절하다.

much + 불가산/단수 명사
Physicians should pay as **much attention** / to the comfort and welfare of the patient as / to the disease itself.

의사들은 많은 관심을 기울여야 한다 / 환자의 안락과 평안에 / 질병 그 자체 만큼이나
⋯ 의사들은 질병 그 자체 만큼이나 환자의 안락과 평안에 많은 관심을 기울여야 한다.

Chapter 06 동명사

어휘를 알면 구문이 보인다 (052~054) P. 156

01 거대한	02 주저하다	03 기술
04 친구를 사귀다	05 지식	06 실험실
07 관계	08 개발하다, 발전하다	09 ~을 선호하는
10 전문화된	11 ignore	12 invitation
13 valuable	14 expose	15 individuality
16 present	17 reconsume	18 average
19 experience	20 individual	

Point (052~054) Review P. 163

01 Having	02 promoting	03 doing	04 is
05 Obtaining	06 developing	07 Finding	08 producing
09 builds	10 Hoping		

01 뒤에 동사 keeps가 나오므로 주어가 필요하다. 따라서 동명사 주어인 Having이 적절하다.

S ┌ 동명사 주어 V O
[**Having** friends / with other interests] / keeps life interesting.
OC

친구를 사귀는 것은 / 다른 흥미를 가진 / 삶을 흥미롭게 유지한다

··· 다른 흥미를 가진 친구가 있다는 것은 삶을 흥미롭게 해준다.

02 전치사 in 뒤에 나오며, 뒤에 목적어 basic science가 있으므로 동명사 promoting이 적절하다.

전치사 + 동명사 + 목적어
Intellectual property / has played little role / in promoting basic science.

지적재산권은 / 어떠한 역할도 하지 않았다 / 기초 과학을 증진하는 데
··· 지적재산권은 기초 과학을 증진하는 데 어떠한 역할도 하지 않았다.

03 전치사 about뒤에 나오므로 동명사 doing이 적절하다.

Amateurs / often focus on the result / and forget / about doing all the things.
(전치사 + 동명사)

아마추어들은 / 종종 결과에 집중한다 / 그리고 잊는다 / 모든 것을 한 것에 대해
··· 아마추어들은 결과에 종종 집중하며, 모든 것을 한 것에 대해 잊는다.

04 Building은 동명사 주어로 쓰이고 있고, 동명사 주어는 단수 취급하므로 is가 적절하다.

[Building temporary shelters] / is one thing, / but [providing the necessary urban infrastructure] / is another.
(S 동명사 주어 / V 단수 취급 / S 동명사 주어 / V)

임시 대피소를 만드는 것은 / 하나의 일이다 / 하지만 필요한 도시의 시설을 제공하는 것은 / 또 다른 것이다
··· 임시 대피소를 만드는 것과 필요한 도시의 시설을 제공하는 것은 다른 일이다.

05 뒤에 동사 costs가 나오므로 주어가 필요하다. 따라서 동명사 주어인 Obtaining이 적절하다.

[Obtaining any of these sources / of information] / costs a lot.
(S 동명사 주어 / V)

이 자원 중 어떤 정보라도 얻는 것은 / 정보의 / 비용이 많이 든다.
··· 이 중 어떤 정보라도 얻으려면 비용이 많이 든다.

06 전치사 for 뒤에 나오며 뒤에 목적어 cooperative skills가 있으므로 동명사 developing이 적절하다.

전치사 + 동명사 + 목적어
This activity is also great / for developing cooperative skills / among children.

이러한 활동은 마찬가지로 대단하다 / 협동 기술을 발전시키기 위해서 / 아이들 사이에
··· 이 활동은 또한 아이들 사이에 협동 기술을 발전시키는 데 좋다.

07 뒤에 동사 is가 나오므로 주어가 필요하다. 따라서 동명사 주어인 Finding이 적절하다.

[Finding a resting place] / is quite difficult / in this area.
(S 동명사 주어 / V)

쉴 장소를 찾는 것은 / 매우 어렵다 / 이 지역에서
··· 이 지역에서 쉴 장소를 찾는 것은 매우 어렵다.

08 전치사 for 뒤에 나오며 뒤에 목적어 handmade bread가 있으므로 동명사 producing이 적절하다.

전치사 + 동명사 + 목적어
Bakers are researching methods / for producing handmade bread.

제빵사들은 방법을 조사하고 있다 / 수제 빵을 만드는
··· 제빵사들은 수제 빵을 만들기 위한 방법을 조사하고 있다.

09 Working이라는 동명사가 주어로 쓰이고 있으므로 단수 동사 builds가 적절하다.

[Working with others] / builds leadership, teamwork, / and the ability / to consider others.
(S 동명사 주어 / V)

다른 사람과 함께 일하는 것은 / 리더십과 팀워크를 쌓는다 / 그리고 능력도 / 다른 사람을 고려하는
··· 다른 사람과 함께 일하는 것은 리더십, 팀워크, 다른 사람을 배려하는 능력을 키워준다.

10 뒤에 주어와 동사가 온전한 문장이 나오므로 앞의 Hoping은 현재분사이다.

Hoping / that its flavor would reach / the heavenly god, / people in ancient times / offered tea / in various ceremonies.
(분사구문, '희망하며')

희망하며 / 그 향이 닿기를 / 하늘의 신에게 / 고대의 사람들은 / 차를 제공했다 / 다양한 의식에
··· 이것의 향이 신에게 도달하길 바라면서 고대의 사람들은 차를 다양한 의식에서 사용했다.

어휘를 알면 구문이 보인다 (055~057) P. 164

01 희생하다	02 의심	03 용서하다
04 부끄러운	05 건강하지 않은	06 부정적인
07 구성하다	08 조사하다	09 사과하다
10 추가적인	11 case	12 decision
13 expensive	14 hire	15 conquer
16 rush	17 gain weight	18 step out of
19 be proud of	20 meet the deadline	

Point(055~057) Review P. 171

01 his	02 singing	03 not leaving	04 hiring
05 their	06 playing	07 being exposed	08 being
09 having made		10 spending	

01 동명사의 의미상의 주어는 목적격이나 소유격을 사용한다.

동명사의 의미상의 주어(소유격)
I didn't agree with / the idea / of his going there / with me.

나는 동의하지 않는다 / 생각에 / 그가 거기에 가는 / 나와 함께
···› 나는 그가 거기에 나와 함께 가려는 생각에 동의하지 않는다.

02 동사 keep은 동명사를 목적어로 가진다.

keep + -ing
He **kept singing**, / and the fly landed back / on his nose.

그는 계속 노래했고 / 그리고 파리는 다시 앉았다 / 그의 코에
···› 그는 계속 노래했고, 파리는 다시 그의 코에 앉았다.

03 동명사의 부정은 부정어를 동명사 앞에 둔다.

부정어 + -ing
I appreciated / your **not leaving** me / although there was heavy rain.

나는 감사히 여긴다 / 당신이 나를 떠나지 않았음에 대해 / 폭우가 있었음에도 불구하고
···› 폭우가 있었음에도 당신이 나를 떠나지 않았던 것에 대해 감사를 표했다.

04 동사 consider는 동명사를 목적어로 가진다.

consider + -ing
They had to **consider** / **hiring** a baby-sitter / for the weekend.

그들은 고려해야만 했다 / 베이비시터를 고용하는 것을 / 주말을 위해서
···› 그들은 주말을 위해서 베이비시터를 고용하는 것을 고려해야만 했다.

05 like의 목적어로 동명사 borrowing이 쓰였다. 따라서 borrowing의 의미상의 주어로 소유격 their가 적절하다.

동명사의 의미상의 주어(소유격)
I don't like / **their borrowing** my books and magazines / without asking.

나는 좋아하지 않는다 / 그들이 내 책과 잡지를 빌린 것을 / 요청 없이
···› 나는 요청 없이 내 책과 잡지를 그들이 빌려가는 것을 좋아하지 않는다.

06 동사 quit는 동명사를 목적어로 가진다.

quit + -ing
I resolved to / **quit playing** the video-game / last year, / but I failed.

나는 결심했다 / 비디오 게임하는 걸 그만두기로 / 작년에 / 그런데 실패했다.
···› 나는 작년에 비디오 게임하는 것을 그만두기로 결정했지만, 실패했다.

07 expose는 타동사인데 목적어가 없으므로 수동 구문으로 쓰여야 한다.

타동사인데 목적어 X → 수동태
There was a higher chance / of **being exposed** / to diseases and infections.

더 높은 확률이 있다 / 노출되는 / 질병과 감염에
···› 질병과 감염에 노출될 확률이 더 높다.

08 imagine은 목적어 다음에 동명사가 오는 동사이다.

imagine + 목적어 + -ing
You can **imagine** / **what you learned today** / **being used** in real life.

너는 상상할 수 있다 / 네가 오늘 배웠던 것이 / 실제 생활에서 사용되어지는 것을
···› 너는 오늘 배운 것이 실제 생활에서 사용되어지는 걸 상상할 수 있다.

09 주절의 동사(현재)보다 이전 시제(과거)를 표현하고 있으므로 having p.p.가 적절하다.

과거
I'm sorry for / not **having made** suggestions / about improving a volume of imported car sales / in the last conference.

유감이다 / 제안을 하지 않았던 것에 대해 / 수입 차 판매량 개선을 위한 / 지난 회의에서
···› 지난 회의에서 수입 자동차 판매 증진을 위한 제안을 하지 않아 유감이다.

10 end up은 뒤에 동명사가 오는 동사이다.

end up + -ing
You may **end up spending** / most of your time / doing things / for your friends / and not be able to / do your own things.

당신은 결국 써버릴 것이다 / 당신의 시간 대부분을 / 무언가를 하는 데 / 친구들을 위해서 / 그리고 할 수 없을 것이다 / 당신 자신의 일을
···› 당신은 친구들을 위해 무언가를 하는 데 당신의 시간 대부분을 써버릴 것이고, 당신 자신의 일은 하지 못할 것이다.

어휘를 알면 구문이 보인다 (058~060) P. 172

01 독립	02 기념품	03 모으다, 모이다
04 일반적인, 공통의	05 집중하다	06 사실상
07 사회적	08 애쓰다	09 욕구
10 관찰하다	11 attention	12 text
13 process	14 additional	15 cautious
16 bone	17 stomach	18 digest
19 desperate	20 crop	

Point (058~060) Review P. 179

01 improving	02 persuading	03 looking	04 using
05 gathering	06 telling	07 breathing	
08 upgrading	09 banning	10 providing	

01 전치사 in 뒤에는 동명사가 와야 하므로 improving이 적절하다.

전치사 + -ing
At the same time, / we are interested in / **improving** our store.

동시에 / 우리는 관심이 있다 / 우리 가게를 개선하는 데
···› 동시에 우리는 우리 가게를 개선하는 것에 관심이 있다.

02 when it comes to -ing(~에 대하여) 구문으로 to는 전치사

이다. 따라서 뒤에는 동명사 persuading이 적절하다.

He is not useful / when it comes to persuading others.
(when it comes to -ing: ~에 대하여)

그는 유용하지 않다 / 다른 사람을 설득하는 데 있어

⋯› 그는 다른 사람들을 설득하는 데 있어 유용하지 않다.

03 be used to -ing(~하는 데 익숙하다) 구문으로 to는 전치사이다. 따라서 뒤에는 동명사 looking이 적절하다.

Amy is used to / looking after a little child / because she has 3 younger sisters.
(be used to -ing: ~에 익숙하다)

에이미는 익숙하다 / 어린 아이를 돌보는 데 / 왜냐하면 그녀는 3명의 여동생이 있기 때문에

⋯› 에이미는 3명의 여동생이 있기 때문에 어린 아이를 돌보는 데 익숙하다.

04 get accustomed to -ing(~하는 데 익숙해지다) 구문으로 to는 전치사이다. 따라서 뒤에 동사가 오므로 동명사 using이 적절하다.

It is confusing at first, / but you can get accustomed to / using this phone.
(get accustomed to -ing: ~에 익숙해지다)

그것은 처음에 혼란스럽다 / 하지만 당신은 익숙해질 수 있다 / 이 전화기를 사용하는 데

⋯› 그것은 처음에 혼란스럽지만, 당신은 이 전화를 사용하는 데 익숙해질 수 있다.

05 spend 시간/돈 -ing(~하는데 시간/돈을 쓰다) 구문이다. 따라서 gathering이 적절하다.

People no longer have to spend / most of their time and energy / gathering berries and seeds.
(spend 시간/돈 -ing: ~하는 데 시간/돈을 쓰다)

사람들은 더 이상 쓸 필요가 없다 / 대부분의 시간과 에너지를 / 베리와 씨앗을 모으는 데

⋯› 사람들은 더 이상 베리와 씨앗을 모으는 데 시간과 에너지의 대부분을 쓸 필요가 없다.

06 전치사 by 뒤에는 동명사가 와야 하므로 telling이 적절하다.

Alison continues to encourage others / by telling them / never to give up hope / of becoming successful.
(전치사 + -ing)

앨리슨은 계속 사람들을 격려하고 있다 / 그들에게 말함으로써 / 희망을 포기하지 말라고 / 성공하려는

⋯› 앨리슨은 사람들에게 성공에 대한 희망을 포기하지 말라고 말함으로써 다른 사람들을 계속 격려하고 있다.

07 have difficulty -ing(~하는 데 어려움이 있다) 구문이므로 동명사 breathing이 적절하다.

A fallen elephant / is likely to have difficulty breathing / because of its own weight, / or it may overheat in the sun.
(have difficulty -ing: ~하는 데 어려움이 있다)

쓰러진 코끼리는 / 숨 쉬는 데 어려움을 겪을 가능성이 있다 / 자신의 몸무게 때문에 / 아니면 태양열 때문에 열사병에 걸릴 수도 있다

⋯› 쓰러진 코끼리는 자신의 체중에 의해 호흡 곤란을 겪거나, 태양열 때문에 열사병에 걸리기도 한다.

08 be committed to -ing(~하는 데 전념하다) 구문이다. 전치사 to 뒤에 동사가 오므로 동명사 upgrading이 적절하다.

The new government / is committed to / upgrading the education system.
(be committed to -ing: ~에 전념하다, 헌신하다)

새로운 정부는 / 전념하고 있다 / 교육 시스템을 업그레이드하는 데

⋯› 새로운 정부는 교육 시스템을 업그레이드하는 데 전념하고 있다.

09 objection to -ing(~에 대한 반대) 구문으로 to는 전치사이다. 뒤에는 동명사 banning이 적절하다.

Most citizens have no objection to / banning smoking / in all public places / including schools, bus stations, and shopping malls.
(objection to -ing: ~에 대한 반대)

대부분의 시민들은 반대하지 않는다 / 흡연을 금지하는 것에 대해 / 모든 공공장소에서 / 학교나 버스 정류장, 쇼핑몰을 포함한

⋯› 대부분의 시민들은 학교나 버스 정류장, 쇼핑몰을 포함한 모든 공공장소에서 흡연을 금지하는 것에 반대하지 않는다.

10 전치사 without 뒤에는 동명사가 와야 하므로 providing이 적절하다.

Companies sometimes advertise / a picture of a product / without providing / any specific features of the product.
(전치사 + -ing)

회사들은 때때로 광고한다 / 상품의 사진을 / 제공하지 않고 / 그 제품의 상세 특징을

⋯› 회사들은 때때로 제품의 세부 특징을 제공하지 않은 채, 상품의 사진을 광고한다.

Chapter 06 Review

P. 180

01 studying	**02** throwing	**03** being	**04** leads
05 educating	**06** developing	**07** finding	**08** is
09 reading	**10** Collecting		

01 get used to -ing(~에 익숙해지다) 구문으로 to는 전치사이다. 따라서 뒤에는 동명사가 와야 한다.

You need to / get used to / studying with regular books.
(get used to -ing: ~에 익숙해지다)

당신은 필요하다 / 익숙해지다 / 일반용 책을 가지고 공부하는 데

⋯› 당신은 일반용 책을 가지고 공부하는 데 익숙해질 필요가 있다.

02 동사 practice는 동명사를 목적어로 가진다.

The students loved to / practice throwing their papers / into the basket.
(practice + -ing)

학생들은 좋아한다/ 그들의 서류를 던지는 걸 연습하는 것을 / 바구니에

···› 그 학생들은 자신들의 서류를 바구니 안으로 던지는 연습을 좋아한다.

03 in addition to -ing(~에 덧붙여) 구문으로 to는 전치사이다. 따라서 뒤에는 동명사가 와야 한다.

in addition to -ing: ~에 덧붙여
In addition to being a good teacher, / Jamie tried to be a good friend / for her students.

좋은 선생님이 되는 것과 더불어 / 제이미는 좋은 친구가 되고자 했다 / 그녀의 학생들을 위해서

···› 좋은 선생님이 되려는 것과 더불어, 제이미는 그녀의 학생들에게 좋은 친구가 되고자 노력했다.

04 Watching이 주어로 사용되고 있으며, 동명사는 단수 취급하므로 단수 동사 leads가 적절하다.

S 동명사 주어 V
[Watching violent scenes] / leads people, / especially children, / to become violent.

폭력적인 장면을 보는 것은 / 사람들을 이끈다 / 특히 아이들을 / 폭력적이 되도록

···› 폭력적인 장면은 사람들, 특히 아이들이 폭력적이 되도록 이끈다.

05 from A to B(A에서 B까지) 구문으로 to는 전치사이다. 따라서 뒤에는 동명사가 적절하다.

This system dealt with / everything / from choosing smart students / to educating them.
from A to B: A에서 B까지

이 시스템은 다뤘다 / 모든 것을 / 우수한 학생들을 선택하는 데서부터 / 그들을 교육하는 데 이르는

···› 이 시스템을 우수한 학생을 선발하는 데부터 그들을 교육시키는 것에 이르는 모든 것을 처리했다.

06 전치사 for 다음에 동명사나 명사가 올 수 있는데, 뒤에 목적어가 있으므로 동명사가 적절하다.

전치사 + -ing + 목적어
This game is great / for developing cooperative skills / among children.

이 게임은 대단하다 / 협동 능력을 발전시키는 데 있어 / 아이들에게서

···› 이 게임은 아이들에게서 협동 능력을 발달시키는 데에 있어 대단히 좋다.

07 have trouble -ing(~하는 데 어려움을 겪다) 구문으로 동명사 finding이 적절하다.

have trouble -ing: ~하는 데 어려움을 겪다
The company had trouble / finding a replacement / for Mr. Kiting.

그 회사는 어려움이 있었다 / 후임자를 찾는 데 / 키팅 씨의

···› 그 회사는 키팅 씨의 후임자를 찾는 데 어려움을 겪었다.

08 Finding이 주어로 사용되고 있으며, 동명사는 단수 취급하므로 단수 동사 is가 적절하다.

S 동명사 주어 V
[Finding true friends] / is difficult, / but if you reflect on yourself, / it can be easy.

진실된 친구를 찾기는 / 어렵다 / 하지만 만약 당신이 당신 자신을 되돌아 본다면 / 그건 쉬울 수 있다.

···› 진실된 친구를 찾기는 어렵지만 만약 당신 스스로를 되돌아본다면, 그건 쉬울 수 있다.

09 be worth -ing(~할 만한 가치가 있다) 구문으로 뒤에 동명사 reading이 적절하다.

S V S'
Parents find / [that books / about education and nursing / are worth reading].
V' be worth -ing: ~할 만한 가치가 있다

부모들은 ~라고 생각한다 / 책들은 / 교육과 양육에 관한 / 읽을 만한 가치가 있다

···› 교육과 양육에 관한 책들은 읽을 만한 가치가 있다고 부모들은 생각한다.

10 단수 동사 shows에 대한 주어가 될 수 있는 것은 동명사이다.

S 동명사 주어 V
[Collecting stamps, for example,] / shows children / cultures or historical events of a country.

우표를 모으는 것은 / 예를 들어 / 아이들에게 보여준다 / 한 나라의 문화나 역사적 사건을

···› 예를 들어 우표를 모으는 것은 아이들에게 한 나라의 문화나 역사적 사건을 보여준다.

Chapter 07 to부정사

어휘를 알면 구문이 보인다 (061~063) P. 182

01 줄이다	02 끄다	03 결정하다
04 결합하다	05 불평하다	06 제안하다
07 파충류	08 환경	09 행하다
10 행동	11 treat	12 import
13 manpower	14 temperature	15 spread
16 value	17 ripe	18 blind
19 luxury	20 moisture	

Point (061~063) Review P. 189

01 똑바로 앉는 것은
02 핵심은 계속 일을 하는 것이다
03 관계의 장단점을 분석하는 것은
04 신디는 앞으로 나아가기로 결정했다
05 만드는 힘
06 외국 관광지로 여행 계획을 세우는 것은
07 위치상 분리하는 것이다
08 메인 스크린으로 되돌아가려고 노력했다
09 아더는 잉글랜드의 왕이 될 운명이었다
10 새로운 전력원을 사용하는 방법

01 to부정사는 명사로 쓰여 주어 역할을 하고 있다.

It turns out / that [to sit up straight] / can improve / how you feel / about yourself.

밝혀진다 / 똑바로 앉는 것은 / 개선할 수 있다 / 어떻게 당신이 느끼는지를 / 자신에 대해서

⋯› 똑바로 앉는 것은 자신에 대한 감정을 개선할 수 있다고 밝혀진다.

02 to부정사는 명사로 쓰이고 있고 문장의 주격보어 역할을 하고 있다.

❶ ┌ 계속 일하는 것이다 (명사) ❷

The key / is to keep working / and take advantage of unexpected occurrences.

핵심은 / 계속 일하는 것이고 / 예상치 못한 상황을 이용하는 것이다

⋯› 핵심은 계속 일하는 것이고 예상치 못한 상황을 이용하는 것이다.

03 to부정사는 명사로 쓰이고 문장의 주어 역할을 하고 있다.

S ┌ 분석하는 것(명사)

[To analyze / the plus and minus of the relationship] /

V

can be an answer / to seeing / how we feel in our life.

분석하는 것은 / 관계의 장점과 단점을 / 대답이 될 수 있다 / 알아보는 것에 대한 / 인생에서의 감정에 대해서

⋯› 관계의 장단점을 분석하는 것은 우리 인생에서의 감정을 알아보는 것에 대한 대답이 될 수 있다.

04 to부정사는 명사로 쓰이고 있으며 동사 decided의 목적어 역할을 하고 있다.

❶ 앞으로 나아가는 것을(명사) ❷

Cindy decided / to go ahead, / approached Jessica,

❸

/ and introduced herself.

신디는 결정했다 / 앞으로 나아가기로 / 제시카에게 다가갔고 / 그리고 자신을 소개했다.

⋯› 신디는 앞으로 나아가기로 결정했고, 제시카에게 다가갔고, 그리고 자신을 소개했다.

05 to부정사는 앞에 있는 명사 power를 수식하는 형용사 역할을 하고 있다.

Boycotting / is a positive activist tool / that gives

┌ 만드는(형용사)

consumers power / to make the most socially responsible business practices.

보이콧은 / 긍정적인 활동가 도구이다 / 소비자에게 힘을 주는 / 가장 사회적으로 책임 있는 사업 관행을 만드는

⋯› 보이콧은 가장 사회적으로 책임 있는 사회적 관행을 만드는 힘을 소비자에게 주는 긍정적인 활동가 도구이다.

06 to부정사는 명사로 쓰이고 있으며 문장의 주어 역할을 하고 있다.

S ┌ 계획을 세우는 것 (명사) V

[To plan a trip / to a foreign destination] / can initially seem puzzling.

여행 계획을 짜는 것은 / 외국 관광지로 / 처음에는 혼란스러울 수 있다.

⋯› 외국 관광지로 여행 계획을 세우는 것은 처음에는 혼란스러울 수 있다.

07 to do는 way를 수식하는 형용사로 쓰이고 있고, to separate는 is 뒤에서 문장의 주격보어로 쓰이고 있다.

S ┌ 그것을 하는(형) V ┌ 분리하는 것이다(명사)

[One easy way / to do that] / is to geographically separate yourself / from the source of your anger.

한 가지 쉬운 방법은 / 그것을 하는 / 위치상 여러분 자신을 분리하는 것이다 / 여러분의 분노의 원천으로부터

⋯› 그것을 하는 한 가지 쉬운 방법은 위치상 여러분 자신을 분노의 원천으로부터 분리하는 것이다.

08 tried는 목적어로 to부정사가 온다.

V O OC

He suddenly found / himself / lost in a series of

되돌아가는 것을

monitor control screens / as he tried to get back / to the main screen.

그는 갑자기 깨달았다 / 자신이 / 일련의 모니터 통제 화면에서 길을 잃어버렸다는 것을 / 그가 되돌아가려고 노력했을 때 / 메인 스크린으로

⋯› 그는 메인 스크린으로 돌아가려고 할 때, 일련의 모니터 통제 화면에서 길을 잃어 버렸다는 것을 갑자기 깨달았다.

09 to부정사는 주어의 운명을 의미하는 서술적 용법으로 쓰이고 있다.

왕이 될 운명이었다(운명)

Arthur / was to be the king / of England / because he had daring courage / against the injustice.

아더는 / 왕이 될 운명이었다 / 잉글랜드의 / 왜냐하면 그는 대담한 용기를 가지고 있기에 / 불의에 대항하는

⋯› 아더는 불의에 대항하는 대담한 용기를 가지고 있기에 잉글랜드의 왕이 될 운명이었다.

10 to develop은 trying이 목적어 역할을, to use는 앞의 명사 ways를 수식하는 형용사 역할을 하고 있다.

발전시키는 것을

All over the world, / people are trying / to develop

사용하는(형용사)

ways / to use new power sources.

전 세계적으로 / 사람들은 노력하고 있다 / 방법을 발전시키려는 / 새로운 전력원을 사용하는

⋯› 전 세계적으로 사람들은 새로운 전력원을 사용하는 방법을 발전시키고자 노력하고 있다.

어휘를 알면 구문이 보인다 (064~066) P. 190

01 성취하다	02 반복된	03 슬퍼하다
04 편안한	05 빈번히	06 신호
07 보호하다	08 비난하다	09 완료하다
10 염색하다	11 infection	12 permanently
13 fall asleep	14 language	15 gap
16 border	17 active	18 inform
19 nerve	20 rely on	

Point(064~066) Review

P. 197

01 for	02 to see	03 of you
04 to detect	05 To score	06 for children
07 to hear	08 To be the winner	09 to find
10 for you		

01 to pass의 의미상의 주어가 필요하고 easy가 사람의 성질이 아니므로 for가 적절하다.

사람의 성질 X / to pass의 의미상의 주어

It is **easy** / **for him** / to pass the test / for being a doctor.

가주어-진주어 구문

쉽다 / 그가 / 시험에 통과하는 것은 / 의사가 되기 위한

⋯▸ 그가 의사가 되기 위한 시험에 통과한 것은 쉽다.

02 sorry는 감정의 이유를 나타내므로 to부정사 to see가 자연스럽다.

❶ 보게 되어(sorry의 이유)

The boss was **sorry** / **to see** / his good worker / go /

❷ ~인지 아닌지

and asked / if he could build / just one more house / as a personal favor.

상사는 유감이다 / 보게 되어 / 그의 훌륭한 직원이 / 가고 / 그리고 물었다 / 그가 만들 수 있는지 여부를 / 딱 한 채의 집을 더 / 개인적 부탁으로

⋯▸ 상사는 그의 훌륭한 직원이 가게 되는 것을 보게 되어 유감이었고, 개인적인 부탁으로 그가 한 채의 집을 더 지어줄 수 있는지 물었다.

03 to buy의 의미상의 주어가 필요하고 foolish가 사람의 성질이므로 of you가 적절하다.

사람의 성질 / to buy의 의미상의 주어

It would be **foolish** / **of you** / to buy a cow / if you lived in an apartment.

가주어-진주어 구문

바보스러울 수도 있다 / 당신이 / 소를 사는 것은 / 만약 당신이 아파트에 산다면

⋯▸ 당신이 만약 아파트에 산다면, 당신이 소를 사는 것은 바보스러울 수도 있다.

04 '~하기 위해서'라는 in order to부정사 구문이다.

~하기 위해서

An Indian / puts his ear / to the ground / **in order to detect** distant footsteps.

한 인디언은 / 그의 귀를 댄다 / 땅에 / 먼 거리의 발자국을 포착하기 위해서

⋯▸ 한 인디언은 먼 거리의 발자국을 포착하기 위해서 땅에 자신의 귀를 댄다.

05 뒤에 주어-동사가 온전한 문장이 나오므로 명령문보다는 목적을 나타내는 to부정사가 적절하다.

~얻기 위해서(목적)

To score good points, / a man needs / to respond the same way / a woman would, / by giving details.

좋은 점수를 얻기 위해서 / 남자는 필요하다 / 같은 식으로 반응하는 것이 / 여자가 하는 / 세부 설명을 줌으로써

⋯▸ 좋은 점수를 얻기 위해서 남자는 여자가 세부 설명을 함으로써 반응하는 똑같은 방식대로 반응할 필요가 있다.

06 to learn의 의미상의 주어가 필요하고 important는 사람의 성질이 아니므로 for children이 적절하다.

사람의 성질 X / to learn의 의미상의 주어

It is very **important** / **for children** / to learn / how to be polite and kind.

가주어-진주어 구문

매우 중요하다 / 아이들이 / 배우는 것은 / 공손하고 친절해지는 방법을

⋯▸ 아이들이 공손하고 친절해지는 방법을 배우는 것은 매우 중요하다.

07 내용상 목적을 나타내는 '듣기 위해서'가 더 자연스럽다.

단순히 듣기 위해서(목적)

He was a good pianist / and people came / **just to hear** / him / play.

그는 훌륭한 피아니스트였다 / 그리고 사람들은 왔다 / 단순히 듣기 위해서 / 그가 / 연주하는 것을

⋯▸ 그는 훌륭한 피아니스트였고, 사람들은 단지 그가 연주하는 것을 듣기 위해서 왔다.

08 내용상 수단을 의미하는 '승자가 됨으로써'보다는 목적을 의미하는 '승자가 되려면'이 자연스럽다.

승자가 되려면(가정)

To be the winner / you should do your best / and exercise and train every day.

승자가 되려면 / 당신은 최선을 다해야 한다 / 그리고 매일 연습과 운동을 해야 한다.

⋯▸ 승자가 되려면, 당신은 최선을 다하고 매일 운동과 연습을 해야 한다.

09 앞에 only가 있고, 내용상 결과를 의미하는 to부정사가 적절하다.

하지만 발견했다(결과)

She went to his room / **only to find** that his room was empty.

그녀는 그의 방으로 갔다 / 하지만 알게 되었다 / 그의 방이 비어 있다는 것을

⋯▸ 그녀는 그의 방으로 갔지만 그의 방이 비어 있다는 것을 알게 되었다.

10 to send의 의미상의 주어가 필요하고 pleasant는 사람의 성질이 아니므로 for you가 적절하다.

사람의 성질 X / to send의 의미상의 주어

It is **pleasant** / **for you** / to send a good message / to them.

가주어-진주어 구문

기분 좋은 일이다 / 당신이 / 좋은 메시지를 보내는 것은 / 그들에게

⋯▸ 당신이 그들에게 좋은 메시지를 보내는 것은 기분 좋은 일이다.

어휘를 알면 구문이 보인다 (067~069) P. 198

01 범죄자	02 안식처, 집	03 혼동하다
04 층	05 회의적 태도	06 목격
07 해결하다	08 키우다, 양육하다	09 짐
10 사라지다	11 food chain	12 effective
13 bend	14 punishment	15 constantly
16 suburb	17 support	18 sticky
19 ancestor	20 assumption	

Point (067~069) Review P. 205

01 not to be	02 to be made	03 make it
04 too late	05 found it	06 not to look
07 smart enough	08 to have completed	
09 find it difficult	10 not to care	

01 to부정사의 부정은 부정어를 to부정사 앞에 둔다.

부정어 + to부정사
In order not to be wasteful, / the teacher didn't award trophies / to other participants.

낭비하지 않기 위해서 / 선생님은 트로피를 주지 않았다 / 다른 참가자들에게

···› 선생님은 낭비하지 않기 위해서 다른 참가자들에게 트로피를 주지 않았다.

02 결정은 만들어지는 것이므로 수동 관계이다.

S, 만들어지게 될, V
[One main decision / to be made tomorrow / by our team] / will affect your suggestion / for preserving this forest.

주된 결정이 / 내일 만들어지게 될 / 우리 팀에 의해서 / 당신의 제안에 영향을 줄 것이다 / 이 숲을 보존하기 위한

···› 내일 하게 될 우리 팀의 결정은 이 숲을 보존하기 위한 당신의 제안에 영향을 줄 것이다.

03 뒤에 진목적어인 to use the machine이 나오므로 가목적어인 it이 쓰여야 한다.

가목적어, 의미상의 주어, 진목적어
You can make it easier / for the next person / to use the machine.

당신은 더 쉽게 만들 수 있다 / 다음 사람이 / 그 기계를 사용하는 것을

···› 당신은 다음 사람이 그 기계를 사용하는 것을 더 쉽게 만들 수 있다.

04 '충분히 늦었다'보다는 '너무 늦어서 바꿀 수 없다'가 더 자연스럽다.

All of a sudden / they are too close to a waterfall, /
too ~ to R: 너무 ~해서 ...할 수 없다
and they realize / it's too late / to change course.

갑작스럽게 / 그들은 폭포에 너무 가까이 있다 / 그리고 그들은 깨닫는다 / 그것은 너무 늦어서 / 코스를 바꿀 수 없다는 것을

···› 갑자기 그들은 폭포에 너무 가까이 있었고, 너무 늦어서 코스를 바꿀 수 없음을 깨달았다.

05 뒤에 진목적어인 to cure ~ problems가 나오므로 가목적어인 it이 쓰여야 한다.

가목적어, 진목적어
Many counselors / found it difficult / to cure the trauma / by recalling problems.

많은 상담가들은 / 어렵다고 깨달았다 / 트라우마를 치료하는 것이 / 문제를 회상함으로써

···› 많은 상담가들은 문제를 기억함으로써 트라우마를 치료하기란 어렵다고 깨달았다.

06 to부정사의 부정은 부정어를 to부정사 앞에 둔다.

부정어 + to부정사
People are cautioned / not to look at the Sun / at the time of a solar eclipse.

사람들은 조심한다 / 태양을 보지 않도록 / 일식이 있을 때

···› 사람들은 일식이 있을 때, 태양을 바라보지 않도록 조심한다.

07 '너무 현명해서 운영할 수 없다'보다는 '운영하기에는 충분히 현명하다'가 더 자연스럽다.

(that) 생략, S, V
I think / our regular staff / will be smart enough / to operate all the events.

나는 생각한다 / 우리 정규 직원은 / 충분히 현명할 것이다 / 모든 행사를 운영할 정도로

···› 나는 우리 정규 직원들이 모든 행사를 운영할 정도로 충분히 현명하다고 생각한다.

08 expected to have p.p.]는 과거에 이루지 못한 소망을 나타내는 표현이므로 to have completed가 적절하다.

We expected / you / to have completed your university studies / with a doctoral degree in economics / last year.

우리는 기대했다 / 당신이 / 당신의 대학교 공부를 끝냈기를 / 경제학 박사학위와 함께 / 작년에

···› 우리는 당신이 작년에 경제학 박사학위를 따고 대학 공부를 마쳤기를 기대했다.

09 뒤에 진목적어인 to sell food they produce가 나오므로 가목적어인 it이 쓰여야 한다.

If a developed country / gives food / to a poor country, / its local farmers / will find it difficult / to sell food they produce.
(가목적어: it, 진목적어: to sell food they produce)

선진국이 / 식량을 준다면 / 가난한 나라에 / 그 지역 농부들은 / 어렵다는 것을 깨달을 것이다 / 그들이 생산한 음식을 판매하는 것이

···› 선진국이 가난한 나라에게 식량을 준다면, 그 지역의 농부들은 그들이 생산한 음식을 판매하는 것이 어렵다는 것을 깨달을 것이다.

10 to부정사의 부정은 부정어를 to부정사 앞에 둔다.

부정어 + to부정사
You begin / not to care about consistency / within a given habitat, / because such consistency isn't an option.

당신은 시작한다 / 일관성을 신경쓰지 않기 / 주어진 거주지 내에서 / 왜냐하면 그런 일관성은 선택이 아니므로

⋯› 당신은 주어진 거주지 내에서 일관성에 대해서 신경쓰지 않기 시작한다. 왜냐하면 그런 일관성은 선택이 아니기 때문이다.

어휘를 알면 구문이 보인다 (070~072) P. 206

01 사적인	02 치료	03 심각한
04 제거하다	05 반복해서	06 강요하다
07 마감일	08 발전기	09 가능하게 하다
10 관점, 견해	11 quicken	12 publisher
13 material	14 contain	15 essential
16 interaction	17 purpose	18 heighten
19 defensive	20 refuse	

Point (070~072) Review P. 213

01 to take	02 to leave	03 to go	04 to adopt
05 to spend	06 to get	07 to have	08 to focus
09 talking	10 giving		

01 refuse는 to부정사를 목적어로 가지는 동사이다.

refuse + to부정사

The president **refused** / **to take** part in their plan.

대통령은 거절했다 / 그들의 계획에 참여하는 것을

⋯› 대통령은 그들의 계획에 참여하기를 거절했다.

02 wish는 to부정사를 목적어로 가지는 동사이다.

wish + to부정사

Although he saved her life, / he **wished** / **to leave** this country.

비록 그가 그녀의 목숨을 구했지만 / 그는 바랐다 / 이 나라를 떠나기를

⋯› 비록 그는 그녀의 목숨을 구해주었을지라도 그는 이 나라를 떠나고 싶어 했다.

03 want는 to부정사를 목적어로 가지는 동사이다.

want + to부정사

I have always **wanted** / **to go** to a art school / since I saw the painting.

나는 늘 원했다 / 예술학교에 가기를 / 그 그림을 본 이후로

⋯› 나는 그 그림을 본 이후로 예술학교에 가기를 늘 원했다.

04 plan은 to부정사를 목적어로 가지는 동사이다.

plan + to부정사

After much thought, / they **planned** / **to adopt** four special-needs international children.

많은 생각을 한 이후에 / 그들은 계획했다 / 4명의 특수 장애가 있는 해외 아이들을 입양하기로

⋯› 심사숙고 끝에 그들은 특수 장애가 있는 네 명의 해외 아이를 입양하기로 했다.

05 cause는 목적보어 자리에 to부정사를 가지는 동사이다.

cause A to R

Her physical disabilities / **caused** / her / **to spend** the first 17 years of her life / in a hospital.

그녀의 신체적 장애는 / 유발했다 / 그녀가 / 인생에서 첫 번째 17년을 보내도록/ 병원에서

⋯› 그녀의 신체적 장애는 그녀의 첫 번째 17년을 병원에서 보내도록 만들었다.

06 advise는 목적보어 자리에 to부정사를 가지는 동사이다.

advise A to R

Counselors often **advise** / clients / **to get** some emotional distance / from whatever is bothering them.

상담가들은 종종 조언한다 / 고객들이 / 감정적 거리를 가지라고 / 그들을 괴롭히는 어떠한 일이든지

⋯› 상담가들은 종종 환자들을 괴롭히는 일이 무엇이든 감정적 거리를 유지하라고 조언한다.

07 allow는 목적보어 자리에 to부정사를 가지는 동사이다.

allow A to R

The contests **allowed** / his students / **to have** fun / while they practiced math.

대회는 허용했다 / 그의 학생들이 / 즐기도록 / 그들이 수학을 연습할 때

⋯› 시험은 그의 학생들이 수학을 연습하는 동안 즐기는 것을 허용했다.

08 fail은 to부정사를 목적어로 가지는 동사이다.

fail + to부정사

This essay **failed** / **to focus** on a particular point / about its subject.

이 에세이는 실패했다 / 특정한 지점에 집중하는 것을 / 그 주제에 대한

⋯› 이 에세이는 그 주제에 대한 특정한 관점에 집중하는 데 실패했다.

09 내용상 '그와 이야기하는 것을 멈추다'의 의미이므로 동명사가 와야 한다.

stop -ing: ~하는 것을 멈추다

You may want / to **stop talking** with him / and break away / to start a conversation / with that other person.

너는 아마도 원할지도 모른다 / 그와 이야기하는 것을 멈추기를 / 그리고 떠난다 / 대화를 시작하기 위해서 / 다른 사람과

⋯› 당신은 아마도 그와 이야기하는 것을 멈추고 다른 사람과 대화를 시작하기 위해서 그 자리를 떠나고 싶어할 지도 모른다.

10 과거에 그녀가 명함을 준 것을 잊지 않는다는 내용이므로 동명사가 와야 한다.

forget + -ing: ~한 것을 잊다

The manager **forgot** / **giving** her his business card / and gave it to her again.

(it: his business card)

매니저는 잊었다 / 그녀에게 명함을 준 것을 / 그리고 그것을 그녀에게 다시 주었다

⋯› 매니저는 명함을 그녀에게 준 사실을 잊고 다시 그녀에게 명함을 주었다.

Chapter 07 Review

P. 214

01 to stop	02 making	03 to make
04 looking	05 of	06 be inspected
07 smoking	08 have seen	09 seeing
10 not to grow		

01 decide는 to부정사를 목적어로 가지는 동사이다.

When he was about to start your homework, /

I decided / to stop him. (decide + to부정사)

그가 막 너의 숙제를 하려고 했을 때 / 나는 결심했다 / 그를 막기로

··· 그가 너의 숙제를 막 시작하려고 했을 때, 나는 그를 막기로 결정했다.

02 과거의 실수를 한 것을 잊지 않는다는 내용이므로 동명사가 와야 한다.

Don't forget / making the mistake before, / or you may do it again. (forget + ing: 이미 한 일을 잊음)

잊지 마라 / 전에 실수를 했던 것을 / 아니면 너는 다시 그걸 할지도 모른다

··· 전에 실수를 했던 것을 잊지 마라. 아니면 너는 다시 그것을 할 수도 있다.

03 allow는 to부정사를 목적보어로 가지는 동사이다.

❶ Give children options / and ❷ allow / them / to make their own decisions. (allow A to R)

아이들에게 선택권을 주어라 / 그리고 허용해라 / 그들이 / 그들 자신의 결정을 하도록

··· 아이들에게 선택권을 줘라 그리고 그들이 자신의 결정을 하도록 허용해라.

04 내용상 '이용되다'보다는 '익숙해지다'가 더 자연스럽다. 따라서 〈be used to -ing: ~에 익숙해지다〉가 적절하다.

Jasmine is used to looking after / a little child / because she has two younger brothers. (돌보는 데 익숙하다)

자스민은 돌보는 데 익숙하다 / 작은 아이들 / 왜냐하면 그녀는 2명의 어린 남동생이 있어서

··· 자스민은 2명의 어린 남동생이 있어서, 작은 아이를 돌보는 데 익숙하다.

05 to help의 의미상의 주어가 필요하고 kind가 사람의 성격을 나타내므로 of you가 적절하다.

It was very kind / of you / to help / me / complete this form. (사람의 성질 / to help의 의미상의 주어 / 가주어-진주어 구문)

정말로 친절했다 / 네가 / 도와준 것이 / 내가 이 서식을 완성하도록

··· 내가 이 서식을 완성하도록 도와준 너는 친절하다.

06 products와 inspect(검사하다)의 관계가 서로 수동 관계이므로 수동태가 와야 한다.

All of the products / need to be inspected / before putting them on the market. (products와 inspect는 수동 관계)

모든 제품은 / 검사될 필요가 있다 / 그것들을 시장에 내놓기 전에

··· 모든 상품들은 시장에 내놓기 전에 검사할 필요가 있다.

07 내용상 '금연하다'가 적절하므로 〈stop -ing: ~하는 것을 멈추다〉가 적절하다.

He hopes / this course will help / him / stop smoking. ((that)생략 / stop + -ing: ~하는 것을 멈추다)

그는 희망한다 / 이 코스가 도와줄 것이라고 / 그가 / 금연하는 것을

··· 그는 이 코스가 금연하도록 도와주기를 바란다.

08 동사가 현재형이며, 과거에 본 행위를 의미하므로 to have p.p.가 적절하다.

A woman claims / to have seen / a spaceship / flying / when the show was televised nationwide. (본 것은 과거의 행위)

여자는 주장한다 / 봤다고 / 우주선이 / 날아다니는 것을 / 그 쇼가 전국으로 방송되었을 때

··· 여자는 그 쇼가 전국으로 방송되었을 때, 우주선이 날아다니는 것을 봤다고 주장한다.

09 과거의 본 것을 기억한다는 내용이므로 동명사가 와야 한다.

I remember / seeing Omar Sharif / in *Doctor Zhivago* and *Lawrence of Arabia*. (영화를 본 것은 과거의 행위(이미 봄))

나는 기억한다 / 오마 샤리프를 본 것을 / 〈닥터 지바고〉와 〈아라비아의 로렌스〉의

··· 나는 〈닥터 지바고〉와 〈아라비아의 로렌스〉에서 오마 샤리프를 본 것을 기억한다.

10 to부정사의 부정은 부정어를 to부정사 앞에 놓는다.

[People / who live near birds] / quickly learn / not to grow blue flowers / or use blue things / outside of their houses. (S / V / 부정어 + to부정사)

사람들은 / 새 가까이에 사는 / 빠르게 배운다 / 파란 색 꽃을 키우지 않는 것을 / 아니면 파란 색을 사용하지 않는 것을 / 그들의 집 밖에서

··· 새 가까이서 사는 사람들은 파란 색 꽃을 키우지 않거나 그들 집 밖에서 파란 색 물건을 사용하지 않는 법을 빠르게 배운다.